Alchimie
de l'esprit humain

Un guide de la transition humaine
vers une ère nouvelle

Kryeon

Tome III

ARIANE Éditions Inc.

Commentaires internationaux

« Je ne sais pas vraiment pourquoi j'écris ou ce que je recherche, mais un ami m'a dit de me procurer vos livres... n'importe lequel de vos livres. Je suis propriétaire de l'unique librairie métaphysique de l'Islande. Je suis en train également de bâtir un centre spirituel près de Reykjavik. »

G. B.
Reykjavik, Islande

« LETTRE OUVERTE À TOUS LES LECTEURS DE KRYEON : Je tiens à vous remercier (ainsi que tous les gens qui pensent comme vous) pour les pensées et prières que vous dirigez vers cette partie troublée du monde. La situation politique est encore très instable. Malheureusement, les problèmes avec la Corée du Nord sont loin d'être réglés. Je suis certain que nous y gagnerons beaucoup à continuer à faire l'objet de votre attention. J'espère que vous (le groupe Kryeon) continuerez à nous aider, peu importe la méthode que vous sentirez devoir utiliser. »

A. P.
Corée du Sud

« Merci pour la *Graduation des temps* de Kryeon. Ce fut un délice à lire! Je suis naturopathe et thérapeute biomagnétique (la guérison à l'aide d'aimants). J'ai trouvé que le négatif (le pôle nord) donne de merveilleux résultats pour anéantir les virus! Je me fais une joie de lire votre prochain livre. »

D. M. H.
Australie

« Je cherchais des livres sur le Reiki, et je n'avais même pas pensé aux œuvres de Kryeon, lorsque tout d'un coup je vis les deux livres dans leur coffret. Il n'y avait pas le moindre doute dans mon esprit; je savais qu'il me fallait acheter ces livres. Ce que je fis aussitôt. Je commençai à lire et fus tout simplement incapable de m'arrêter. À plusieurs reprises je ne pus retenir mes larmes en lisant le premier livre, une chose qui ne m'arrive presque jamais. J'avais l'impression de lire des choses que, pour une mystérieuse raison, je connaissais déjà, et voilà que j'avais trouvé quelqu'un qui les avait mises par écrit! Je veux vous remercier d'avoir écrit ces livres, car ils ont enrichi ma vie, et je me réjouis à l'avance d'avoir de vos nouvelles. Inutile de dire que j'ai beaucoup changé depuis que tout cela s'est produit. »

A. C. V.
Hollande

Commentaires internationaux

« Quelqu'un a amené les livres de Kryeon en Allemagne et ils ont fini par aboutir entre mes mains. J'avais cessé depuis quelque temps déjà de lire des livres, mais les livres de Kryeon m'ont donné une clé pour UTILISER les choses dont on a dit aux humains de se servir dans les livres de Ken Carey ou dans les connaissances livrées par Rudolf Steiner et Tesla ou dans les plus récents écrits de Solara. L'énergie de Kryeon complète cette série offerte par l'Univers jusqu'à présent en nous donnant des moyens simples et directs de l'utiliser. J'aime sa clarté et sa joie. »

K. P.
Francfort, Allemagne.

« Ma vie a changé de façon incroyable après l'implant neutre. Ce ne fut vraiment pas une expérience agréable, mais je suis passé à travers en un laps de temps relativement court. Nous sommes totalement ravis de partager les enseignements de Kryeon dans nos groupes de travail. Il est temps pour nous de mettre en pratique la connaissance que nous portons tous en nous, et nous avons besoin qu'on nous le rappelle. »

A. B. -- Nelson, Nouvelle-Zélande

« Je suis copropriétaire d'un magazine appelé *The Pyramide*. Dans le dernier numéro de notre magazine, qui est la seule publication futuriste sur le Nouvel âge en Croatie, j'ai écrit à propos de certains nouveaux mouvements et consacré une attention particulière à Kryeon. Entre-temps, j'ai lu en entier les deux livres de Kryeon et je les aime énormément! »

D. P.
Croatie

« J'aimerais vous remercier pour les connaissances exceptionnelles et marquantes que vous êtes parvenu à nous transmettre. Les messages de Kryeon et vos explications personnelles sont tellement clairs, si complets et si logiques que je ne peux m'imaginer une meilleure façon de guider celles et ceux qui sont déjà sur le sentier de l'éveil. Ma reconnaissance envers Kryeon et à votre égard est accrue par le fait que je suis moi-même un homme d'affaires juif et israélien, profondément engagé dans une démarche de développement spirituel grâce à un travail personnel et de groupe. »

A. D.
Israël

Alchimie

1. Une philosophie chimique médiévale ayant soi-disant pour buts la transmutation de métaux vils en or, la découverte de la panacée et la préparation de l'élixir de longévité. 2. Un pouvoir en apparence magique ou un processus de transmutation.

Titre original anglais :
Alchemy of the Human Spirit - Kryon Book III
© 1995 par Lee Carroll
1155 Camino Del Mar - #422, Del Mar, California 92014 USA

© 1997 pour l'édition française
Ariane Éditions Inc.
1209, Bernard O., bureau 110, Outremont, Qc., Canada H2V 1V7
Téléphone : (514) 276-2949, télécopieur : (514) 276-4121
Site internet : www.Mlink.net/~Ariane
Courrier électronique : Ariane@Mlink.net

Traduction et mise en page: Jean Hudon
Traduction de l'article "Connexion de la science à l'amour" (Chapitre 9) et du Chapitre 10 : Marie-Blanche Daigneault
Révision : Marielle Bouchard, Jeanne Barry, Réjeanne Dupuis
Conception de la page couverture : Ariane Éditions
Graphisme : Carl Lemyre

Première impression : août 1997

ISBN : 2-920987-23-2
Dépot légal : 3e trimestre 1997
Bibliothèque nationale du Québec
Bibliothèque nationale du Canada
Bibliothèque nationale de Paris

Diffusion
Québec : ADA Diffusion – (514) 929-0296
Site Internet : www.ada-inc.com
France : D.G. Diffusion – 05.61.000.999
Belgique : Rabelais – 22.18.73.65
Suisse : Transat – 23.42.77.40

Imprimé au Canada

Remerciements

De Jan et Lee

Dans chaque livre se trouve un endroit où l'auteur remercie celles et ceux qui l'ont aidé. En général, vous scrutez la liste et n'y reconnaissez aucun nom et cette page ne diffère peut-être en rien des autres de ce genre pour vous. Sachez cependant que les personnes qui m'aident dans le travail relatif à Kryeon sont en lien avec des milliers de vies dans le monde. Ce n'est pas le fruit du hasard si ces personnes sont impliquées. Prenez quelques instants pour célébrer ces noms et sentir l'énergie qui leur est associée. Chacune de ces 18 personnes a un contrat cosmique pour se retrouver ainsi sur cette page dans ce livre!

Garret Annofsky
Gretchen Aurand
Greg Aurand
Susan Baumann
Karen La Chance
Roger La Chance
Norma Delaney
Barbra Dillenger
Jocelyn Eastland
Janie Emerson
Luana Ewing
Joel Heathcote
Geoffrey A. Hoppe
Ka-Sandra Love
Michael Makay
Petra Mantz
Trish McCabe
Carol Linda Vogt

Table des matières

Qui êtes-vous Kryeon?

Question : *Bon alors, Kryeon... qui êtes-vous en réalité?*

Réponse : J'ai souvent dit à mon partenaire que le fait de formuler la question appropriée mène à découvrir beaucoup. Si vous restez muets, les choses ne vous seront révélées que partiellement. Votre question montre donc une certaine compréhension quant au fait que Kryeon n'est pas simplement un maître magnétique. Vous avez vu juste.

Cher ami, je suis un des anges nourriciers de l'ère nouvelle. L'énergie de ma famille cosmique comprend aussi celui que vous nommez l'archange Michaël. Nous voyageons souvent ensemble et nous nous retrouvons une fois de plus à œuvrer sur votre planète. Certains parmi vous en étaient conscients et ont identifié cette énergie. Je le confirme maintenant parce que vous l'avez demandé.

Longtemps après l'achèvement du travail magnétique et le départ du contingent de Kryeon, je resterai derrière pour continuer à vous offrir mon amour, mon respect et mes paroles, tout comme je le fais aujourd'hui.

(Une question du public, tirée du magazine Kryon Quarterly #4. Pour plus d'informations à ce sujet, voir à la page 229)

Préface de l'auteur

Un mot de l'auteur...

Eh bien! nous voici déjà arrivés au troisième livre! J'ai l'impression qu'il y a quelques mois à peine j'étais sur le point de franchir le seuil de la raison et de commencer à écrire des choses étranges et bizarres venant de "l'au-delà". Le reste est de l'histoire ancienne.

Le succès des livres de Kryeon m'a laissé abasourdi. Ça représente déjà des dizaines de milliers de livres en circulation sur la planète... des centaines de lettres reçues chaque mois... des séminaires partout autour du monde... la rencontre d'artistes célèbres que j'ai admirés pendant des années et qui sont maintenant des lecteurs de Kryeon... et des offres de tous genres auxquelles je dois répondre. Tout cela qui se produit et Kryeon qui me dit : « Ne t'écarte jamais du droit chemin tracé par les avertissements reçus. Souviens-toi que Kryeon parle aux cœurs et aux esprits de l'humanité, une personne à la fois. Tu es Un et il est de même pour chaque autre personne. » Ce que cela signifie pour moi est évident. Les avertissements que j'ai reçus par voie de channeling sont énumérés plus loin dans ce livre pour que vous puissiez les consulter. Ils représentent pour moi les postulats ou les axiomes du travail de Kryeon. Cela signifie que mon "unité" est identique à celle de toutes les autres personnes. « Demeure calme, accomplis le travail et ne porte pas trop attention à ce qui se passe autour de toi car cela t'empêchera de te concentrer. » Mon contrat n'est pas plus important que celui attribué à n'importe quelle autre personne lisant ceci. Chacun de nous a consenti à mener à bien l'une ou l'autre action avant notre venue ici. Notre défi consiste à parvenir à nous purifier nous-même à un degré tel que nous pourrons découvrir la nature de cette quête cachée et l'accomplir. Comme chacun de nous fait partie du tout, pour ainsi dire, certains d'entre vous reconnaîtront que Kryeon fait en quelque sorte partie de la famille, et qu'il ne s'agit donc pas d'une entité à suivre, à vénérer, ou de laquelle dépendre pour avoir du pouvoir ou la paix.

Je suis reconnaissant envers toutes les personnes qui ont lu les livres de Kryeon dans cette série, et qui ont écouté les cassettes, et aussi envers les gens qui se sont rendus assister aux séminaires afin de se trouver en présence de l'énergie de Kryeon et se laisser imprégner de l'amour qu'il dégage. Vous savez maintenant de quoi j'ai l'air, comment je m'exprime et vous avez une meilleure idée de qui je suis comme humain. Je ne peux plus me dissimuler sous le couvert de l'anonymat dont je bénéficiais il y a quelques mois (semble-t-il). Mon contrat pour la planète était de faire le channeling de Kryeon. Le contrat à mon égard consistait à me promener avec la crainte d'être ridiculisé, ce qui risquait de provoquer la rupture de mes relations avec des amis, des collègues et ma famille. De fait, ce travail sur moi-même se poursuit toujours et j'ai encore des choses à découvrir quant à la mise en pratique des principes que je reçois par channeling pour ma vie quotidienne. Kryeon veut que je vive conformément aux valeurs et principes que je vous donne afin de pouvoir ainsi sentir l'effet qu'ils produisent. Je présume que c'est à tout le moins équitable.

Et finalement, il est également bien connu maintenant que mon épouse Jan Tober accomplit l'autre moitié du travail de Kryeon. La plupart des gens n'ont pas la chance de le constater sauf ceux qui participent aux séminaires. Ces séminaires sont pour moi une occasion d'expliquer comment elle a dû patienter durant neuf ans que je vienne à bout de mon incrédulité à mon propre sujet pour enfin arriver par la voie de la logique à mûrir certaines décisions à propos de l'intangible... et à accepter mon contrat. C'est donc grâce à elle si je suis arrivé à voir la connexion avec Kryeon. Parce qu'elle a perçu l'émergence de ce phénomène pendant des années (et qu'elle a su qu'il valait mieux ne pas m'en parler), elle est demeurée à l'affût d'occasions où celui-ci se présenterait à moi d'une manière que je serais en mesure d'accepter. C'est Jan qui m'a incité à aller voir deux médiums (tous deux de passage dans ma ville) qui, à trois années d'intervalle, citèrent le nom de Kryeon au cours d'une séance et me parlèrent de ma quête — à laquelle je ne croyais même pas à ce moment-là! Je commençai enfin à m'ouvrir peu à peu à une chose dont Jan avait pris conscience durant tout ce temps. Comme je l'explique lors de mes séminaires, ce canal ne fait pas qu'emmener son épouse avec lui; il y amène l'autre moitié indispensable au travail. Jan et moi présentons toujours Kryeon *ensemble*. Il ne m'est pas encore arrivé de faire un séminaire ou de participer à une séance de signature de livres sans elle. Il est vrai que c'est moi seul qui fais le channeling et écris les livres, mais c'est son énergie qui fait tout avancer. Je suis le moteur et elle représente les roues — et parfois le klaxon aussi! Notre véhicule est l'association de deux personnes unies par l'amour et le travail de l'Esprit. Nous aimons raconter aux gens ce que nous avons appris en tant que couple, car nous sommes d'avis que cette information est utile dans la nouvelle énergie, et qu'elle est applicable à tout type d'union amoureuse. Tandis que vous poursuivez la lecture de ce livre, prenez conscience que toutes les séances de channeling devant public se sont réalisées avec la présence physique de Jan à mes côtés. Ceci est important pour l'équilibre des énergies masculines et féminines.

Le format de ce livre est comparable à celui du précédent de par le fait que nous avons une fois encore fréquemment recours à la formule question et réponse. Je m'exprime aussi un peu plus souvent à titre personnel dans ce livre, puisque Kryeon veut que vous puissiez ainsi disposer de mon point de vue en tant qu'humain pour mieux comprendre la signification des paroles de l'Esprit. Depuis la parution du dernier livre, j'ai maintenant des centaines d'heures d'expérience avec des humains en voie de transition. J'ai pu ainsi acquérir beaucoup plus de sagesse pour mieux interpréter les messages de Kryeon et expliquer comment ils s'appliquent à la vie de tous les jours.

Le mot *alchimie* est utilisé ici pour illustrer la façon dont l'Esprit aimerait vous voir utiliser la nouvelle énergie dans votre vie. Nous sommes maintenant entrés dans un nouveau paradigme spirituel. (Le mot *paradigme* est un terme, utilisé dans le jargon du Nouvel âge, qui signifie "pattern" ou "modèle de pensée". Il veut également dire "la façon dont les choses fonctionnent" dans le contexte de ce livre.) La force de la connotation alchimique du mot *alchimie* est voulue, et il en est de même de l'idée bien établie de la transmutation. Kryeon parle de l'urgence de notre époque (plus de détails à ce sujet plus loin). Il parle aussi de la nouvelle transmission de pouvoirs aux humains, et il dit que, d'une manière métaphorique, nous avons tous "fait la queue" pour être ici sur la planète à cette époque particulière! Pouvons-nous réellement devenir différents? Pouvons-nous vraiment créer notre propre réalité, ou nous guérir nous-même? ABSOLUMENT!

Cher lecteur, chère lectrice, je vous invite à parcourir ces pages avec moi du sein du confort de votre propre regard et au moment qui vous convient le mieux. Au fil de votre lecture, prenez conscience que le but essentiel de la publication de cet ouvrage est de vous transmettre une information qui se traduira par un transfert de pouvoirs *qui vous sont destinés*. Vous n'avez pas à vous joindre à quoi que ce soit, aucune contribution n'est sollicitée, il n'y a aucune doctrine à suivre... et aucune pénalité spirituelle n'est encourue si vous posez là ce livre. Le message de Kryeon est présenté dans la plus pure forme d'amour que j'ai jamais connue. Celles et ceux parmi vous qui savent de quoi je parle retrouveront dans ce livre la même énergie que vous avez trouvée dans les deux premiers livres de Kryeon. La raison en est simple. C'est encore l'Esprit qui s'adresse à vous comme à un égal, et l'amour transmis a la même énergie aujourd'hui que lors de la formation de la planète. L'énergie est pure, familière et nullement menaçante. Si le sentiment que vous éprouvez vous donne l'impression d'être revenu au bercail, alors vous avez réellement saisi la vérité au sujet de qui vous êtes!

UN

Alchimie humaine

*La transcription de cette séance de channeling devant public a été
modifiée par l'ajout de mots et de pensées afin d'en clarifier le sens et de
permettre une meilleure compréhension de ce qui a été dit.*

Mes salutations! Je suis Kryeon du service magnétique. En cet
instant même, chacun de vous se trouve dans une situation fort
intéressante. Ce n'est pas le fruit du hasard si ces paroles parviennent jusqu'à votre conscience et votre esprit, car vous êtes tous en
mode exploratoire. Depuis ma toute première communication il y
a plusieurs années, votre énergie a remarquablement changé! Vous
vous retrouvez maintenant en plein cœur de la transition aux
niveaux supérieurs, et certains parmi vous sont troublés par
quelque chose d'aussi grandiose.

Je n'entamerai pas cette nouvelle série de publications sans
d'abord vous dire toute l'estime et toute l'admiration que nous
avons pour vous. Alors que vous lisez ces mots, il y a certaines
choses qu'il vous faut comprendre : (1) Le mot "vous" que j'utilise
se réfère à l'entité dont les yeux sont en train de lire cette phrase.
(2) Je sais qui vous êtes. (3) Il n'y a rien de fortuit dans le fait que
nous soyons en train d'avoir cette communication.

Lorsque je vous dis, mes amis, que je sais qui vous êtes, je
l'affirme de la façon la plus paisible qui se puisse imaginer. Tout
comme un bon ami scrutant attentivement une foule et y reconnaissant un compagnon bien-aimé, de même je vous vois en ce moment
et je connais votre nom. Je vous connais individuellement car nous
nous sommes rencontrés auparavant. Il n'y a aucune entité sur cette
planète qui ne m'a pas vu ou qui n'a pas participé à la cérémonie
de mon énergie émanant du Grand Soleil Central. « Comment une
telle chose est-elle possible? » vous demandez-vous peut-être... car
il y a une mer d'entités sur cette planète. Il y en a des milliards! Je
vous dis que vous êtes moins nombreux qu'il y a d'étoiles, et je
connais toutes les étoiles. La conception que vous avez de la
communication en série et des nombres limite votre capacité à

comprendre comment il m'est possible de vous accorder toute mon attention en ce moment. Le cadre de "l'instant présent" qui existe pour une entité universelle comme moi me donne la possibilité de me tenir face à vous et de prendre tout mon temps alors que j'honore la précieuse entité que vous êtes et vous donne mes conseils en tout amour.

Chacun de vous a été choisi pour votre temps d'existence ici. Oui, même ceux qui meurent des maladies de la forêt et ceux qui meurent des maladies de la guerre. Vous ne vous êtes pas simplement portés volontaires pour cette mission; vous avez activement imploré qu'on vous l'accorde, et ensuite vous avez minutieusement conçu le contrat que vous exécutez maintenant. Il peut vous sembler étrange que certains aient pu être choisis pour venir ici dans le seul but de mourir. Si cela vous étonne, c'est que vous n'avez pas une vue d'ensemble du grand jeu auquel vous participez, ni de l'importance du rôle que vous avez accepté d'y jouer. Le jeu dont je parle est celui qui vous place sur la planète comme une entité toute puissante choisie parmi d'innombrables autres pour participer au grand événement consistant à devenir un humain, et à ne plus pouvoir ensuite savoir qui vous êtes, votre nature véritable vous ayant été cachée! Qui plus est, on vous a aussi dissimulé la nature de votre mission et vous ne pouvez même plus reconnaître vos frères et sœurs. Je vous le répète une fois encore que c'est un grand honneur pour moi de vous voir incarné en ce moment sur la planète. Vous êtes là, en train de lire les paroles de Kryeon. Vous avez soif d'information spirituelle car vous savez qu'il y a quelque chose de changé sur Terre. Vous avez un sentiment d'urgence et de fébrilité et vous ne savez pas pourquoi. Vous êtes à la recherche d'un quelconque signe bien évident, ou alors vous avez fort envie que Dieu vienne près de vous et vous réconforte. Vous sentez tout cela, et parce que vous êtes dans la dualité, vous ne reconnaissez pas votre puissance, ni qui vous êtes réellement.

La vérité est que vous vous trouvez en présence de Kryeon, votre **serviteur**! Mon partenaire brûle du désir de vous communiquer la réalité sur qui vous êtes. Je vous entoure d'énergie et d'amour, car je sais exactement ce que vous avez dû endurer durant toute votre vie. Vous ne reconnaissez pas encore les pouvoirs dont vous disposez ni votre potentiel, alors que je vois déjà votre noble grandeur. Vous ne savez pas qui vous êtes, et moi je vois votre incroyable ascendance. Si vous savez comment fonctionnent les choses et que vous avez lu mes précédentes communications à

Alchimie humaine 15

votre intention, alors vous savez aussi que vous avez eu de nombreuses incarnations dans l'univers. Ceci est votre service et votre groupe. Par conséquent, votre ascendance est phénoménale, et elle éclipse tout ce que la plupart d'entre nous avons comme couleurs.

Vous verrez à de nombreuses reprises dans ce livre une transcription des paroles que je vous adressais lors de séances de channeling alors que mon partenaire remplissait son contrat consistant à communiquer la pensée de Kryeon sur votre grande planète. Vous m'entendrez également parler de couleurs. Permettez-moi à nouveau d'expliquer plus clairement de quoi il s'agit.

Lorsque je suis arrivé au début, j'ai demandé à mon partenaire de tenter de représenter l'aspect extérieur de la publication que vous êtes en train de lire en faisant en sorte que l'on perçoive un changement de couleur. La couleur des lettres n'est jamais la même lorsque vous regardez le nom de Kryeon sur la couverture du livre. Elle change selon le point de vue à partir duquel vous le regardez; et si vous bougez, la couleur change. Chacun de nous possède le même attribut en tant qu'entité de l'univers. Notre forme et nos couleurs indiquent à ceux qui sont autour de nous nos "noms" et notre service. De plus, les couleurs permettent aux autres de savoir où nous sommes allés et ce que nous avons fait. Kryeon a une forme splendide et de nombreuses couleurs, et certains parmi vous les ont même aperçues.* Elles indiquent à l'univers quel est mon service, ainsi que les différents endroits où j'ai effectué le travail dans lequel je me spécialise. Ma couleur de base est ce que vous pourriez appeler un chatoiement, et il en est de même de la vôtre. Celle-ci est recouverte d'une légère vibration de couleur que les humains ne peuvent voir. Cette vibration de couleur est en réalité le commencement de "l'histoire" que raconte ma couleur, tandis que pour sa part le chatoiement représente mon service. Tout comme il vous est possible de lire ces mots, de même vous pourriez me voir comme une entité universelle et lire mes couleurs et ma forme. Vous pourriez immédiatement comprendre que ma source est le centre, car cet attribut de couleur est mon plus fort, et il exprime la vibration la plus élevée de toutes. Il représente le centre créateur et la Fraternité de Lumière. Toutes les entités de l'univers savent cela. Comme je l'ai mentionné auparavant, ce centre n'est

* Voir dans le premier livre de Kryeon, *La Graduation des temps*, au chapitre trois, ce qui est écrit à propos des couleurs de Kryeon.

pas un centre de commande. Il est une simple partie de l'ensemble et n'a pas d'importance au plan hiérarchique au sens où vous le comprenez. Le poids qu'il porte est celui d'être honoré pour le but qu'il sert et pour son service. Son "importance" en est donc une de célébration de son utilité et non de son rang. Cela est très difficile à expliquer à celles et ceux parmi vous qui pensent encore comme des humains (c'est une blague cosmique).

Imaginez-vous deux entités se promenant sur une route. Elles s'arrêtent pour se parler et se rendent soudain compte que l'une est le cerveau et l'autre le cœur! Le cerveau est rempli du plus grand respect pour le cœur car, depuis des années, le cœur n'a jamais cessé de pomper la vie! Les deux ont été des partenaires dans la création de la vie pour l'ensemble du corps, et pourtant ils ne s'étaient jamais croisés jusque-là sur cette route. Le cerveau a de nombreuses questions à poser au cœur pour savoir comment il se sent d'être ainsi un organe si important, et quelle impression ça fait de masser le liquide du système humain et d'en maintenir si bien la circulation.

Mais le cœur est aussi rempli d'un profond respect pour le cerveau! Depuis des années il a été dépendant de la réception des nécessaires rythmes d'horloge provenant du cerveau pour pouvoir fonctionner. Le cœur avait tant de questions à poser au cerveau! Quelle impression ça donnait de contenir un tel système électrique et d'être si complexe qu'il pouvait communiquer avec tous les organes en même temps?

Ces deux parties complètement différentes se sont donc assises ensemble et elles ont passé un long moment à s'informer l'une l'autre de ce qu'était leur expérience au service du tout. Lorsqu'elles poursuivirent leur route, chacune savait qu'elle avait rencontré une célébrité ce jour-là, et chacune s'en alla en ayant le sentiment d'avoir été enrichie par l'expérience.

Il en est de même de vous et de moi. Nous avons œuvré ensemble pour cette planète depuis des années, vous dans votre rôle et Kryeon dans le sien. C'est maintenant que nous nous rencontrons sur la route; et même si c'est avec un profond respect que vous me regardez dans mon rôle de représentant de l'Esprit, je suis celui qui vous regarde avec le plus grand respect et qui ne cesse de vous répéter que je viens de la source de l'Amour.... et que vous êtes tendrement aimés! La principale différence, amis très chers, est que jusqu'à maintenant vous et moi n'avions jamais occupé le même espace. À présent nous le faisons, et vous l'avez mérité.

Et c'est également ainsi que chaque fois où vous descendez dans la forme humanoïde sur la planète, vous vous méritez un insigne de couleur qui se mélange avec ceux que vous portez déjà. Tout comme pour les cercles de croissance sur un arbre terrestre, il communique des informations à ceux qui le regardent. Vous avez tous et toutes sur Terre quelque chose en commun en ce moment. Vos couleurs racontent l'histoire de la Terre. C'est la formidable histoire d'un changement soudain de la onzième heure (ainsi que mon partenaire souhaite l'appeler), et d'une victoire d'une prodigieuse valeur. N'importe quelle entité universelle qui vous regarderait en ce moment verrait également l'histoire de votre grande ascendance. Vous êtes ceux qui ont planifié et exécuté l'une des plus grandes de toutes les épreuves et de toutes les expériences, car votre travail a modifié l'avenir de l'ensemble de l'univers. C'est trop grandiose, dites-vous? Alors votre dualité fonctionne bien, et l'empreinte que vous portez et qui cache la vérité fonctionne à sa pleine capacité. Croyez-moi, la réelle histoire c'est tout cela et plus encore! Un jour viendra où vous saurez à nouveau que ces paroles sont vraies et que vous êtes beaucoup plus que de simples entités biologiques vivant sur la planète avec des noms humains.

En raison de votre travail, le cours des actions de l'univers sera changé. Des mondes entiers auront maintenant un plan qui a de la substance. Il s'agit là une fois encore d'une chose difficile à vous expliquer. Lorsque vous émettez une valeur en papier de monnaie, vous la soutenez avec de l'or. L'or est la substance qui démontre que le papier a une valeur. Il en est de même quant à la place que vous occupez relativement à de nombreux mondes à venir. En termes universels, les résultats de votre odyssée et des épreuves que vous avez franchies comme humains ont fourni la substance et la prédominance pour la valeur de certaines actions à venir. Vous êtes donc de l'OR. (Vous souvenez-vous des deux couleurs du Nouvel âge dont je vous ai parlé dans les précédents livres? Retrouvez cette référence et vous rirez bien de cette analogie.) Vous avez démontré que, placée dans un vide, la tendance naturelle d'une entité dans le noir est de se motiver à aller vers la source d'amour! Bien que ceci puisse sembler être une affirmation extrêmement simplifiée, ce fait n'avait jamais réellement été démontré jusqu'à ce que vous en fassiez la preuve sur cette planète. L'importance universelle de cette information vous stupéfiera lorsque vous enlèverez finalement le "manteau biologique" que vous portez maintenant.

Un jour viendra, lorsque vous voyagerez dans l'univers, où tous ceux qui feront votre rencontre au hasard des chemins s'arrêteront et regarderont vos couleurs avec un profond respect et reconnaîtront votre célébrité. Ils vous demanderont comment c'était de participer à l'expérience de la Terre! Semblables à d'énormes badges honorifiques, vos couleurs raconteront l'histoire du groupe de guerriers qui ont tant fait pour tant d'êtres! Les légendes racontant votre œuvre seront universellement connues, et le mot Terre signifiera tellement plus que le simple nom d'une planète. Il sera utilisé comme un synonyme pour communiquer l'énergie du "commencement". Y a-t-il de quoi se surprendre que je vienne à vous dans l'amour et l'honneur au beau milieu de votre combat? Y a-t-il de quoi s'étonner que je souhaite m'asseoir à vos pieds et vous servir? Est-il surprenant que, chaque fois où je vous vois, je désire métaphoriquement baigner vos pieds? Vous êtes en plein cœur d'un formidable événement!

La grande transition

Les pages des prochains channelings et les précédentes communications (les livres I et II de Kryeon) vous raconteront clairement l'histoire qui s'est produite au cours des dernières années sur Terre. C'est en raison même de votre travail que je suis ici. J'accomplis mon service en réponse au changement survenu sur la planète, un changement que vous avez créé. En tant qu'individu vous pourriez dire : « Je ne me souviens pas avoir fait quelque chose de spécial. Qu'ai-je pu bien faire? » Au niveau planétaire, cependant, les humains ont peu à peu élevé la vibration de la Terre, rendant ainsi possible un avenir que personne n'avait prédit!...

Il y a maintenant de nombreux changements auxquels vous devez faire face. Et mon travail ici ne consiste pas seulement à faciliter les choses pour votre croissance au plan du magnétisme, mais aussi à vous donner en tout amour l'information au sujet de ce qui se passe. Tout ce que je fais ici n'a qu'un seul objectif : vous communiquer un sentiment de paix face aux changements en cours, et vous donner une information d'une logique si évidente que vous accorderez vous-même à votre entité le droit de prendre le pouvoir qui vous appartient. Ces changements peuvent engendrer une grande peur chez les personnes qui ont l'habitude de tout dramatiser dans leur vie afin de maintenir leur niveau de stimulation. Il y aura toujours des humains qui feront cela pour se sentir à l'aise. Méfiez-vous des prophètes de malheurs qui répandent la peur dans le but de contrôler les autres ou pour attirer l'attention sur eux. Le prophète qui vous dit que le ciel va vous tomber sur la tête recevra beaucoup plus d'attention que celui qui dit qu'il ne tombera pas. Cela correspond à un ancien concept de l'énergie et ce n'est plus approprié pour vous. Le nouveau système d'énergie dans ce Nouvel âge est fondé sur l'Amour. Pensez-y un peu. N'est-il pas temps que votre mode de vie et vos pensées les plus secrètes commencent à correspondre à ce que démontrèrent les nombreux maîtres qui ont vécu sur cette planète et que vous avez tant respectés?

Ceux pour qui vous avez le plus d'estime au niveau spirituel ont tous offert un message fondé sur l'amour. Et ces messages d'amour furent accompagnés de merveilleux miracles et donnés par des êtres rayonnants de paix. Vous avez considéré ces entités comme étant différentes de vous et spéciales. Beaucoup d'entre vous les ont citées en exemple, et certains d'entre vous font même l'erreur de leur vouer un culte... espérant que ce geste vous rapprochera de Dieu. Je vous le dis maintenant que **le système du Nouvel âge est celui de l'amour.** Il soutiendra vos transformations si elles vont dans le sens de ces attributs et coopérera avec votre vie tandis que vous co-créerez avec ce système. Il fera tout le contraire si vous ne faites rien et n'avancez pas du tout au plan spirituel. Ceci ne suggère nullement une quelconque forme de punition, mais qu'il y aura simplement un manque de croissance et une vie plus courte passée dans l'inconfort et la peur.

Le sentiment qu'éprouve une bonne partie de l'humanité en ce moment est l'impression désagréable d'être assis dans un fauteuil familier qui est en train de changer de forme. Le fauteuil vous a été fort utile depuis très longtemps. Il est vrai qu'il est sale et pas très confortable, mais vous y êtes habitué et vous croyez donc pouvoir compter sur le fait qu'il demeurera toujours le même. Pour certaines personnes, ce fauteuil qui leur est si familier en est un de colère, d'un sentiment d'être une victime et de mécontentement permanent. Pourquoi pas? S'il vous a bien servi et vous a toujours donné le support de sympathie dont vous avez besoin tout en transférant les problèmes aux autres, alors pourquoi changer? Toutefois, le mécanisme de ces actions cessera soudain de donner les mêmes résultats... et la réaction qu'auront alors les humains en sera une de peur. Que se passerait-il si vous vous éveilliez un bon matin et que plus un seul de vos appareils mécaniques ne fonctionnaient de la même façon? Le commutateur A produit l'action B. Vous allumez vos lumières et l'eau se met à couler du robinet. Pouvez-vous vous imaginer à quel point vous seriez désorienté jusqu'à ce que vous maîtrisiez à nouveau le fonctionnement des commutateurs? À présent, transposez ceci au fonctionnement de l'esprit. Si vous avez toujours eu un certain type de comportement et que les gens autour de vous y ont toujours réagi d'une certain manière, il s'agit là d'une chose stable (même si elle est négative). Si cela venait soudainement à changer et que les humains ne réagissaient plus de manière prévisible à vos anciennes méthodes, cette situation imaginaire risquerait de mettre à dure épreuve votre équilibre mental (c'est le moins qu'on puisse dire).

Et pourtant, c'est ce qui vous arrive en ce moment dans vos différentes cultures. Il y a tout autour de vous un sentiment que les choses arrivent à leur fin. Beaucoup sont en train de célébrer la fin d'une époque et le commencement d'une nouvelle. Les anciennes tribus sur la planète sont tout à fait conscientes de ce qui est en train de se produire, car leurs calendriers l'avaient prédit. Le changement, toutefois, sera différent de ce qui était attendu. Ce sera l'âge de la graduation au lieu d'être une fin de la vie. C'est la graduation de la Terre et l'entrée en de nouvelles régions de la galaxie (qui étaient auparavant dissimulées). Ce sera la graduation de l'être humain à une nouvelle conscience, et à de nouveaux modes de vie (qui étaient auparavant cachés).

Bien que je continuerai à vous communiquer certains des changements personnels détaillés auxquels il faut s'attendre, si vous voulez un point de vue vieux de deux mille ans sur ce que l'on s'attend que vous soyez, lisez la liste originale des neuf honneurs telle que donnée par Jésus (ce que vous avez appelé les Béatitudes) à la page 83. C'est le maître plan pour l'humain du Nouvel âge. Il est curieux, n'est-ce pas (vous dites-vous peut-être) que vous aviez cette information entre les mains depuis si longtemps déjà? Le maître de l'Amour vous avait apporté ce nouveau paradigme dans une forme que vous pouviez lire et étudier longtemps avant que vous n'en ayez besoin. À présent vous en avez besoin.

Mes messages dans ce livre vous donneront beaucoup plus d'éléments de nature pratique à considérer en ce qui a trait à votre vie. Et maintenant je voudrais préciser certains des changements que vous pourriez **sentir** en tant qu'humain du Nouvel âge. Je fais cela dans le but de vous aider à vous identifier avec la vérité dont je parle.

Changements planétaires

Aucun humain ne voit d'un bon œil le genre de changements qu'un bouleversement planétaire peut entraîner. Comme je l'ai mentionné auparavant, l'être humain et la Terre ne sont pas seulement en relation mutuelle, mais ils sont interactifs et considérés comme une seule et même entité. Lorsque des entités universelles se réfèrent à la "Terre", en réalité elles ne veulent pas dire par là la poussière matérielle et les roches de la planète d'un côté et, de l'autre, les humains et les autres entités soutenant l'ensemble. Tous sont vus comme faisant partie d'un seul et même système, et la mesure de la vibration de la planète inclut tous ces éléments ensemble. Vous ne pouvez élever la vibration des humains sans également élever la vibration de la Terre!

J'ai parlé dans le passé du fait que vous devez considérer la Terre comme faisant partie de votre vie. Les Anciens le savaient et ils honoraient la planète de toutes leurs louanges chaque fois que l'occasion leur en était donnée. Ils prenaient également soin de préserver l'équilibre lorsqu'ils prélevaient certaines ressources, et ils les retournaient à la terre chaque fois que c'était possible. Je ne vous donnerai pas à nouveau ce message cette fois-ci (puisque vous l'avez déjà reçu), mais je vous rappellerai une fois encore pourquoi la planète doit se transformer au plan physique.

Le réseau magnétique est la science qui influence votre dualité. Il est construit de façon à permettre la quantité de puissance spirituelle que vous savez reconnaître, et quelle portion de votre "véritable moi" il vous est donné de voir. Les nouveaux ajustements faits au réseau sont pour votre dualité, mais ce sont en réalité des attributs de la planète. Je vous invite à nouveau à prendre conscience de la logique à la base de ce mécanisme. Pourquoi faut-il que j'ajuste un attribut de la Terre physique dans le but de vous transformer? La réponse devrait être évidente. C'est parce que la Terre est votre parent et votre partenaire. Vous êtes tous deux des voyageurs vivant en symbiose dans la galaxie, et vous avez chacun besoin en permanence du respect de l'autre.

Le changement apporté au réseau magnétique aura un effet sur la Terre. Je vous ai parlé dans le passé du fait que la position du réseau magnétique de votre planète est en voie d'être changée. J'ai également parlé du fait que votre soleil est le moteur de ce réseau. Ce fait n'est guère pris au sérieux en ce moment, car il s'agit là d'une réalité dont votre science terrestre n'a pas encore pris conscience. Ce n'est que plus tard lorsque vous commencerez à émettre et recevoir des messages intergalactiques que le rôle joué par votre soleil deviendra clair... car toutes les communications passeront à travers celui-ci, seront retransmises au réseau, et franchiront les nouveaux portails créés pour cette fin.

À mesure que changera la Terre, vous en ferez tout autant. Les tremblements de terre, le climat et l'activité volcanique peuvent réellement déterminer votre humeur et transformer votre personnalité. « Cela va de soi, » direz-vous peut-être, « car j'ai peur d'être tué! » Toutefois, le genre de changement de personnalité dont je parle est celui survenant lorsqu'un tremblement de terre affectant l'autre côté de la planète vous fait changer à l'endroit où vous vous trouvez. Vous ne pouvez expliquer ce phénomène, mais vous devenez tout d'un coup mal à l'aise. Ce sentiment n'est pas de l'inquiétude à l'égard de votre sécurité, mais plutôt une anxiété sourde à l'égard de la planète même (parce que vous êtes en relation de plus en plus intime avec celle-ci). Certains parmi vous parviennent pour la première fois de leur vie à une conscience planétaire. Beaucoup d'entre vous, jusqu'à l'an dernier, n'avaient jamais songé à ces choses, et maintenant vous démontrez un intérêt qui n'est pas que passager à l'égard de ce qui se passe avec la nature. Que pouvez-vous faire à propos de ces changements? Permettez-moi d'expliquer une fois encore qu'il s'agit d'une période transitoire qui parviendra à son terme d'ici les huit prochaines années. Au cours de cette période, vous pouvez demeurez tout à fait calme face à ces changements, même si certains pourront vous prendre par surprise.

Acceptez la responsabilité de l'événement qui est approprié pour le nouveau chemin que doit suivre la planète. Cela ne veut pas dire de revendiquer la responsabilité de la mort, de la destruction et du chagrin. Cela veut dire de faire valoir le fait que vous faites partie du tout, et que le tout est en train de passer par une phase de croissance. Celle-ci est donc naturelle, attendue et ce n'est pas la fin. Les Anciens savaient comment bien la vivre. Après le passage de grandes tempêtes qui ravageaient de vastes pans de territoire et mettaient fin à bien des vies, et qui rendaient même difficile la tâche de trouver de la nourriture, ils célébraient l'événement comme étant un cycle de croissance dans le grand ordre des choses. Quelle sagesse ils avaient! Il y a tant d'ironie dans le fait que vous êtes maintenant si près de découvrir la vérité grâce à la science, alors que cette dernière vous a tant éloignés de votre lien avec la Terre. Aidez les autres autour de vous à comprendre ce concept afin qu'ils ne se mettent pas à haïr la planète pour les choses qui leur arriveront durant le grand changement.

N'ayez pas le sentiment d'être victime de quoi que ce soit qui vous arrive! Êtes-vous capable de vous retrouver au beau milieu d'événements effrayants et d'une époque pénible et de réaliser que d'un point de vue plus large vous avez aidé à préparer ces choses? Certaines des paraboles de Kryeon que l'on retrouve plus loin dans ce livre traitent précisément de ce point. Lorsque les leçons de l'existence vous arrivent, vous avez le choix de votre réaction. Vous pouvez choisir d'être une victime ou un vainqueur. Ce choix vous appartient. L'humain du Nouvel âge comprend parfaitement la différence entre ces deux sentiments et se sent en paix avec ce fait. Dieu (ou la planète) ne s'en prend pas intentionnellement aux humains pour en faire des victimes. « Comment peut-on alors être en sécurité? » demanderez-vous peut-être.

La question et la communication avec l'Esprit n'est pas : « Comment puis-je être en sécurité? » ou « Comment mes enfants peuvent-ils être protégés? » L'énergie créatrice que vous avez maintenant devrait dire : « *Je cocrée, au nom de l'Esprit, la capacité d'être en plein cœur de mon contrat.* » Il n'y a pas d'endroit plus doux que celui-ci pour vous. Rappelez-vous que nous voulons que vous demeuriez sur place et que vous fassiez le travail, tout comme vous le faites présentement. Cela veut dire qu'il est beaucoup mieux pour vous de rester ici et de continuer votre travail d'illumination spirituelle plutôt que de mourir, de revenir et de prendre encore vingt ans pour grandir. Cela ne vous semble-t-il pas logique? Même si vous ne pouvez savoir ce que l'avenir vous réserve, vous pouvez cocréer la capacité d'être à la bonne place, au bon moment (même si vous ne savez pas quelle peut être cette place). Cela peut vous sembler étrange... un peu comme de faire des plans pour un voyage sans en connaître la destination. Il en est néanmoins ainsi. Cette apparente énigme est reliée au fait de vivre avec la nouvelle énergie et "dans l'instant présent", au lieu de fonder comme auparavant votre bonheur sur une perception linéaire de la vie et un concept selon lequel vous devez toujours vous préparer pour ce qui, selon vous, va se passer. En d'autres termes, être "à la bonne place, au bon moment" c'est se trouver en sécurité. Le fait de respecter votre contrat vous place en parfait alignement.

Mes chers amis, la meilleure chose que vous puissiez faire pour la planète est de réconforter les autres durant la période de grands changements de la Terre. La blessure du cœur est la pire de toutes, et la peur est l'ennemi du Nouvel âge. Lorsque vous prenez conscience qu'il est possible de conserver sa paix intérieure au milieu des bouleversements, et que vous arrivez à le faire, vous être alors encouragés à faire comprendre aux autres qu'ils peuvent en faire tout autant. Lorsque les choses deviendront difficiles, il y aura beaucoup de gens que vous n'auriez jamais cru voir dans votre maison qui s'y présenteront en affichant un visage déformé par la peur. Ils voudront savoir le secret de votre paix. Ils vous demanderont de répondre à des questions pour lesquelles vous n'aurez pas le sentiment de connaître les réponses. Partagez avec eux le message d'Amour pour la planète. Partagez avec eux ce que vous savez de cette époque et de l'honneur que l'Esprit a pour eux en ce moment. Communiquez-leur l'espoir que Kryeon vous donne face à l'avenir. Vous ne pourriez faire de chose plus grande et plus extraordinaire que celle-là. Beaucoup d'entre vous seront en plein milieu de leur contrat lorsqu'ils feront cela, et ils réaliseront pour la première fois que leur chemin est de partager l'amour. C'est simple, mais puissant.

Changements chez les humains en général

Laissez-moi vous parler de certains des changements que vivront les gens qui ne sont pas des travailleurs de la lumière, et qui ne se laisseraient jamais surprendre en train de lire cette communication. Les événements qui affecteront ces chères personnes, qui sont tout aussi importantes pour la planète que vous l'êtes, seront les suivants.

En raison des transformations que connaîtra la Terre, un grand nombre de ces gens vivront dans la peur et chercheront des réponses. Ils trouveront les bonnes réponses là où les enseignements de l'Esprit sont donnés sous diverses formes. Certains trouveront la foi à travers une quête spirituelle dont la nature peut être très variée. La quête de Dieu est une réponse valide et vraie à la peur dans cette nouvelle énergie, car elle favorise l'Amour et elle rapproche de la Terre. Honorez cette quête sous toutes ses formes.

Vous pouvez être étonnés de voir les humains venir ainsi à vous en cette période de grands changements. N'éprouvez aucun crainte à ce sujet.

Il est important que vous preniez conscience d'une réalité universelle fondamentale relativement aux autres personnes qui ne croient pas aux mêmes choses que vous. Ne les jugez pas! N'ayez pas une image négative d'elles dans votre esprit simplement parce que leur chemin d'éveil ne correspond pas au vôtre. Vous souvenez-vous lorsque vous aviez auparavant des croyances peut-être différentes de celles que vous avez maintenant? Si elles ont joué un rôle utile pour votre vibration à ce moment-là, vous étiez au bon endroit. Vous avoir incité à changer prématurément vos croyances aurait gâté la sagesse dont vous bénéficiez maintenant sur votre voie actuelle. Chaque humain est donc responsable du choix de l'endroit et du moment pour chaque chose dans sa vie. L'avertissement qui vous est communiqué est de répondre aux personnes qui viennent à vous. Ne vous mettez pas en devoir de recruter d'autres personnes pour qu'elles croient aux mêmes choses que vous. Efforcez-vous de voir les autres dans le contexte de ce qui est approprié pour eux en regard de qui ils sont, mêmes les personnes qui vous ridiculisent et vous blessent, car ce sont ces personnes qui ont un contrat karmique avec vous. Si vous avez demandé à recevoir un implant (ce sujet est abordé en détails plus loin dans le livre), il est alors moins probable qu'elle se retrouveront dans votre vie car votre changement vous évitera cette interaction karmique.

Les humains qui rejettent la transformation spirituelle deviendront plus prompts à la colère qu'auparavant. C'est triste à dire, mais vos problèmes avec la criminalité dans votre culture pourraient, en fait, s'aggraver avant de s'atténuer. Il s'agit là d'un résultat direct du conflit interne chez ces humains ayant l'impression d'être victimes des changements planétaires (qui pour eux ne sont pas perçus comme des changements planétaires) ne leur laissant plus aucun espoir pour l'avenir. La réaction de ces gens en sera surtout une de peur et de colère. L'autre chose triste qui se produira (mais qui finira par en effrayer beaucoup au point de les faire changer) est que leur espérance de vie s'en trouvera considérablement réduite (ceci tenant au fait de demeurer dans l'ancien alors que le champ magnétique change au nouveau).

Les gens qui font le choix de ne pas changer dans le Nouvel âge, et qui vont dans le sens contraire à la fréquence vibratoire de la planète, se retrouveront avec les germes de la maladie libérés en eux par leur propre biologie. Ils ne seront plus capables de continuer à être bien dans leur peau ou équilibrés au plan biologique dans la nouvelle énergie. C'est ce à quoi ils ont consenti et qui a été décidé par eux au cours des mêmes sessions de planification auxquelles vous avez assisté en leur compagnie avant de naître. Ne vous y méprenez pas. Il ne s'agit pas d'une punition! Il s'agit d'une réaction prévue à l'avance à une décision humaine prise de leur plein gré, pour laquelle ils se sont engagés à l'avance. Pouvez-vous vous imaginer les changements qui se produiront en eux lorsqu'ils verront, à leur grand désarroi, qu'ils vont prochainement mourir en tant que groupe? Ils vous accuseront d'avoir secrètement tramé les sinistres actions qui s'abattent sur eux. Ils deviendront paranoïaques et la plupart ne voudront jamais croire que vous n'êtes pas en train de les tuer avec une quelconque nouvelle technologie psychique occulte. Comme les personnes affectées n'auront pas assumé la responsabilité de ce qui arrive dans leur vie, leurs peurs ne feront qu'aller en s'amplifiant et elles dirigeront leur colère contre vous tout au long de leur lente agonie.

Je vous dis ces choses afin que vous puissiez comprendre que la Terre ne va pas se transformer en un genre de paradis instantané (tel que vous avez perçu que le ciel était). Il y a beaucoup de travail à faire pour vous ici. Voilà pourquoi vous avez fait la file pour être ici! Certains humains vont s'adapter tout en douceur à la nouvelle énergie, et d'autres pas. Cela aussi vous le saviez avant de venir ici. C'est la planète du libre choix et elle le demeure! Toutefois, le principal changement pour le moment c'est qu'une proportion suffisamment importante de la population de la Terre a évolué en conscience à un niveau qui a modifié la vibration de l'ensemble de la planète (tel qu'on a pu le mesurer au cours de votre Convergence harmonique en 1987). Ce changement est beaucoup plus profond que ce qui se produit dans votre propre culture qui ne représente même pas la moitié des humains sur la planète. Ce changement de conscience a permis aux humains de se mériter un Nouvel âge, maintenant imminent, et la capacité de se prendre en mains. Voilà le motif de mes communications et la raison de mon séjour prolongé ici.

Comme preuve de ce que j'avance, avez-vous remarqué qu'il y a un intérêt croissant dans votre culture pour le type de sujets ayant trait au Nouvel âge. Vos médias, pour qui seul le profit compte, ont choisi de souligner les attributs de ce Nouvel âge! Cela veut évidemment dire que beaucoup d'entre vous qui suivez de près ces transmissions sont en train de faire grimper les statistiques économiques, lesquelles permettent aux médias de continuer à exister. Il est fréquent désormais de trouver des articles portant sur les anges et les guides, sur la visite d'entités galactiques et sur les miracles. Vous n'auriez pu trouver ces choses dans les émissions de divertissement destinées au grand public ou lors de discussions sérieuses s'il n'y avait pas eu un tel changement global de conscience. Réfléchissez-y. Ce n'est que depuis mon arrivée que ces choses se sont produites. Est-ce que cela correspond aux cycles dont Kryeon a parlé?

Changements en vous

Je m'adresse maintenant aux travailleurs de la lumière. Il faut absolument que vous compreniez certains des processus relatifs à ce qui vous arrive afin que vous n'ayez pas peur. Il va y avoir une nouvelle façon de vous sentir "normal" dans votre cas. Vous aurez aussi à vous habituer à de nouvelles sensations dans votre biologie. Le plan prévoit que vous vous adapterez de mieux en mieux à ces nouvelles sensations.

Important : Ce qui suit s'applique à tous les travailleurs de la lumière, peu importe leur travail au niveau de l'implant. Les personnes qui ont compris les premiers messages de Kryeon portant sur l'acceptation du processus d'annulation de karma (l'implant) et qui l'ont reçu, vont rapidement progresser en ce qui concerne certains des points suivants. Celles qui n'ont pas accepté l'implant offert sont des travailleurs de la lumière qui auront un cycle d'apprentissage plus long jusqu'à ce que leurs attributs karmiques soient éliminés selon l'ancienne méthode. Mais vous devriez tous étudier le message suivant.

Vous êtes maintenant tous conscients de la nouvelle énergie. Cette conscience se produit dans cette partie de votre être que vous appelez le mental. C'est aussi la partie de votre être que les enseignants appellent le chakra de la couronne. Il est également représenté par le développement de ce que vous avez appelé le "troisième œil". Quelle qu'en soit votre interprétation, cette conscience représente une énorme augmentation de vibration dans votre tête (c'est là que vous la percevrez). Tandis que vous communiquez avec vos guides, que vous cocréez, et que votre relation avec votre moi supérieur (le Moi divin) se consolide, certaines choses intéressantes se produiront.

Méditation : La première chose qui se produira sera une interruption du recours aux anciennes méthodes. Celles et ceux parmi vous qui méditent pourraient tout d'un coup trouver que c'est devenu difficile à faire! N'est-il pas étrange que la méditation puisse être la première victime d'une conscience accrue? Je vous explique exactement ce qui se passe afin que vous puissiez comprendre pourquoi il en est ainsi. La méditation est le temps que vous passez à être à l'**écoute** de l'univers, ou de l'Esprit. Vous avez pris l'habitude de demeurer calmement assis tandis que vous découvriez de grandes choses sur vous-même et sur la Terre (que certains appellent la nature). Telle a été l'ancienne méthode de communication entre votre Moi divin et votre moi biologique humain, et elle a bien fonctionné.

Nous vous annonçons que le voile a été légèrement soulevé et que le réseau du champ magnétique vous aide à faciliter ce changement. À mesure que le voile se soulèvera, vos méthodes de communication changeront. Votre forme de méditation changera donc elle aussi. Voici un exemple. Lorsque votre technologie s'améliora au point où il n'était désormais plus nécessaire d'écrire de longues lettres et de les faire livrer à d'autres personnes pour entretenir une communication régulière, vous avez cessé d'écrire de longues lettres. Au lieu de cela, vous avez utilisé la nouvelle technologie pour parler de vive voix, à l'instant même, à ces autres personnes vivant à distance de vous, et elles ont pu également vous répondre instantanément. Ceci a eu pour effet d'accélérer les choses dans votre vie quotidienne. Il n'était plus nécessaire d'attendre la livraison manuelle de communications écrites uniquement pour obtenir des réponses ordinaires.

Ce qui s'est produit au niveau spirituel est en tout point comparable. Les longues lettres que vous aviez l'habitude d'écrire se comparent à la méditation que vous avez pris l'habitude de faire. Vous avez maintenant la capacité d'avoir une communication instantanée avec votre Moi divin... et les réponses arrivent rapidement. Certains d'entre vous (en raison de l'habitude ou d'un sentiment de culpabilité) sentent qu'à moins de s'asseoir et de méditer tout de même, vous négligeriez en quelque sorte d'honorer la partie de Dieu se trouvant en vous. Habituez-vous à la nouvelle méthode. Pour beaucoup cela voudra dire de ne plus jamais méditer selon l'ancienne façon!

Les méditations dans l'énergie du Nouvel âge deviendront des sessions d'action dont le principal but sera d'amener d'autres personnes à travailler avec vous pour que tous sur la planète accordent en tout la priorité à l'amour. Nous comptons sur celles et ceux parmi vous qui comprennent ceci pour initier le protocole de ces sessions. Certains d'entre vous le font déjà parce que cela leur semble la bonne chose à faire! Si vous correspondez à cette description, alors vous êtes effectivement honorés pour avoir perçu le changement et vous y être ajustés.

Par conséquent, si vous êtes l'un de ces travailleurs de la lumière qui sentent que leurs méditations ne font que "se heurter au plafond" (selon les paroles de mon partenaire), alors veuillez vous arrêter un moment pour en considérer la raison. Il n'y a rien de mal en cela. Vous disposez maintenant d'une nouvelle technologie spirituelle qui vous permet d'obtenir ce dont vous avez besoin en infiniment moins de temps qu'avant. Vous avez un nouveau cadeau, et vous l'avez accepté... mais le cadeau n'a pas encore été déballé. Si vous avez l'impression de ne pas "sentir" la même réponse de l'Esprit que vous aviez l'habitude d'obtenir lorsque vous méditiez, **tout est normal**! Habituez-vous au sentiment de pouvoir bien maîtriser la situation. Habituez-vous au nouveau paradigme de normalité comme un guerrier de la lumière qui est approuvé pour chaque geste qu'il pose! Votre sagesse est maintenant instantanée! Cela ressemble beaucoup à ce que ressent mon partenaire durant le channeling. L'amour et la sagesse de l'Esprit se manifestent à mesure que vous en avez besoin, et l'amour se déverse continuellement en vous, jour et nuit, par l'entrebâillement du voile. Les séances de méditation ne sont plus nécessaires lorsque vous créez un mince filet d'amour qui se faufile à travers le voile et qui vous donne une sensation particulière durant presque une heure. Vous disposez maintenant du manteau entier de l'Esprit et nous vous invitons à le porter! Ceci rend les longues lettres de méditation inefficaces et inutiles pour vous personnellement.

Et maintenant, suis-je en train de dire à une planète de travailleurs de la lumière de ne plus méditer? Certains le penseront. Veuillez comprendre que tous ces changements se produisent graduellement. Certains d'entre vous méditent toujours et ils obtiennent le genre de résultats auxquels ils s'attendent. Continuez. Ce message concerne les personnes qui sentent que leurs méditations ne fonctionnent pas, et je vous en ai donné les raisons. Si cela s'adresse à vous, alors commencez à accepter votre pouvoir et à comprendre que ce qui auparavant nécessitait généralement de bonnes périodes de temps ne l'exige plus. Cela correspond au changement universel tandis que vous devenez lentement en harmonie avec "l'instant présent" comme je l'ai expliqué à maintes reprises. Changez vos précédentes méditations en solo pour des méditations en groupe (deux personnes ou plus) et attribuez un but à l'énergie pour chaque séance (afin ainsi de coordonner votre intention vibratoire). C'est la meilleure chose que vous puissiez faire pour vous et pour la planète. Si vous acceptez de consacrer autant de temps à l'Esprit, faites en sorte que la planète en profite! Vous n'en avez plus besoin de la même façon au plan personnel.

L'équilibre biologique : Il y a une autre sensation que vous ressentez peut-être. Il y a en ce moment un manque de cohérence vibratoire entre ce que vous avez appelé votre vibration mentale et le reste de votre biologie. Le message que moi et d'autres entités nous vous apportons est un message spirituel. Même si ce que je fais concerne la planète physique, vous percevez votre croissance d'un point de vue mental et spirituel. Vous devenez peu à peu une personne tolérante et paisible avec une sage perspective sur les autres personnes vous entourant. Ce sont là des processus presque exclusivement mentaux pour vous, même si en vérité ce sont là des attributs astraux. Vous le "sentez" dans votre tête cependant, et votre attitude est perçue comme étant le produit de votre tournure d'esprit.

Ce qui se produit ensuite semblera familier pour certains d'entre vous. L'Esprit sait que le reste de votre biologie a besoin de "rattraper" votre nouvelle mentalité (chakra de la couronne). Pour ce faire, il y a beaucoup de travail qui est généré pour vous au niveau biologique. En réalité, ce processus remonte à la période du 11:11 lorsque vous avez été informés du code qui était transmis à toute l'humanité (plus de détails sont donnés à ce sujet dans ce livre). Votre biologie a reçu à ce moment-là la permission de changer avec votre croissance astrale, et les mécanismes ont été donnés dans ce but à la partie magnétique de votre ADN.

La conséquence de cette non-synchronisation est que beaucoup d'entre vous ont l'impression que l'on "travaille" sur eux pendant qu'ils dorment. Certains d'entre vous feront des rêves métaphoriques à propos de mains qui vous touchent partout, ou verront en rêve de très petites créatures vous prodiguant des soins tout au long de la nuit. Je le répète, il s'agit d'un nouveau processus qui travaille en votre faveur pour vous apporter la santé dans la nouvelle énergie, mais cela peut, une fois encore, créer de la peur si vous ignorez ce qui est en train de se produire. La principale peur que beaucoup parmi vous ont est celle d'être attaqués par des entités pendant votre sommeil. Soyez conscients des différences qu'il y a entre la coopération de votre biologie et une attaque d'une entité extérieure. La principale différence, c'est comment vous vous sentez à la suite de ce qui est fait. Si vous avez des doutes, créez alors simplement la solution en ayant recours à la procédure que je vous ai déjà donnée précédemment. (1) Pratiquez les techniques de rêve lucide grâce auxquelles vous avez la pleine maîtrise de ce qui se produit durant votre sommeil. (2) Si vous avez le sentiment que ce qui se passe autour de vous dans votre état de rêve est inapproprié, alors demandez aux entités qui vous perturbent de vous laisser. Je vous assure que vous ne vous rendez pas encore bien compte du pouvoir dont vous disposez de faire cela. Ce pouvoir est absolu et aucun être astral ou en provenance d'une autre dimension ne peut continuer ce qu'il fait si vous ne lui en donnez pas la permission. Après avoir fait cela, seules les choses appropriées continueront à se produire. Si vous sentez encore les changements se faire, alors vous pouvez vous détendre et sourire face au fonctionnement normal de votre propre biologie. (3) Honorez le processus et réjouissez-vous en.

« Et qu'est-ce que je fais si cela m'empêche de dormir? » demanderez-vous peut-être. Voici un axiome de l'Esprit. Votre saine biologie prendra toujours le sommeil qu'il lui faut, et elle vous laissera souvent éveillé si elle n'en a plus besoin. Cela peut vous paraître ennuyeux, mais c'est tout à fait normal. Il arrivera fréquemment, lorsque du travail est fait sur vous, que l'énergie qui vous est transmise durant le travail remplacera l'énergie que vous auriez reçue grâce à vos heures de sommeil. Votre inquiétude quant à la perte de sommeil est donc sans fondement. En fait, l'inquiétude peut elle-même être la cause d'un véritable déséquilibre au niveau du sommeil! Si vous avez l'impression d'avoir des nuits d'insomnie à cause de ce travail, demandez alors à haute voix à votre corps de faire ce travail sur une plus longue période de temps. Ceci vous aidera à vous détendre durant les sessions où aucun travail n'est fait, et cela honorera votre demande de sentir que vous dormez plus longtemps. Commencez-vous à comprendre le contrôle que vous avez sur ces choses? La solution pour améliorer votre santé réside si souvent dans la simple maîtrise de soi. C'est une vérité qu'on oublie trop souvent.

Votre biologie inférieure rejoindra peu à peu le niveau atteint par votre tête, et les autres chakras s'équilibreront d'eux-mêmes au niveau vibratoire le plus élevé. Soyez conscients durant ce processus que l'énergie de la kundalini sera vraiment étrange. C'est tout simplement une autre sensation qui sera différente de tout ce que vous avez ressenti auparavant. Cette énergie de la kundalini est l'énergie qui touche effectivement tous les chakras en même temps. C'est également la seule énergie qui s'élève en réaction aux autres (alors que les autres sont statiques). Cela se manifestera dans votre vie par de l'agitation, ou de l'anxiété. Ça vous amène à sentir que quelque chose est sur le point de se produire, et qu'il vaut donc mieux pour vous de ne pas vous relaxer trop longtemps. Il s'agit d'une fausse réaction, et ce n'est pas une chose négative. C'est en bonne partie une véritable réaction chimique. Vous avez alors affaire à de tout nouveaux alignements et à des sensations tout à fait nouvelles. Nous vous invitons à vous habituer à cette montée d'énergie et à la reconnaître pour ce qu'elle est. Pour certains d'entre vous, cette montée d'énergie se poursuivra probablement durant une bonne partie du prochain siècle. Vous devez apprendre à vous détendre face à cette nouvelle sensation. C'est simplement une nouvelle vibration entre vos portails biologiques. C'est dorénavant normal!

Finie la noirceur : Il y a encore un autre attribut que certains d'entre vous connaissent qui est mineur mais qui nécessite une explication. L'expérience humaine relativement au sens de la vue dans l'ancienne énergie est différente de ce qu'elle deviendra. En réalité, votre biologie est ajustée de façon à ce que vous puissiez à l'avenir voir certains attributs du monde astral. Cela veut dire que certaines transformations touchant vos yeux, les connexions entre vos yeux et votre cerveau, et le cerveau lui-même devront se produire. Voici quels en sont les symptômes. Beaucoup parmi vous ferment maintenant les yeux dans l'obscurité totale et s'aperçoivent alors qu'il y a toujours une rougeur qui demeure, comme s'il y avait une lumière qui était encore allumée dans la pièce. Pour les gens qui ont l'habitude que tout devienne noir lorsqu'ils ferment les yeux (de l'ancienne manière), il faudra qu'il y ait une période d'ajustement pour qu'ils comprennent pourquoi cela se produit. En plus de cette subtile rougeur, vous verrez peut-être aussi des formes géométriques! C'est de la science pure et une réaction absolument naturelle au travail que vous permettez pour équilibrer votre biologie. Certains d'entre vous comprendront la nature des attributs géométriques en prenant connaissance des messages contenus dans ce livre.

Ces choses, en combinaison avec les autres mentionnées plus haut auront également tendance à nuire à votre sommeil (tel que décrit). Vous devez donc accepter avec calme l'ensemble de ces changements biologiques. Nous vous encourageons à vous détendre face à tout ce qui se passe et à honorer ces changements. En honorant une chose que vous ne comprenez pas, vous devenez une partie de cette chose. Cette alliance favorise une conclusion plus rapide du travail et vous donne par la même occasion le sentiment d'être aimé. Ceci est bien sûr le thème sur lequel Kryeon revient régulièrement en relation avec le Nouvel âge.

Vous n'êtes l'ennemi qu'à contrecœur : Combien parmi vous se sont déjà considérés comme l'ennemi de quelqu'un? La plupart de celles et ceux parmi vous qui ont accepté le message d'amour de Kryeon feraient tout pour éviter de se faire étiqueter ainsi. En fait, c'est tout le contraire pour la majorité d'entre vous. Vous désirez avoir la tolérance et la paix des meilleurs maîtres de la Terre, et vous ne souhaitez de mal à personne.

Vous serez alors déçus de réaliser que pour vous aligner avec la nouvelle énergie, vous devrez faire face à l'opposition de nombreuses organisations religieuses, partout sur la planète. Nous avons parlé dans le passé de la tristesse entourant le fait qu'un si grand nombre de vos religions basées sur l'amour ont pour doctrine l'exclusion de tous ceux qui n'adhèrent pas à leurs croyances. Ce qui se produira sur Terre suscitera tant de peur que ces organisations en rejetteront le blâme sur vous et iront même jusqu'à vous traiter de démon. La grande ironie dans tout cela est qu'elles se référeront aux channelings de leurs prophètes comme preuve de leurs dires. Pour votre part, vous n'aurez évidemment pas le privilège de vous référer à vos channelings.

Ces organisations ne disposent d'aucune marge de manœuvre pour changer et ne peuvent donc accepter une Terre sans un mauvais dénouement semblable à ce qui fut prédit dans leurs livres. Elles conservent leur air de suffisance et attendent le pire, et elles n'ont aucune tolérance pour quiconque véhicule le message de l'Esprit selon lequel vous avez changé la planète par la force de vos pensées. Même les religions dans votre propre culture dont l'enseignement est le plus fondé sur l'amour ne seront pas capables de décider quoi faire avec les bonnes nouvelles que vous apportez... et elles se tourneront donc contre vous et tenteront de supprimer votre message. Leur message en est un de peur, et pour sauver votre âme en ces temps de la fin, elle disent que vous devez remettre votre pouvoir à Dieu... et elles définiront Dieu pour vous. Alors, selon elles, vous serez prêt pour la fin. Est-ce là le genre de chose qui vous met à l'aise?

Comment pouvez-vous réagir face à cela? Premièrement, ne discutez jamais de leur doctrine avec ces gens. Il s'agit là d'un point de vue que ces organisations ont fabriqué de toutes pièces et tout cela relève de la conscience de la peur. Il sera fort intéressant d'observer comment elles parviendront à réconcilier cela avec l'amour, car il y aura des attributs de leur comportement qui iront à l'encontre de leur doctrine. Si un humain vient se placer devant vous et vous dit : « Je n'aime pas votre nez », plusieurs options s'offrent alors à vous. L'une d'elles serait de remettre en question ce qu'il a dit et de défendre votre nez. Si vous faites cela, vous avez été manipulé par cette personne qui a réussi à vous faire réagir et vous vous êtes engagé dans un combat qu'elle a créé. Il n'y a aucune loi ou règle humaine qui affirme que chaque fois qu'un autre humain vous parle, vous devez répondre. La deuxième option, en conséquence, est de ne pas répondre et de continuer à vaquer à vos occupations comme si rien n'avait été dit. Si cela ressemble à l'exhortation de "tendre l'autre joue", alors vous venez simplement de trouver une grande ironie du Nouvel âge. Vous aurez effectivement recours à la doctrine de l'amour prônée par ceux-là même qui vous affrontent, et c'est ainsi que vous gagnerez vos propres victoires personnelles.

Deuxièmement, honorez leur droit d'avoir leurs propres croyances, et faites preuve de tolérance à l'égard de leurs coutumes. N'entretenez jamais une perception négative à leur sujet en votre esprit, même si leurs méthodes vous irritent. Rappelez-vous que ces gens sont entièrement égaux avec vous, et que vous avez tous aidé à préparer les changements qui sont la cause de la dissension. Beaucoup d'entre eux pourront se joindre à vous plus tard lorsqu'ils examineront ce qui se passe sur la planète à la lumière de la réalité de leurs doctrines bornées. L'amour est la doctrine du Nouvel âge, et cela concorde bien avec les grands résultats et les merveilleuses guérisons dont ils ont fait l'expérience dans leurs assemblées. Beaucoup finiront par comprendre que la seule chose qui vous sépare d'eux est l'organisation dont ils font partie, et leur information qui est dépassée et invalide.

Troisièmement, ne bâtissez pas de grandes organisations autour de votre travail pour le Nouvel âge. Votre meilleur travail sera fait avec de nombreuses personnes, mais pas nécessairement toujours avec les mêmes. Beaucoup parmi vous changeront souvent d'activité tandis que vous découvrirez quels sont vos contrats et que vous éprouverez le besoin d'œuvrer en des domaines différents. Cela ne se prête guère à l'établissement d'organisations où la fidélité dans l'appartenance et la prise de responsabilités organisationnelles à long terme sont désirées. Ceci est important : **Vous pouvez accomplir tout autant de travail sans avoir d'édifice comme pour les grandes organisations ayant de nombreux membres.** Si vous n'avez pas d'édifice portant votre nom, vous devenez aussi une cible tout à fait insaisissable pour ceux qui voudraient utiliser leurs pouvoirs économiques et politiques afin de mettre un terme à vos activités.

L'abondance sera là pour soutenir votre travail! Les anciennes méthodes de perception et de contribution de la communauté économique ne sont plus utiles. Les nouvelles méthodes seront beaucoup plus spontanées. Il s'agit d'un concept difficile à saisir pour celles et ceux qui ont besoin des institutions monétaires de l'ancienne énergie et des vieilles méthodes reconnues pour se sentir bien. On vous donnera ce dont vous avez besoin lorsque le besoin se manifestera. L'univers est très abondant et vous faites effectivement partie de ce plan. Vous allez peu à peu observer que bon nombre des vieilles méthodes monétaires de l'ancienne énergie vont faire complètement faillite, ce qui sera une grande surprise et un dur choc pour les personnes qui doivent soutenir de grands édifices et de vastes organisations.

Celles et ceux parmi vous qui doivent disposer d'immeubles pour faire leur travail de guérison ou d'éducation doivent essayer de ne pas trop se faire remarquer. Souvenez-vous, très chers amis, que votre conscience n'est pas une doctrine évangéliste qui incite les autres à se joindre à elle. Vous possédez peut-être le système de croyance le plus personnel qui ait jamais existé sur votre planète. C'est un véritable miracle de l'Esprit que tant de gens reçoivent la même information et en arrivent aux mêmes conclusions sans aucun leadership humain ni aucune guidance pour organiser une telle chose! Aucun stade rempli de gens ni aucune campagne médiatique pour un soutien économique ne vous pousseront dans cette voie. Ceux qui voudraient vous faire passer pour "le diable" ne comprendront pas le mode d'organisation du Nouvel âge, car cela se fera à un niveau de communication qu'ils n'ont jamais vu.

Un jour viendra où vous serez capables de vous rencontrer en un endroit pour participer à une méditation mondiale sans que même une seule invitation n'ait été envoyée. Cela fait partie de la nouvelle faculté de la "vue" que vous êtes en train de recevoir. Il y aura également des gens partageant vos croyances qui rejetteront la bonne nouvelle de l'énergie du Nouvel âge. Ils seront fâchés que leurs méthodes soient en voie d'être changées, et ils ne se réjouiront pas du fait que beaucoup soient en train de recevoir le pouvoir qu'eux avaient intuitivement dans l'ancienne énergie (voir page 132). Il s'agit d'une véritable épreuve pour eux, car le fait même d'avoir reçu la vision intuitive dans l'ancienne énergie visait à les amener à ce moment d'épreuve. Leur épreuve consistera à laisser tomber les vieilles méthodes au profit des nouvelles et, ce faisant, à décupler leur propre pouvoir! Aimez-les! Leur travail est en bonne partie à l'origine du changement si profond et si rapide que la planète a connu.

En lisant ceci, rappelez-vous que cette information est présentement à la disposition de tous les humains, même ceux qui n'y croient pas! C'est là votre droit acquis à la naissance en tant que personne souveraine sur cette planète. Vous avez tous mérité une chance de recevoir cette nouvelle information et de l'examiner à la lumière de ce qui se produit autour de vous. Certains la rejetteront, d'autres pas. Il ne s'agit pas d'un message réservé exclusivement à quelques élus. C'est le vœu de l'Esprit que tous les humains connaissent ces choses et qu'ils ressentent ensuite, à partir de leur intuition profonde, ce qu'il y a de vrai dans tout cela. Lorsqu'ils font cela, cette partie d'eux qui est Dieu leur fera distinctement entendre qu'ils sont très proches de la raison même de leur venue ici. Beaucoup s'effondreront en larmes de reconnaissance devant cette découverte, et ils s'appliqueront avec joie et empressement à embrasser la nouvelle énergie. Beaucoup combattront les sentiments qui monteront en eux avec la semence de peur dont j'ai parlé dans mes précédents volumes (les deux premiers tomes de cette trilogie), et ils fuiront tout cela.

Puisque vous êtes en train de lire ces paroles, nous vous répétons ceci. Mes chers amis, ce n'est pas un hasard fortuit si vous êtes en train de parcourir cette page du regard. Nous vous connaissons par votre nom et nous avons placé devant vous un tendre message en provenance de votre demeure céleste. Nous savons tout ce que vous avez dû endurer et ce qui se passe en ce moment dans votre vie. Il y a des entités qui vous aiment et qui, toute votre vie, ont été à vos côtés; elles sont même en train de lire par-dessus votre épaule. Ces entités sont souvent vos meilleures amies, et pourtant cela vous est caché pendant votre séjour sur la planète. Elles se réjouissent en cet instant même, car vous êtes en train de lire un message qui parle d'elles et de vous. Elles ont hâte que vous reconnaissiez leur présence et commenciez à apprendre quelle est cette dualité qui vous empêche de vous voir mutuellement dans la dimension où vous vivez. Elles ont hâte que vous reconnaissiez qui vous êtes, et que vous mettiez finalement en branle le processus pour lequel vous êtes venu ici.

Une grande fierté rayonne de leurs yeux, car elles se consacrent tout entier à votre service. Il n'y a aucun jugement dans leur regard, car leur conscience est véritablement celle de l'Esprit, ainsi qu'il en était pour vous avant votre venue ici. Leur avez-vous déjà confié l'amour que vous avez à leur égard? Avez-vous déjà essayé de vous rappeler qui elles sont? Est-il trop étrange ou inusité pour vous d'imaginer une telle chose? Même les plus sceptiques d'entre vous sont honorés pour leur présence sur Terre au cours de la présente époque. Nous ne venons pas pour porter des jugements sur votre compte, mais pour servir votre planète en offrant de l'information sur ce qui vous attend dans ce Nouvel âge d'amour et de science. Tandis que nous vous honorons de la sorte, il est de notre devoir de vous répéter tout l'amour que l'Esprit a pour vous. L'insondable profondeur de cet amour est difficile à discerner pour vous. Vous avez transformé la structure même de l'univers, et ce qui vous empêche justement de le réaliser est la chose même pour laquelle vous êtes honorés. Le travail que vous faites est phénoménal lorsque perçu à partir d'ailleurs dans l'univers. Tous savent quel chemin vous suivez et nous demeurons bouche bée d'admiration et de respect.

Vous êtes vraiment aimés avec une infinie tendresse.

Kryeon

DEUX

Questions des lecteurs sur l'humain du Nouvel âge

Un mot de l'auteur...

Nous allons une fois de plus avoir recours à la formule "question et réponse", mais cette fois presque toutes les questions proviennent de lecteurs ou de participants à un séminaire. Lorsque la chose s'avérait possible, j'ai demandé la permission de me servir des lettres et commentaires reçus, et je mentionne le nom de l'auteur pour chaque question retenue. En d'autres cas, il ne m'a pas été possible de contacter les personnes qui ont partagé avec moi leurs pensées et je n'utilise alors que leurs initiales. En certains cas, les questions ont été posées lors d'un séminaire et le nom ainsi que le visage de leurs auteurs sont depuis longtemps oubliés; mais leurs questions passionnantes demeurent. Parfois, il m'était impossible sur le moment de répondre à certaines questions et c'est avec un soupir de soulagement que je les confie à Kryeon.

Question : *Comment les personnes entendant ou lisant les messages de Kryeon sont-elles différenciées des milliards d'âmes habitant présentement sur la planète? Sommes-nous des guérisseurs et des enseignants en vertu du fait que nous sommes simplement des frères et des sœurs aînés, en quelque sorte, de la même famille, ou bien est-ce en vertu peut-être du fait que nous sommes la portion incarnée d'un groupe de service venu d'ailleurs? Dans l'un ou l'autre cas, pourriez-vous nous en dire plus sur les différences entre le processus grâce auquel on peut se guérir et se régénérer, et le processus par lequel le monde est guéri et régénéré?*

Greg Ehmka
Akron, New York

Réponse : Votre question comporte deux parties, mais la première partie témoigne d'une merveilleuse compréhension dans son contexte. Celles et ceux qui lisent les paroles de Kryeon en ce moment font effectivement partie d'un groupe spécial, mais il ne s'agit pas d'un groupe karmique. Votre groupe est composé des individus qui ont passé à travers la majeure partie du karma des siècles pour aboutir en ce moment à une meilleure compréhension de la réalité à l'égard de qui vous êtes véritablement. Il n'y a donc rien de fortuit dans le fait que beaucoup parmi vous ont pris conscience de leur importance pour la planète, ainsi que pour les gens autour de vous, et que vous êtes devenus plus altruistes. Beaucoup parmi vous sont des guérisseurs et des "facilitateurs" répondant aux inquiétudes de leurs semblables. Vous êtes tous conscients de l'Esprit d'une façon que les autres ne démontrent pas. Par conséquent, vous êtes dans les niveaux les plus élevés à l'école de la Terre, puisque vous avez fait de plus nombreux devoirs. Ces échelons supérieurs ne signifient pas que votre visibilité soit plus grande ou que vous allez devenir célèbres sur toute la planète; cela veut plutôt dire que votre perspicacité et votre sagesse sont plus grandes. Vous serez les premiers à accepter les nouveaux présents puisque vous êtes en mesure de comprendre ce qui est offert et de voir les multiples changements qui sont imminents pour vous et pour les gens qui vous entourent.

L'égalité entre les humains sur Terre est réelle; néanmoins, en regardant autour de vous, vous constatez à l'évidence que certains en ont moins et d'autres plus. Vous voyez également ceux à qui des opportunités s'offrent et ceux qui n'en ont aucune. Il est encore plus difficile pour vous de voir ceux dont la naissance au milieu de la guerre et de la violence semble être le fruit du *hasard*. Pourtant, nous vous disons que tous les humains sont créés égaux. L'égalité se rapporte aux opportunités de votre contrat et aux possibilités d'action au cours d'un certain laps de temps. En d'autres termes, l'égalité concerne ce que vous avez fait avec celle-ci dans le temps dont vous avez disposé. Lorsque vous voyez une personne qui vit dans un pays ravagé par la guerre, vous voyez une entité avec des vies de karma accumulé (tout comme vous). Vous voyez aussi un plan d'incarnation qu'elle s'est elle-même créé pour son propre cheminement évolutif. L'égalité des humains sur Terre est donc à concevoir dans une perspective à long terme et non comme l'attribut d'une seule vie. Les personnes parmi vous qui sont des guérisseurs et des métaphysiciens sont celles qui ont eu à passer à travers sensiblement les mêmes épreuves que les autres, mais qui ont franchi beaucoup plus rapidement les occasions d'évoluer qui s'offraient à elles et qui ont réussi à gravir les échelons une incarnation après l'autre.

Votre groupe ne possède donc pas un héritage différent de celui des autres, pas plus que vous ne faites partie d'un groupe d'élite ayant été placé ici dans un but précis. C'est pour cela que l'Esprit vous honore ainsi! Vous avez tous commencé avec le même niveau de potentiel dans votre contrat. Vous êtes celles et ceux qui ont avancé le plus rapidement, mais vous provenez de la même souche que les autres.

La seconde partie de votre question est intéressante. Vous désirez connaître la différence qu'il y a entre se guérir soi-même et guérir la planète. Il n'y a pas de différence. L'un est la source de l'autre. Comprenez que le choix ne se pose pas entre ces deux buts. Si vous décidez de négliger de travailler sur vous pour vous concentrer plutôt sur la planète, vous échouerez. Mais lorsque vous vous concentrez sur vous-même, la guérison de la planète sera automatique et se produira simultanément. Bien que vous regardiez autour et que vous voyiez qu'il y a tant à faire au plan physique pour la Terre, nous vous affirmons que la découverte de soi et le travail intérieur que vous faites amèneront ces changements planétaires. Pourquoi? À cause de ce que Kryeon vous a dit depuis le commencement des messages : la Terre, c'est vous. Elle réagira à votre travail tout comme une partie de votre corps réagissant à votre état de santé général. À mesure que vous vous améliorerez et que vous accepterez les dons de l'Esprit dans la nouvelle énergie, vous serez éclairé sur les nouveaux moyens physiques nécessaires pour exécuter un nettoyage planétaire et de réaliser la coexistence pacifique.

La preuve de ce que j'avance réside dans ce qui s'est produit au cours des cinquante dernières années. Plus vous avez travaillé sur vous-même, plus la paix et une grande conscience politique et environnementale se sont répandues sur Terre. Vous avez fait tomber des gouvernements avec votre travail intérieur et rendu des millions de personnes conscientes des problèmes environnementaux qui n'auraient jamais été vus comme tels auparavant. Tout cela a commencé dans le cœur et l'esprit des humains qui ont constamment réglé leur karma et peu à peu découvert la nature de leur contrat pour cette existence. Pouvez-vous voir comment tout cela se tient?

La prochaine fois que vous vous sentirez égoïste lorsque l'Esprit vous demandera de ne travailler que sur vous-même, pensez à ceci et comprenez le point de vue d'ensemble selon lequel votre travail a un effet sur le tout. Votre contribution individuelle n'en est qu'une parmi beaucoup d'autres; chacun de vous est comme un pilier dans un vaste projet de construction d'un édifice. Plus il y en a qui font des changements personnels, plus vous êtes nombreux à soutenir l'édifice.

Question : *(S'adressant à Lee) J'honore le travail que vous faites pour Kryeon et je veux bien croire en tout ce que vous dites, mais je ne peux m'empêcher de sentir que c'est une sorte d'approche béate et optimiste face à un problème complexe. Lorsque je regarde autour de moi dans ma ville de Los Angeles, je ne vois pas cette élévation de conscience dont vous parlez. En fait, tout ce que je vois c'est de la colère et de la violence. Comment cela peut-il coexister avec ce dont vous parlez? Les paroles de Kryeon ne semblent pas correspondre à la réalité de ce que j'observe autour de moi.*

Participant à un séminaire
Sedona, Arizona

Réponse : Il y a un étroit rapport entre cette question et la précédente, et c'est pourquoi j'ai demandé à mon partenaire (Lee) de la placer ici. Lorsque la fréquence vibratoire de la Terre a été mesurée lors de la Convergence harmonique en 1987 et que l'on a constaté qu'elle était élevée et propice pour un avenir bien différent de ce que l'on imaginait, ça ne voulait pas dire que tout le monde allait tout d'un coup être heureux et guéri. La mesure a permis de jauger le niveau vibratoire de réalisation des contrats et le potentiel futur qui en résulte pour vous. On s'est donc rendu compte que vous étiez prêts pour le changement de niveau, mais que vous n'avez pas encore passé votre graduation.

Ce moment a véritablement marqué le début d'un changement massif pour l'humanité, un changement qui allait en fait avoir pour effet d'intensifier la colère de beaucoup d'individus, au lieu de l'adoucir! Lorsque nous vous appelons des "Guerriers de la Lumière", comprenez-vous maintenant que cela signifie une sorte de combat? Dans ce cas-ci, il s'agit d'un combat entre la nouvelle énergie de l'illumination et l'ancienne énergie de l'obstination. C'est la lutte que mènent de nombreuses personnes attachées à l'ancienne énergie pour s'opposer de toutes leurs forces au paradigme de la nouvelle énergie. Le combat oppose donc l'amélioration de soi au refus complet de se transformer... et ce refus semblera pour beaucoup être le chemin le plus logique à suivre! Lorsque vous regardez autour de vous, vous constatez un contraste encore plus grand qu'auparavant entre la lumière et les ténèbres, au lieu d'une amélioration. C'est ce même attribut qui obligera certains parmi vous à aller vivre ailleurs. Beaucoup ne seront tout simplement pas capables de vivre dans une région à faible énergie vibratoire et de côtoyer ceux qui choisissent activement de ne pas faire partie du changement. Il est important cependant que personne parmi vous ne sente devoir se regrouper avec d'autres en des communautés de conscience illuminée. C'est un concept de l'ancienne énergie et ça ne fonctionnera pas! Faites-en l'expérience et vous verrez pourquoi. Votre tâche consiste à accomplir votre travail divin dans la région qui vous convient le mieux, et de vivre normalement avec les autres autour de vous qui sont, eux aussi, prêts pour le changement. C'est là une des raisons pour l'implant, car il vous donne l'armure nécessaire pour une telle tâche, et vous serez ainsi capable de coexister avec les personnes qui ont besoin de voir comment votre vie fonctionne. Comme dans l'exemple de la fosse de bitume (voir dans le Tome II de Kryeon) vous devez absolument demeurer dans le courant dominant de la culture humaine pour arriver à gagner ce combat. Les autres doivent voir ce que vous êtes et ce que vous faites afin de reconnaître qu'ils ont la même énergie en eux. Par conséquent le catalyseur nécessaire à leur changement... c'est VOUS!

Il ne faudra pas beaucoup d'efforts pour transformer toute une région. Même les quartiers les plus ténébreux et les plus violents de vos villes peuvent être changés par tout juste une poignée d'humains illuminés. Au lieu de déménager, certains d'entre vous seront appelés à demeurer sur place et à changer l'endroit où ils vivent. C'est un peu la même chose qui se passe avec ces guérisseurs qui choisissent de rester lorsqu'une épidémie survient. Alors que les autres quittent sagement les lieux pour ne pas souffrir, non seulement les guérisseurs qui demeurent ne sont pas infectés, mais ils soignent beaucoup de gens, arrivant souvent à enrayer complètement l'épidémie. « Lequel des deux types de personnes suis-je? » vous demandez-vous peut-être. Celle qui devrait aller vivre ailleurs, ou bien celle qui devrait rester là et s'occuper d'améliorer la situation? Telles sont les décisions que vous devrez prendre calmement et intuitivement sans en faire tout un drame. Nous avons souvent parlé de votre voie comme étant votre chemin du juste milieu — lorsque vous êtes à la bonne place au bon moment. C'est l'endroit où peut s'exprimer votre passion liée à votre contrat. Ce sera tout à fait évident pour vous!

Peut-être cherchez-vous autour de vous la preuve que le monde change avant de vous résoudre à accepter cette information... Si tel est le cas, alors vous serez un observateur pour encore très longtemps. Si toutefois pour reconnaissez le rôle que vous êtes maintenant appelé à jouer dans tout cela, votre travail provoquera en fait le changement même que vous espérez observer! C'est un trait typique de la nature humaine que, dans un groupe d'ouvriers au repos, il faut qu'il y en ait d'abord au moins un qui se lève et recommence à travailler pour que les autres suivent; autrement, ils poursuivraient tous la pause. Vous êtes donc le catalyseur du changement même que vous cherchez à observer. Rien ne changera autour de vous sans que vous ne changiez d'abord en premier. Ressentez intuitivement l'information. N'attendez pas que les autres commencent en premier. L'Esprit est enchanté de tout ce que vous avez comme potentiel. Même si nous nous attendons à ce que vous fassiez le travail, nous vous donnons les outils pour l'accomplir.

Question : *Les gens peuvent comprendre que l'on puisse faire des choix et que l'on puisse avoir de très bons motifs de faire ces choix. Peut-on simplifier la notion de vivre dans la nouvelle énergie en disant que l'on fait des choix pour des motifs d'amour plutôt que pour des motifs de peur? Si tel est le cas, puisque l'individu en évolution penchera pour un choix ou l'autre, quelles sont les conséquences pratiques des deux voies qui s'offrent à lui?*

Greg Ehmka

Réponse : Un des attributs de la nouvelle énergie sera l'absence de prise de décision fondée sur la peur. De toutes les facettes du Nouvel âge, celle-ci sera l'une des plus universelles. Avec le genre de conscience de soi qui reconnaît la présence de Dieu en chaque humain, les raisons de faire des choses seront de plus en plus fondées sur une façon totalement nouvelle de penser. L'amour est la force déterminante, dans la vie de tous les jours, des décisions que nous prenons, de notre travail et de notre existence dans la vie humaine du Nouvel âge. La conscience de nos responsabilités est ce qui sous-tend la logique de tout ceci. Il était courant à une certaine époque, pour les explorateurs, de craindre de tomber dans un précipice à la limite du monde connu. Il s'agissait alors d'une peur logique due à ce qu'ils observaient et à leur ignorance à cette époque de la nature réelle des choses. Plus aucun explorateur n'a une telle crainte aujourd'hui. Aucune décision d'exploration n'est fondée sur cette possibilité. Pourquoi? Parce que la vérité sur la nature véritable des choses a été démontrée; la preuve en a été établie à maintes et maintes reprises. Il en est de même avec la voie du Nouvel âge. Une fois la vérité connue et le cheminement validé, la peur cessera d'être un facteur important dans la vie quotidienne pour les humains du Nouvel âge. **De fait, il s'agit là de l'alchimie de l'esprit humain! Passer de la peur à l'amour est précisément ce processus alchimique.**

Il est facile de répondre à la dernière partie de la question. Les décisions basées sur la peur ne cesseront de donner de piètres résultats dans la nouvelle énergie. Les décisions fondées sur l'amour élèveront une personne dans un nouveau domaine de découverte. Par conséquent, l'humain en évolution (qui assume la responsabilité de ce qui lui arrive) pourra faire l'essai des deux voies, mais ce ne sera pas long que les résultats parleront d'eux-mêmes et que les décisions fondées sur la peur seront rejetées. J'ai souvent parlé des nouveaux présents que l'Esprit a pour vous. L'implant n'était qu'un de ces cadeaux. La connaissance de la nature réelle des choses et de la cocréation en est une autre. Ces deux présents, à eux seuls, peuvent transformer radicalement et à tout jamais une vie humaine. L'intention est la clé, et la justesse d'une chose est la permission. Beaucoup parmi vous sont donc prêts à vivre une sorte de vie différente, sans crainte ni souci. Nous sommes littéralement assis à vos pieds à vous supplier de vous détourner des choses négatives qui vous empêchent de vous détacher du passé et de considérer cette nouvelle information. Examinez ceci à la lumière de ce que vous ressentez intérieurement. Vérifiez tout cela avec votre conscience intérieure. Voyez si c'est en résonance avec votre âme! Acceptez la possibilité que vous pourriez avoir tort de l'ignorer. Si vous êtes une personne spirituelle, demandez à Dieu de vous montrer la réponse. Puis faites vous-même votre choix.

Kryeon

Un autre mot de l'auteur...

Au fil de mon travail pour Kryeon, j'ai fait la rencontre de bon nombre de merveilleux professionnels en métaphysique dans le domaine de l'édition. Un des summums absolus sur ma voie fut la rencontre de Krysta Gibson, éditrice du journal *New Times* de Seattle. Ce sont les paroles de Krysta qui sont citées au verso du livre *Aller au-delà de l'humain* de Kryeon, paru en octobre 1996.

Le journal *New Times* est une de ces publications dont l'inspiration vient du cœur et qui est produite par une petite équipe d'employés dévoués qui travaillent sans compter pour sortir la revue à temps sous la direction de Krysta. Je suis toujours impressionné par le fait que chaque numéro de *New Times* vise à amener un changement chez les gens, et pas seulement à publier des nouvelles sur des personnalités et des activités du Nouvel âge. Lorsque vous êtes en présence de Krysta, il n'y a pas de doute possible en votre esprit qu'elle est bien là où son contrat de vie stipule qu'elle devait être, et vous ne pouvez vous empêcher de l'honorer pour cette quête d'excellence dans la publication d'un journal de cette qualité, transformant nombre de vies avec chaque livraison. Elle est parfaitement consciente de ce qu'implique une telle responsabilité, et cela joue un rôle important dans ses choix quant à ce qu'elle publiera et ce qu'elle ne publiera pas dans les pages de *New Times*.

En janvier 95, je suis tombé par hasard sur un de ses éditoriaux. C'est le titre de son article qui avait capté mon regard : « Comment se préparer aux changements prédits sur Terre ». Puisque ce livre comporte de nombreuses lettres et des questions de lecteurs provenant de tous les coins du monde, j'ai senti qu'il pouvait être tout à fait acceptable d'inclure cet article en entier. Même si, à première vue, il semble porter sur les prédictions de changements que subira la Terre, il porte en fait sur l'alchimie de l'esprit humain. Je trouvai qu'il était intéressant de voir ces concepts présentés non pas par un channel, mais par une professionnelle du métier, à des milliers de lecteurs et lectrices. Cela me fit prendre conscience que les messages de Kryeon s'accordent parfaitement avec ce qu'affirment d'autres personnes bien en vue dont c'est la responsabilité d'être les chefs de file de notre mouvement du Nouvel âge.

THE NEW TIMES

Janvier 1995 VOL. 10 No 8　　　Transforme et enrichit des vies depuis 1985

Comment se préparer aux changements prédits sur Terre

Imaginez une vie sans peur. Imaginez le sentiment de vivre dans la confiance et la foi totales, sans jamais douter qu'en définitive seul ce qu'il y a de mieux vous arrivera ainsi qu'à ceux que vous aimez. Une telle vie est possible, quoique ça ne se produira pas si on ne consacre pas son attention et son dévouement à la réalisation de ce que l'on veut.

Pour la plupart d'entre nous, nous vivons une vie ancrée dans la peur. Nous craignons de ne pas avoir ce dont nous avons besoin : de l'amour, de la sécurité, de l'argent, des amis, un emploi, du succès, du prestige, le savoir. La plupart des décisions que prennent les gens sont fondées sur la peur. Ce qui fait problème dans le recours à la peur comme fondement de notre vie, c'est que la peur n'a aucune substance et ne peut nous aider à tenir le coup comme nous espérons qu'elle le fera. Une vie passée dans la peur est une vie stérile.

Une des premières choses dont on m'a parlé lorsque j'ai fait mes premiers pas dans la communauté métaphysique fut « l'imminence de grands changements terrestres ». Une idée que j'avais particulièrement remarquée était celle du changement d'axe planétaire. La Terre était censée basculer sur son axe, nous mettant tous sens dessus dessous, au cours des années 80. À cette époque, il y avait un petit groupe de personnes qui donnaient des ateliers sur la façon de se préparer en vue de cet événement tandis que d'autres déménageaient vers des régions qui étaient supposées être plus sûres que le reste du pays. Seattle devait être engloutie au fond de l'océan. Les gens vivant à l'est de l'État de Washington pouvaient se réconforter à l'idée de se retrouver soudain propriétaires d'un terrain au bord de la mer.

Au fil des ans, diverses prédictions sinistres ont été annoncées et ne se sont pas matérialisées, mais il continue à y avoir une fixation persistante sur l'idée de désastres planétaires. Une grande partie de cette information étant maintenant diffusée à des heures de grande écoute grâce à des émissions telles que *Prophéties anciennes* (diffusée aux États-Unis), il y a beaucoup de personnes qui vivent leur vie dans une perpétuelle frayeur terminale. Non seulement les gens ont-ils peur pour eux-mêmes, mais ils ont également peur pour leurs enfants. Que se passera-t-il si le malheur frappe, se demandent-ils. Y a-t-il un endroit où nous pouvons aller pour être en sécurité? Y a-t-il quelque chose que nous puissions faire pour empêcher que les prédictions ne se réalisent?

La peur est une chose étrange — elle servait à l'origine de mécanisme d'alerte pour nous préserver

du danger. Lorsqu'elle est constamment présente, cependant, elle
referme le cœur et obscurcit l'esprit.
Si nous sommes dans un perpétuel
état de peur, nous sommes incapable de penser ou de sentir clairement. Nous ne pouvons pas même
commencer à exprimer notre potentiel si nous avons constamment
peur d'être blessé, tué ou aban-
donné.

Il est fréquemment arrivé que
des gens me demandent ce que je
pensais des changements prédits et
quels étaient mes plans à cet égard.
Je regarde les choses sur la planète
et je vois qu'elle est et a été dans un
état de perturbation depuis quelque
temps déjà. Les grands changements terrestres ne sont pas sur le
point de se produire; ils sont déjà
là. La planète a subi des changements perturbateurs depuis des
temps immémoriaux et les chances
sont que ça va toujours continuer
ainsi. Est-ce que je me retrouverai
au beau milieu d'un tremblement de
terre, d'une inondation ou d'une
éruption volcanique? Cela vous arri-
vera-t-il? Je ne le sais pas. Peut-
être. Peut-être que non. Ça n'a
aucune importance.

« Que voulez-vous dire par "ça
n'a aucune importance"? Vous
voulez dire que, si vous saviez que
vous alliez vous retrouver sur la
trajectoire d'une tornade, vous ne
poseriez pas un quelconque geste
pour remédier à la situation?
N'aimeriez-vous pas le savoir à
l'avance pour vous protéger, ainsi
que vos biens et les personnes qui
vous sont chères? »

Ce qui compte, c'est que nous
vivions à partir de notre centre. Ce

qui importe, c'est que nous ayons
fait notre travail sur nous-même et
notre purification intérieure et que
nous ayons une relation intime avec
le divin, quelle que soit la forme que
cela puisse prendre pour nous. Si
nous sommes relativement clair, et
si nous sommes en contact avec
l'essence divine de la vie, que
pouvons-nous avoir à craindre?
Nous serons au bon endroit, au bon
moment, et si cela veut dire de nous
retrouver au cœur d'un tremblement de terre, alors qu'il en soit
ainsi. Si un tremblement de terre
se produit et que je suis au beau
milieu de celui-ci, il y aura certainement une raison pour que j'y sois et
mon job sera de faire tout ce que l'on
me demandera alors de faire. Si je
dois faire ma transition d'une façon
dramatique de ce genre, je le ferai.

Toute peur prend sa racine dans
la peur de la mort. Les gens ont peur
des désastres parce qu'ils ont peur
de mourir. C'est instinctif chez nous
de vouloir vivre et nous continue-
rons à vivre, mais la vérité est que
nous allons tous changer de forme
corporelle un jour ou l'autre. Même
ceux qui prévoient ascender avec
leur corps actuel vont quand même
passer par une sorte de mort parce
que ce sera une transition majeure
d'une forme de vie à une autre.
Vivre dans la peur des changements, terrestres ou autres, c'est se
permettre de se laisser distraire de
notre véritable raison d'être sur
Terre à cette époque.

Comment se préparer aux changements prédits? Si cela vous
permet de vous sentir mieux, prenez
les mesures nécessaires au plan
physique pour vous assurer de la

meilleure sécurité et du meilleur confort possibles. Ayez suffisamment d'eau et de nourriture à votre disposition. Assurez-vous d'avoir tout ce qu'il faut à la maison pour faire face à des situations d'urgence. Puis oubliez tout cela et vivez votre vie.

Vous est-il déjà venu à l'esprit que les changements terrestres ne vous affecteront pas? Que vous allez passer des années à vous en faire, ne vivant pas pleinement votre existence, et qu'ainsi vous n'aurez pas vraiment vécu votre vie? Ne vous sentirez-vous pas idiot d'avoir perdu tant de bonnes années qui auraient pu être passées à exprimer votre créativité et à favoriser votre évolution comme personne?

Une autre pensée à méditer est que les prédictions sont peut-être dans l'erreur. Peut-être les circonstances ont-elles suffisamment changé de sorte que bon nombre des changements prédits ne se produiront même pas. C'est assurément ce qui a été affirmé dans les écrits de Kryeon. Kryeon dit que la conscience de la planète a assez changé pour que les principaux désastres qui devaient se produire n'arrivent pas. Une bonne part de la peur qui est générée l'est à partir de prédictions périmées!

Chaque siècle a eu son lot de prédictions de catastrophes en tous genres. Certaines se réalisent, d'autre pas. Fonder toute sa vie sur de simples probabilités est un triste gaspillage de potentiel humain.

Il y a moyen de vivre autrement que dans la crainte. On peut trouver ce moyen grâce aux moments de prière et de méditation. Lorsque

nous concentrons nos pensées et nos énergies sur la divinité de la vie et que nous commençons à sentir son omniprésence, la peur s'évanouit. Lorsque nous savons et sentons réellement que tout ce qui existe, nous y compris, est une expression de Dieu dans la forme, de quoi pouvons-nous avoir peur?

Certaines personnes aiment beaucoup s'entourer de tension dramatique dans leur vie. Elles seraient malheureuses et s'ennuieraient si elles faisaient l'expérience d'un sentiment de paix extrême. Une vie passée les nerfs à vif avec beaucoup de crises, de chaos et d'incertitude leur donne l'impression de se sentir vivantes et réelles. Toutefois, même de telles personnes peuvent apprendre à connaître le divin au milieu des mélodrames de la vie. Elles peuvent ressentir les émotions fortes dont elles ont besoin sans éprouver la moindre terreur, si tel est leur choix.

Au lieu de consacrer votre temps et votre énergie à ne penser qu'aux improbables possibilités de la vie, commencez à centrer votre attention dans l'ici et le maintenant. Qui devez-vous devenir aujourd'hui? Qu'avez-vous à faire? Comment pouvez-vous contribuer à la paix mondiale au sein de votre propre vie aujourd'hui? Vous êtes-vous réservé un temps d'introspection dans votre journée, vous êtes-vous centré et avez-vous eu une expérience personnelle du divin? Y a-t-il des personnes ou des situations face auxquelles vous devez prendre du recul pour continuer à avancer dans votre vie? Y a-t-il une chose ou une condition que vous pouvez créer aujourd'hui qui soulagera la souffrance d'autrui ou apportera de la joie à quelqu'un d'autre?

Apprivoisez vos peurs en leur consacrant un peu de temps, en découvrant le message ou l'enseignement qu'elles cherchent à vous communiquer. Il suffit bien souvent de reconnaître leur existence pour que la plupart des peurs relâchent leur emprise. D'autres exigent un peu plus d'attention. Certaines doivent se faire sentir jusqu'à ce que nous ayons appris l'une ou l'autre leçon qu'elles doivent nous faire comprendre. Je ne connais aucune circonstance où il soit nécessaire que la peur domine notre vie ou qu'on lui attribue la domination suprême que certains veulent lui accorder.

Si vous avez peur qu'un désastre ne se produise, si vous avez peur de la pauvreté ou de la mort, la meilleure chose que vous puissiez faire est de commencer à vivre pleinement votre vie. Lorsque la foi et l'amour sont omniprésents dans notre vie, il n'y a alors plus de place pour le doute et la peur. S'il advient que des circonstances désagréables se manifestent, vous serez guidé pour savoir quels gestes poser, où vous rendre, qui aller voir. Les moments d'anxiété ne seront alors plus que des instants passagers plutôt que des obsessions continuelles.

Une bonne résolution à prendre pour le Nouvel an serait de vivre dans l'instant présent avec l'intention consciente d'aimer et d'honorer tout le monde et toutes les choses autour de vous tout autant que de vous aimer et vous honorer vous-même. Une telle vie serait une vie de joie et de paix, peu importe ce qui peut survenir dans le monde extérieur. Pouvez-vous imaginer une meilleure façon de vivre?

Krysta Gibson *- P.O. Box 51186, Seattle, WA 98115-1186, USA*

TROIS

Trois séances de channeling sur l'humain du Nouvel âge

12:12

Séance de channeling
Del Mar - décembre 1994

Salutations à vous, très chers amis. Je suis Kryeon du service magnétique. Nous allons prendre quelques instants pour ajuster cette salle au niveau d'énergie que nous désirons vous transmettre ce soir et, ce faisant, nous souhaitons vous parler un peu de qui est présent ici. Car l'entourage qui entre ici en ce moment, pour emplir le moindre espace entre chaque personne, vous est étroitement associé. C'est l'Esprit ce soir qui vient pour vous baigner les pieds. Car tel est l'amour que nous éprouvons pour vous. Il y en a beaucoup parmi vous ici ce soir qui sont venus en état de pure illumination, qui connaissent très bien leur voie et qui sont prêts à changer — qui voient leur vraie nature dans toute sa splendeur et toute sa magnificence. À celles et ceux d'entre vous qui sont dans cet état, nous disons « tenez-vous prêts », car tout ce que vous désirez, vous l'aurez! Nous allons vous remplir jusqu'à ce que vous soyez incapables d'en prendre plus, et vous partirez d'ici comblés de joie, et votre joie débordera pour des années à venir. Telle est la puissance de votre propre intention.

Il y en a tant parmi vous ce soir qui sont ici pour célébrer comme il se doit un grand événement, un événement au sujet duquel vous êtes venus en apprendre plus. Et nous vous disons aussi que votre intention compte plus que tout! Tout ce que vous avez à faire, c'est de prononcer le mot, d'émettre la pensée, pour être remplis comme les autres. Car votre magnificence vous stupéfiera, vous bouleversera et vous surprendra lorsque vous y ferez face, car vous n'avez aucune idée de qui vous êtes. Et nous vous comblerons également. Et vous sentirez les bras affectueux de l'Esprit vous entourer tandis que nous venons à vous avec ceux qui se joignent à nous en ce moment. Vous pouvez être transformés ce soir. Car la Terre le permettra; vous l'avez mérité.

Nous désirons cette fois vous parler de la grande suite de dates qui se sont succédé pour créer l'événement que vous célébrez en ce moment alors que vous êtes assis devant l'Esprit. Nous souhaitons vous raconter brièvement comment tout cela a commencé, et alors même que nous vous parlons ce soir, il y en a qui ont parfaitement conscience que ce qui vous est transmis va au-delà des simples paroles. Car beaucoup parmi vous reçoivent des énergies émanant de ce que nous appelons le troisième langage, et qui vous sont transmises par les "facilitateurs" présentement assis à vos côtés, lesquels demeurent invisibles pour le moment. Rappelez-vous, nous savons qui vous êtes. Vous pensez peut-être qu'il s'agit d'une coïncidence si vous êtes tous ici, que c'est un hasard qui vous a amenés à cet endroit? Nous vous disons qu'il n'en est rien, car vous aviez tous un rendez-vous. Profitez-en. Sentez ce qui vous est possible.

Le 16 août 1987, selon votre calendrier terrestre, fut un moment phénoménal. Car ce fut le moment, ainsi que nous l'avons mentionné dans un précédent channeling, où la Terre a été mesurée, et qu'à la surprise et la joie des êtres qui sont de mon côté du voile, nous avons découvert que votre planète avait un niveau d'énergie vibratoire beaucoup plus élevé qu'anticipé. Ce fut le commencement, très chers amis, de ce que vous célébrez maintenant comme étant le 12:12. Puisque sans le temps et en l'absence de cette mesure, rien de tout ce que vous connaissez maintenant ne serait en train de se produire. Car il avait depuis longtemps été prévu dans les plans que la mesure serait prise à ce moment-là. La Terre a considérablement changé au cours des cinquante dernières années, et comme le savent beaucoup de celles et ceux qui sont assis devant l'Esprit et qui maintenant lisent ces choses, ce fut un moment de grande célébration. Ce fut l'époque où Kryeon fut appelé à venir. C'est à cette époque que les grands maîtres furent également appelés, et toutes les entités de l'univers, depuis la grande Source centrale jusqu'à la périphérie, le savaient. Car cela a changé ce qui devait se produire dans l'avenir pour nous tous, et je parle ici de l'univers entier. Vous n'êtes peut-être pas conscients de la façon dont la Terre pouvait transformer l'univers, mais c'est ce qu'elle a fait, mes chers amis, tel qu'indiqué dans un précédent channeling. Et à mesure que nous sommes arrivés pour faciliter les changements que vous avez faits pour vous-mêmes, nous avons découvert que vous étiez effectivement prêts. Les choses progressaient encore plus rapidement que nous ne nous l'étions imaginé, et nous sommes maintenant ici en force pour faciliter ce processus.

Puis, le 11 janvier 1992, la chose la plus stupéfiante qui soit dans l'histoire de l'humanité s'est produite! Il n'y a rien qui puisse jamais diminuer l'importance de la date que vous appelez le 11:11. J'aimerais maintenant vous en dire plus au sujet de ce qui s'est alors produit, afin que vous puissiez ainsi mieux apprécier tout ce que représente cette journée alors que vous êtes en présence de l'Esprit. Mon partenaire est traversé d'une bouffée d'émotion à la pensée de la joie que l'Esprit se fait de vous honorer ce soir. Car à cette date que vous appelez le 11:11, toute l'humanité a reçu un code. Et ce code a transmis à chaque humain sur la planète le message suivant : « Nous sommes en train de changer les choses et d'ouvrir une porte, et de permettre aux humains de la franchir. » À présent, mes chers amis, cela peut vous sembler n'être que pure rhétorique ou une idée fantasque, mais nous souhaitons vous dire ce qui s'est produit ce jour-là. Car le code qui vous a été transmis était un code magnétique; et c'est la raison, chers amis, pour laquelle le maître magnétique vous parle en ce moment. C'est par l'intermédiaire du réseau magnétique qu'il a été transmis à chaque humain sur la planète, de même qu'à ceux qui ne sont pas encore formés.

À présent, vous vous dites peut-être : « J'y étais à ce moment-là, et je n'ai rien senti. » Et nous vous répondons ceci : imaginez-vous être face à un très long couloir représentant votre vie. Tout au bout dans l'obscurité, à des années de votre moment présent, une porte majestueuse s'ouvre sans faire de bruit... Vous n'avez rien senti et rien entendu, mais votre empreinte biologique et son équivalent magnétique ont enregistré le fait que la porte s'est ouverte, car ce fait représente une grande permission accordée à votre esprit! L'autorisation à votre humanité de franchir un seuil vous donnant accès à un lieu qui vous était auparavant interdit.

C'est l'ère nouvelle, et la clé d'accès à la réalisation de soi vous a été accordée afin que vous puissiez un jour parvenir, grâce à votre croissance, au niveau de ce que nous avons appelé l'ascension. Voilà ce que fut cette journée du 11:11. À présent, vous vous demandez peut-être : « Comment cela s'est-il accompli, Kryeon? » Et nous vous dirons maintenant pour la première fois que **chacun de vous possède un système de code magnétique enveloppant votre système biologique.** Ces torsades magnétiques, si vous préférez, correspondent aux torsades biologiques de votre corps et leur transmettent des messages codés. Et ce dont nous parlons maintenant, c'est de votre ADN contenant le génome humain. À chaque torsade biologique correspondent deux torsades bipolaires magnétiques (pour un total de 12). C'est ce qui constitue votre empreinte. Cela établit votre dualité. Il sera très difficile pour vos scientifiques de voir ceci, mais nous vous donnerons un jour des indices qui démontreront son existence. Voilà donc comment cela s'est fait, car le changement du réseau magnétique transforme votre conscience et ce qui vous est permis. De plus, ce réseau magnétique "parle" à ces messages codés de votre empreinte magnétique, qui à son tour communique avec votre biologie, permettant ainsi que les changements se produisent. Tout cela vous laisse peut-être songeur, mais permettez-moi de poursuivre mes explications.

Saviez-vous que vos corps ont été conçus pour durer éternellement? Saviez-vous qu'ils se régénèrent régulièrement? Saviez-vous que la plupart de vos cellules et de vos organes sont conçus pour une durée infinie et qu'ils se régénèrent sans arrêt? Vous avez une preuve de ces choses. Alors comment se fait-il, mes chers amis, que vous vieillissiez et passiez de vie à trépas? « Que se passe-t-il au juste? » demanderez-vous peut-être. C'est l'empreinte magnétique qui communique avec l'ADN, qui génère le composé chimique que vous appelez l'hormone de la mort. Cet ancien code d'énergie fait obstacle au processus de régénération et coopère avec le léger manque d'énergie cosmique qui rend ainsi possible votre vieillissement. Cette situation est appropriée et délibérée, et correspond à ce que vous aviez projeté. Elle facilite le plan conçu pour l'incarnation et le karma, car vous continuez à vieillir. Et ainsi vous pouvez continuer à mourir et à vous incarner sans arrêt pour permettre l'élévation des vibrations de la planète. C'est ce qui est peu à peu annulé, et cela fait partie de la porte qui s'est ouverte lors du 12:12.

À présent, vous vous dites peut-être : « Comment se fait-il que nous n'avons pas vu cela avant grâce à notre science? » Voici une autre révélation pour certains d'entre vous : vous avez peut-être cru par le passé que le magnétisme endommage vos cellules, comme le fait la radiation. Tel n'est pas le cas, car **le magnétisme**

donne à vos cellules des instructions pour agir de façon différente et pour faire des choses différentes. Pour en établir la preuve, nous demandons à votre science d'exposer des cellules à de faibles champs magnétiques de tous genres. Utilisez différentes sortes de cellules humaines et observez les résultats. Nous vous garantissons que vous verrez ces cellules se mettre à sécréter des composés chimiques que vous n'avez jamais vus auparavant dans ces circonstances. Certains vont même se former rapidement. Les cellules ne seront pas endommagées, mais lorsqu'elles seront exposées aux champs magnétiques, elles se comporteront différemment. Maintenant vous savez de quoi il en retourne avec le Temple du Rajeunissement dans l'endroit que vous appelez l'Atlantide! Car il s'agissait bien d'une machine magnétique, et c'est ainsi que l'empreinte magnétique de la cible humaine était modifiée. Les instructions magnétiques annulaient l'émission de l'hormone de la mort et permettaient à l'humain de vivre trois années de jeunesse de plus, jusqu'à ce que le tout revienne à son état premier original dans cette énergie cosmique de faible intensité. Voilà pourquoi les gens faisant partie de l'élite de cet endroit que vous appelez l'Atlantide vivaient fort longtemps, et pourquoi les esclaves ne vivaient pas longtemps. Car, tel que channelé auparavant, cette technologie n'était pas partagée. C'est ce processus, mes chers amis, qui a créé le code qui a été émis lors du 11:11.

À présent, un être qui nous est cher vous a apporté cette nouvelle dans le passé, et nous parlons maintenant de l'ange **Solara**. Nous vous encourageons maintenant à relire cette information, car **elle est toujours d'actualité**. L'événement le plus stupéfiant qui se soit jamais produit fut le 11:11, car ce fut véritablement le moment où l'humanité a franchi une grande étape. Les messages transmis dans les channelings de Solara devraient être revus et remémorés chaque année, car ce sont des messages de splendeur qui ne vieilliront jamais. Il est sage de faire cela, puisque ce channel fut envoyé ici afin que vous puissiez voir ces instructions durant toute votre vie. Revenez-y souvent! Nous vous y encourageons. Un tel événement devrait être célébré jusqu'à la fin de votre ère. Il en est de même pour tous les messages channelés que vous recevez à propos du Nouvel âge qui devraient être traités de la même façon. Les humains ont tendance à mettre de côté les vieilles choses et à ne s'intéresser qu'aux nouvelles. Et nous vous disons maintenant qu'il y a de nombreuses choses qui vous ont été données que vous devriez placer bien à la vue sur une étagère et regarder fréquemment. Ces choses sont riches en honneur et en célébration, car elles sont la vérité et ne prendront pas de l'âge.

C'est le 23 avril 1994 que débuta le changement que vous avez maintenant complété aujourd'hui. Car il vous faut comprendre, mes chers amis, que tout au long de l'évolution de votre planète, il y a eu des entités dont c'était le rôle de préserver l'énergie et la vibration de la planète afin qu'elle puisse survivre en équilibre avec le système du réseau magnétique. Ce système est en partie un moteur du soleil. Lorsque vous comprendrez les couleurs et la magnificence de ce que vous appelez le vent solaire, et ses réactions à l'égard du système de réseau magnétique, vous comprendrez mieux en quoi consiste cette mécanique céleste. Et les entités qui maintiennent l'équilibre au sein de cette mécanique ont été à l'œuvre depuis le début. Car vous devez savoir qu'il n'y a pas toujours eu autant d'êtres humains sur votre planète. À mesure que grandissait la somme totale des énergies humaines, le nombre des autres entités a graduellement diminué. Mais celles qui avaient le plus de puissance sont toujours restées, car leur présence était nécessaire pour maintenir un équilibre énergétique sur la Terre que les humains n'auraient jamais pu obtenir dans l'ancienne énergie. Or, ces entités ont commencé à se retirer à partir de cette date-là, en avril 1994!

Et c'est dans une grande célébration qu'elles quittent la planète, car elles savent que ce fut là le commencement de quelque chose d'ahurissant : un transfert de pouvoirs à la planète Terre, et le début de ce que nous appellerons l'indépendance de votre planète. Nous allons fréquemment nous référer à cette notion d'un transfert de pouvoirs, car il n'y a pas de meilleur moyen de décrire ce qui s'est passé. Celui-ci vous libère des chaînes d'une empreinte que vous avez portée depuis des temps immémoriaux, et il permet aux êtres humains de profiter de dons merveilleux. C'est ainsi qu'à cette date débuta la **passation du flambeau**. Beaucoup d'entre vous l'ont ressentie et l'ont célébrée, car cela avait été prédit. Le début de ce processus avait été entamé en raison de la Convergence harmonique. Et puis vint le transfert de code du 11:11 qui rendit cette passation désormais possible. Il y a d'abord eu le mesurage, puis le codage, et enfin l'action résultante; et ces trois événements ont ensemble changé la planète à tout jamais.

Toutes ces choses se sont produites à un rythme s'accélérant sans cesse jusqu'à votre année 1994. Observez l'écart de temps entre le premier événement en 1987 et le second en 1992, puis entre celui de 1992 et le troisième événement en 1994, et finalement le 12:12 maintenant. Vous pouvez comprendre que les choses ne se passent pas de façon linéaire, car le rythme des événements ne cesse de s'accélérer et il continuera à en être ainsi. Car la passation du flambeau en avril 94 était le commencement de ce que vous connaissez maintenant sous le nom de 12:12. À celles et ceux parmi vous, ici dans cette salle, qui désirent connaître ce qu'est vraiment le 12:12, nous disons ceci : **c'est le jour de votre indépendance.** Car il s'agit du moment où partira la dernière de toutes les entités qui maintenaient ici l'équilibre depuis la mise en place du système de réseau magnétique de la Terre. Et sachez, mes chers amis, qu'il y avait 144 000 de ces entités parmi les plus puissantes qui partent maintenant et vous font leurs adieux. C'est avec grand honneur et dans la joie qu'elles sont parties, et aussi avec un peu de tristesse, car elles ont été en relation avec vous et elles savent qui vous êtes. Mais par leur départ, elles ont choisi de vous laisser continuer leur travail. Elles vous ont lancé le défi, car il y en 144 000 parmi vous qui vont devoir prendre la relève de leur énergie! Sur toute la planète aujourd'hui, tel est le nombre d'humains qui vont choisir la voie de l'ascension. Car c'est en empruntant la voie de l'ascension que l'on peut disposer de l'énergie nécessaire pour maintenir l'équilibre sur l'ensemble de la planète. C'est ce qui permet au transfert de pouvoirs de se poursuivre.

Le 12:12 est donc l'achèvement de la passation du flambeau. Même si le 11:11 fut peut-être l'événement le plus extraordinaire dans l'histoire de l'humanité, le 12:12 est tout autant honoré, *car il est véritablement un hommage aux entités qui ont maintenu l'énergie* depuis des temps immémoriaux. Le 12:12 représenta l'apogée de la nouvelle énergie; le Nouvel âge est vraiment arrivé... l'âge de l'illumination et du transfert de pouvoirs pour chacun des humains présents dans cette pièce et lisant ces paroles!

Vous vous dites peut-être : « Je n'ai pas observé beaucoup de changements sur la planète. Je suis ici depuis longtemps et il ne me semble pas y avoir tellement de choses qui ont changé. » Nous vous encourageons, mes chers amis, à regarder les choses d'un point de vue d'ensemble, tout comme l'Esprit, et de voir les différences qui peuvent être subtiles, mais qui révéleront que des changements se sont déjà produits dans la conscience, et ce même au cours des dix dernières années.

Il y en a qui, pendant des années, ont prédit dans leurs channelings que ce serait la fin. Il ne vous reste plus que quelques années avant le nouveau millénaire. On avait dit qu'aujourd'hui les sables d'une très importante région de votre planète seraient maculés de sang. Si vous vous rendez en ce même endroit aujourd'hui, vous allez pouvoir découvrir deux pays où le sang n'a pratiquement pas coulé, mais qui partagent leurs informations sur l'eau, qui dressent des plans pour ériger ensemble des barrages, qui ouvrent une ambassade dans l'autre pays. L'aviez-vous remarqué? D'accord! Cela s'est fait lentement, mais l'aviez-vous remarqué?

Il y a quatre pays aujourd'hui dont les dirigeants actuels croupissaient, il y a à peine quelques années, au fond de cachots humides et froids dans ces mêmes pays, réduits à l'esclavage par leur propre gouvernement! Que s'est-il passé pour qu'ils se retrouvent aux commandes de leur pays? Quelle conclusion en tirez-vous au sujet de la conscience et de la tolérance de cette époque? L'aviez-vous remarqué?

La nouvelle énergie du Nouvel âge engendre la tolérance et amène les gens à négocier dans la tolérance et avec une grande détermination. Même s'ils ne sont pas des gens que l'on pourrait qualifier d'illuminés, ils sont tout de même un produit de la nouvelle énergie et ils la sentent eux aussi. Lorsque vous observez les choses sur votre planète, êtes-vous conscients que vous êtes passés de la menace d'un anéantissement global il y a tout juste quelques années à une situation où les seules conflagrations qui se produisent maintenant sont des guerres tribales. Les tribus seront en guerre pendant quelques temps encore, mais dans la nouvelle énergie leurs batailles n'apporteront que douleurs et chagrins, jamais la victoire... et les guerriers se lasseront à force de s'épuiser à se battre inutilement.

Mes chers amis, nous avons une parabole à vous offrir maintenant. C'est le moment que mon partenaire aime le plus, car il a la chance de voir et de sentir ce qui se passe. Mais avant de faire ceci, prenons simplement un moment pour dire aux personnes qui sont venues ici en s'attendant à voir quelque chose de spécial que vous allez pouvoir le voir maintenant, si tel est votre choix, car vous êtes entourés de l'Esprit qui vous parle. De fait, l'Esprit ne change jamais et la vérité demeure limpide. Et nous vous donnons en toute grâce ce que vous êtes venus recevoir ici. Beaucoup parmi vous savent de quoi nous parlons en ce moment, celles et ceux d'entre vous qui êtes venus en vous attendant à ceci. Et les personnes parmi vous qui ont le don de voyance peuvent regarder en avant d'elles et voir les auras des gens assis en avant d'elles... et aussi celle de mon partenaire; elles peuvent donc ainsi vérifier nos dires. Les mots "JE SUIS" seront chargés de sens pour vous, car ils représentent l'essence de l'Esprit que vous et moi nous partageons. Et ils représentent l'amour qui jaillit de l'Esprit, et du même endroit d'où émanent ces paroles, du grand soleil central, vous êtes comblés d'honneurs pour avoir accompli ces choses en tant qu'humains. Et pour tous ceux et toutes celles d'entre vous qui le désirent, nous allons faire pénétrer en vous autant de ce pouvoir que vous souhaitez en recevoir ce soir.

L'histoire de David l'Indien

Il y avait sur une île un Indien appelé David. S'il y en a parmi vous qui aimeraient savoir pourquoi un Indien s'appelait David, vous allez devoir analyser cela plus tard (rire cosmique). L'île où vivait David était belle et abondante en gibier. David était de descendance royale sur l'île, car son grand-père était le chef. David menait une vie heureuse sur l'île; il y avait de la nourriture en abondance et beaucoup de plantes comestibles y poussaient. La tribu de David avait pendant des années mené une vie heureuse dans son village.

Or, un phénomène étrange entourait l'île, car un grand banc de brume très épais s'était levé à cinq kilomètres des côtes. L'île était complètement entourée par ce brouillard, mais comme il ne se rendait jamais jusqu'au rivage, les journées sur l'île étaient généralement ensoleillées et claires. Les nappes de brume demeurait sans bouger à cinq kilomètres des côtes comme un signe inquiétant, et personne n'arrivait jamais à le percer du regard pour voir au-delà.

Or, David avait grandi avec la présence continuelle de ce brouillard, et les gens du village l'avaient observé depuis des générations. Ils ne le comprenaient pas, et ils en avaient peur puisqu'il arrivait à l'occasion qu'un villageois s'aventure dans le banc de brouillard sans jamais en revenir. Alors qu'il n'était qu'un tout jeune garçon, David se souvenait avoir vu un des plus vieux membres de la tribu qui, à la veille de sa mort, avait choisi de monter dans son canot et d'entrer dans la brume. Très souvent, la nuit, à la lueur du feu de camp, on racontait toutes sortes d'histoires au sujet de ce qui pouvait vous arriver si vous alliez dans le brouillard.

Les villageois apprenaient très tôt que si, d'aventure, quelqu'un entrait dans le brouillard, tous les autres habitants du village devaient alors entrer dans leur maison et ne pas observer ce qui se passait, car ce brouillard inspirait une grande peur à chacun. Mais David, qui était de sang royal, eut l'occasion étant enfant d'observer ces rares événements avec les Anciens, et plus tard également durant son adolescence. Mais le seul événement dont il avait un souvenir précis était celui du vieillard pénétrant dans la brume. Il se rappelait avoir vu le vieillard partir pour aller dans le banc de brume, il l'avait vu relever sa pagaie et observé son canot glisser doucement dans la brume. Et comme on s'y attendait, le vieillard n'en était jamais ressorti. Tout comme les Anciens l'avaient dit : « Aucune personne s'étant aventurée dans le brouillard n'en est jamais revenue. » Et les membres de la suite royale étaient demeurés pendant des heures sur place à observer la brume après que le vieillard s'y soit engouffré, attendant que se produise une autre chose qui devait alors normalement arriver comme prévu. Car bien souvent, au bout d'un moment, les gens pouvaient entendre un grand bruit assourdi, un bruit effrayant qui leur transperçait le cœur d'effroi, un son mugissant étouffé qu'ils ne pouvaient identifier. David allait s'en rappeler pour le reste de ses jours. Qui sait ce qui a bien pu se passer? Peut-être y a-t-il un monstre de l'autre côté du brouillard? C'était peut-être le bruit d'un tourbillon géant ou d'une immense chute d'eau qui entraînait la mort de ceux qui osaient pénétrer dans le brouillard?

Or, maintenant que David avait trente-quatre ans, il peut sembler étrange qu'il ait pris une telle décision, mais David se sentait attiré par la brume! Il sentait qu'il y avait quelque chose de plus dans sa vie dont il manquait. Peut-être s'agissait-il d'une vérité qui était demeurée en veilleuse pendant des années et, sans qu'il ne sache trop pourquoi, le brouillard en était la réponse? Il est vrai que personne n'en était jamais revenu, mais cela ne voulait pas dire qu'ils étaient morts, pensait David. Et c'est ainsi que David se mit courageusement en route, sans en parler aux Anciens du village, pour voir ce qu'il y avait de l'autre côté du banc de brume. Tout à fait conscient de ce qu'il allait faire, il monta lentement et cérémonieusement dans son canot. Il remercia Dieu pour la vie qu'il avait eue et pour la révélation de ce qui allait se produire. Il savait que peu importe ce qui lui arriverait, il allait au moins comprendre, et c'était ce qui le poussait à aller de l'avant.

Et c'est ainsi que David pagaya silencieusement et tout

doucement vers le banc de brume. Personne ne l'observait, car il n'avait pas annoncé à quiconque ce qu'il entreprenait. Bientôt il se retrouva tout près du brouillard et il était de plus en plus proche de lui. Puis David remarqua une chose étrange; personne ne s'était délibérément approché d'aussi près du brouillard auparavant pour observer ce qui pouvait s'y passer, mais il réalisa soudain qu'une force tirait son canot dans le brouillard! Surpris par ce qui se passait, il sentit la peur monter en lui. Comme il n'avait plus besoin de pagayer, David releva sa pagaie et la déposa dans le fond du canot. L'esquif disparut dans la brume avec lui dedans. Tout était immobile et calme tandis que David s'enfonçait dans le brouillard et que le courant continuait à le tirer de l'avant. Il faisait de plus en plus sombre, et David commença alors à reconsidérer ce qu'il avait fait. « Je suis encore un tout jeune homme; j'ai trahi mes Anciens, car j'étais de descendance royale et j'ai choisi de faire une chose absolument insensée! » David avait maintenant peur, et la peur l'enserra comme un linceul de mort; l'obscurité se mit à s'insinuer dans son cerveau, et il tremblait de froid et d'émotion tandis que le canot poursuivait sa course dans le silence.

David se trouvait depuis de heures dans le banc de brouillard et il avait l'impression que ça ne finirait jamais. Il se recroquevilla dans son canot, car il savait qu'il avait fait une erreur. « Que vais-je faire si plus rien ne change jamais? » pensa-t-il. « Que se passera-t-il si je suis ici pour l'éternité et si je meurs de faim dans ce canot? » David eut soudain la vision effrayante de tous ces gens qui s'en étaient allés auparavant, flottant à tout jamais chacun dans leur canot tels des squelettes dans le brouillard obscur. Allait-il revoir le vieillard parti il y a des années de cela? Les choses allaient-elles jamais changer? « Oh! Où est la vérité que je cherchais? » lança alors David de toutes ses forces dans la brume.

Puis la chose se produisit. David sortit de l'autre côté des nappes de brume! Il fut estomaqué par ce qu'il vit, car là devant lui se trouvait tout un continent : le ciel était dégagé et il y avait de nombreux villageois et des villages aussi loin qu'il pouvait distinguer! Il pouvait voir la fumée monter des cheminées et entendre tous ces gens jouer sur les plages. Il y avait des guetteurs postés le long du banc de brouillard qui le virent immédiatement. Et comme il sortait, ils l'aperçurent et firent résonner leurs cors tout heureux de signaler aux gens sur la rive qu'un autre aventurier venait de traverser. Puis David entendit une immense clameur s'élever de la terre ferme. Une clameur de célébration! Une clameur en son hommage! Et ils l'entourèrent rapidement de leurs canots et lui lancèrent des fleurs. Lorsqu'il parvint à la plage, ils accoururent et s'emparèrent de lui pour le porter sur leurs épaules, et ils célébrèrent sa traversée du brouillard. Ce jour-là débuta pour David une nouvelle vie plus riche.

À présent, vous vous dites peut-être : « Je sais sur quoi porte cette parabole. C'est à propos de la mort, n'est-ce pas? » Et nous vous répondons : « Non, ce n'est pas cela. » Cette parabole dans la forme où elle vous a été communiquée ce soir, ou telle que vous venez de la lire, concerne l'entrée dans la nouvelle énergie, et elle porte sur l'ascension. Elle parle de ce qui vous attend si vous voulez bien suivre la voie qui s'offre à vous. Car chacun de vous se trouve devant une nappe de brume, qui est en réalité votre peur, et chaque peur représente un défi différent et une leçon dont le niveau diffère pour chaque personne.

Écoutez attentivement, car nous allons maintenant aborder l'origine du sujet en question. Qu'est-ce qui soulève la plus grande peur en vous? Pour beaucoup d'entre vous, et à votre insu, il s'agit de la peur de réussir et la peur d'être sur la voie que vous devez suivre selon votre contrat de vie; la peur de l'abondance. Peut-être s'agit-il même de la peur de l'illumination. Nous vous encourageons à affronter cette peur la tête haute. Peu importe ce qui suscite en vous la plus grande anxiété, que vous savez être le karma dans votre vie, vous devez y faire face avec grand aplomb et un air de défi, sachant qu'il ne s'agit que d'une simple façade. C'est le banc de brouillard de la parabole, et de l'autre côté une grande célébration vous attend. Mais la peur n'en est pas exempte. Quelles sont les autres peurs qui pourraient d'après vous se présenter à vous ce soir? Peut-être est-ce la peur des relations — être dans une relation, ne pas y être? Chacun de vous est différent.

Mais il y a une autre peur qui domine dans l'esprit de certains d'entre vous ce soir. Mes chers amis, nous savons qui vous êtes. Nous connaissons vos pensées les plus secrètes. Tandis que vous être assis à écouter ou à lire, croyez-vous n'être qu'une sorte de masse humaine sans visage? Ce n'est vraiment pas le cas! Nous connaissons votre nom, puisque nous le portons dans notre cœur. Certains parmi vous ont vécu d'inconcevables tragédies au cours de votre vie.

La peur que beaucoup parmi vous entretenez est liée à un souvenir, car il y a là des ténèbres où vous ne souhaitez pas retourner. Des événements ou des tragédies qui peuvent vous avoir semblé injustes, et qui vous ont brisé le cœur à l'époque, ne doivent pas être remémorés, vous dites-vous. C'est ce que vous craignez, et vous êtes saisis de peur à la seule idée de devoir vous en rappeler. Permettez-moi de vous dire de quoi vous avez peur en réalité. Au niveau cellulaire, vous avez peur du fait que vous allez prendre conscience que vous étiez responsables de ce qui s'est passé et que vous avez contribué à préparer tout cela à l'avance! Et qu'en plus, cela faisait partie de votre contrat, que c'était prévu et que votre esprit le savait longtemps avant que ça ne se produise. Telle est votre véritable peur. Il vous semble impensable qu'une chose aussi noire se révèle être quelque chose que vous avez aidé à préparer. Pourtant, c'est en gros ce qui s'est produit, et cela vous mettra face à face avec une expérience d'apprentissage qui vous amènera la paix là où vous pensiez qu'elle n'aurait jamais eu sa place!

Et il en est ainsi pour certains d'entre vous ce soir qui portent justement ce karma en eux. Pourquoi Kryeon vous propose-t-il une telle parabole? C'est dans le but d'illustrer ce qu'est la responsabilité. Vous venez ici dans un but précis et avec un plan que vous connaissez, mais qui vous est caché. Celui-ci est révélé dans le 12:12. Le temps du transfert de pouvoirs est arrivé, celui d'assumer la responsabilité pour l'ensemble de l'énergie de la planète, et le temps est venu pour vous de reconnaître votre voie. C'est le temps de regarder votre adversaire dans les yeux et de lui dire : « Je te connais! Je sais qui tu es, et je choisis de me désengager de ton karma. » C'est en cela que résident les épreuves à passer et c'est grâce à cela que les vibrations sont élevées pour la planète! Car il n'y a pas d'expérience plus douce pour vous sur cette planète que de reconnaître qui vous êtes. Car toutes les choses qui vous causent du chagrin en ce moment vont disparaître et se dissiper. Voulez-vous des miracles pour votre santé? C'est simple. Vos corps ont été conçus pour durer éternellement. Souvenez-vous de cela.

Et c'est donc avec ces pensées que l'Esprit vous accueille dans le Nouvel âge. **Voici la Nouvelle Jérusalem et vous êtes assis dans son énergie**. Et à chacun d'entre vous, nous disons que le temps est venu de vous lever face au soleil, d'élever vos bras bien haut et de crier aux cieux : « JE SUIS! » et de le penser vraiment. Vous êtes des êtres splendides. Nous sommes à vos pieds ce soir pour célébrer ce Nouvel âge, ce transfert de pouvoirs. Certains parmi vous seront fâchés en quittant cet endroit, car il y aura de l'anxiété dans leur cœur. Car vous savez avoir entendu la vérité, et votre cerveau tentera de le nier. N'ayez pas peur de cette réaction. C'est simplement l'Esprit qui vous parle avec amour. Certains d'entre vous ce soir ont été guéris et vous le saurez. C'est une certitude, car chaque fois qu'un groupe s'assied en présence de l'Esprit, cela se produit. Professez-le et sachez que cela vous appartient.

Certains parmi vous, durant ce temps, auront été simplement aimés. Et nous vous demandons de revendiquer également cet amour. Car, mes chers amis, telle est l'essence de notre relation avec vous.

Et il en est ainsi.

Kryeon

. . . .

Lettre d'une lectrice

Cher Lee,

Le service que vous rendez aux autres en mettant à leur disposition les écrits de Kryeon contribuera beaucoup à élever les vibrations de la planète. Lorsque je lis les livres — et c'est chaque jour ces derniers temps — j'ai le sentiment d'avoir une conversation privée avec l'Esprit. L'information est si personnelle, et je sens Sa présence lorsque je tiens le livre. Je ne pourrai jamais vous expliquer toute la valeur que ces livres ont pour moi. Je ne les lis pas : je les vis.

Amour et Lumière

Pat Rowe Corrington

Awakening Publications
Auteure de *"Alive Again... Again... and Again"*
Danville, Californie

Devenir un humain du Nouvel âge

Séance de channeling
Kamuela, Hawaii

La transcription de cette séance de channeling devant public a été modifiée par l'ajout de mots et de pensées afin d'en clarifier le sens et de permettre une meilleure compréhension de ce qui a été dit.

Salutations à vous, amis très chers. Je suis Kryeon du service magnétique. Ne crains jamais, partenaire, que je ne sois pas là lorsqu'on m'appelle. Kryeon a l'habitude de vous dire, chaque fois que nous vous rencontrons, vous qui êtes assemblés en cette salle, qu'il ne s'adresse jamais à des groupes d'humains, car il s'adresse de façon individuelle au cœur de chacun d'entre vous. C'est donc ce soir que Kryeon vient devant vous et vous dit : « Vous êtes tendrement aimés. » Et l'Esprit a l'intention de s'asseoir devant vous et de vous baigner les pieds, car vous êtes vraiment des êtres glorifiés.

Avant de parler plus à fond sur ce sujet, permettez-moi de vous dire ce qui est en train de se produire dans cette salle en ce moment même. Car tandis que vous vous habituez à la voix de mon partenaire, mes chers amis, comprenez que la transmission de la pensée de groupe qui vous parvient en ce moment s'exprime par la même voix que celle qui instruisit Moïse. C'est la même voix qui stoppa le bras d'Abraham qui s'apprêtait à plonger la lame de son poignard dans la poitrine d'Isaac. C'est l'Esprit qui s'exprime à vous en ce moment, car c'est sur rendez-vous que vous êtes assis aujourd'hui en train d'écouter ou de lire ceci.

Ce n'est donc pas le fruit du hasard si chacun de vous entend ou lit ces paroles en ce moment. Car nous emplissons d'amour ce portail d'énergie. Nous convions en ce moment l'entourage qui m'accompagne à remplir cet endroit d'un cône d'amour qui vous sera transmis, tandis que vous écoutez ou lisez ces paroles, par l'intermédiaire du troisième langage qui s'adresse à votre troisième œil, que vous entendiez ou non les paroles prononcées. Puissance, guérison et amour seront transmis aux gens qui sont ici. Et comme pour tous les autres groupes de ce genre, il y a trois types de personnes ici. Nous nous adressons individuellement à chaque humain en ce moment, car il y a parmi vous un groupe de personnes illuminées et prêtes pour un grand essor d'énergie dans leur vie qui sont venues m'entendre. Vous serez guéris lorsque vous quitterez cette réunion! Et vous recevrez cette guérison grâce à votre propre pouvoir. Mais vous entendrez la vérité ce soir, et l'énergie de guérison vous sera alors transmise. Une fois partis, vous continuerez à vibrer pendant trois jours et vous passerez des nuits blanches, car il y aura des changements instantanés dans votre esprit. Vous êtes grandement honorés, car vous êtes véritablement prêts à entendre ces paroles. Et nous vous saluons avec un grand respect.

Il y a ici parmi vous un autre groupe de personnes qui sont au début de leur véritable évolution, ce droit chemin dont l'Esprit parle et qui transformera à jamais votre vie. Mais vous êtes ici pour en savoir plus en attendant ce qui va se produire, et vous êtes honorés; cela est approprié puisque vous êtes ici sur rendez-vous. Et lorsque nous vous disons que vous êtes ici sur rendez-vous, nous voulons dire que vous avez eu l'intention et un désir physique de vous trouver assis sur la chaise où vous êtes. Le troisième groupe est composé des gens qui sont venus ici parce qu'ils n'avaient pas d'autre choix. Ils sont peut-être ici à l'insistance d'un ami, ou avec un ou une partenaire qu'ils ne désiraient pas laisser pour la soirée. Peut-être sont-ils seulement curieux. Et nous vous disons mes chers amis : vous êtes aimés tout autant que n'importe quel autre humain sur la planète, et il n'y a pas de jugement sur votre conscience, ni sur vos raisons d'être ici ou sur vos intentions. Si vous voulez bien être ouverts et réceptifs ce soir, vous recevrez de l'information. Il n'est pas nécessaire de croire ce qui vous sera communiqué, mais laissez les semences entrer en votre esprit, car elle vous seront utiles un jour. Nous le garantissons! Sachez que rien de ce qui se passera ici ne vous causera du tort.

Kryeon souhaite dire à tous les humains présents ce soir que nous connaissons votre nom. Nous connaissons votre nom terrestre ainsi que votre nom angélique. Nous savons pourquoi vous êtes ici. Nous sommes au courant de la voie que vous suivez, et c'est justement pourquoi nous avons autant de respect pour vous, pour chacun de vous sans exception. Nous vous voyons assis dans votre siège et nous savons qui vous êtes. Voyez-nous clairement, car celles et ceux parmi vous qui en sont capables peuvent voir l'aura de mon partenaire changer ce soir. Ce fait à lui seul prouvera que l'Esprit vous parle grâce à l'amour à partir du grand soleil central. Les changements seront nombreux dans cette énergie limpide transmise ici ce soir. L'information dispensée par Kryeon transforme le cœur et l'âme des humains. Il ne s'agit pas d'une information destinée à changer la doctrine d'une quelconque organisation. Elle ne changera pas vos lieux de culte. Elle ne changera pas l'amour que vous pouvez éprouver à l'égard d'un maître "ascendé". Cette information porte simplement sur le Nouvel âge et sur les dons de ce Nouvel âge. Certains d'entre vous reçoivent déjà l'amour et le sentent affluer en leur être. Oh! mes très chers amis, nous savons qui vous êtes. Mais nous sommes aussi conscients des épreuves que vous avez connues; nous connaissons vos pensées. Et c'est pourquoi nous vous saluons ainsi avec respect, car vous êtes celles et ceux qui ont choisi en vertu de leur plan d'être ici ce soir... chacun de vous, un guerrier de la lumière! Vous êtes celles et ceux qui ont choisi la voie difficile : naître dans un corps sur cette planète afin d'élever ses vibrations. Vous avez choisi à maintes et maintes reprises de passer à travers cette épreuve, et même Kryeon ne peut affirmer avoir fait cela. Je vois les couleurs de chaque personne, et je sais où vous avez été. Car les insignes d'honneur sont nettement visibles, même lorsque vous êtes assis sur vos sièges.

Les vies antérieures! Êtes-vous conscients de votre groupe karmique, mes chers amis? Il se peut que mes paroles vous étonnent et vous surprennent. Car vous prétendez ne pas vous connaître les uns les autres alors que vous êtes réunis ici. Ah! en cet endroit même, il y a de fort nombreuses années (il y a si longtemps qu'il est difficile de les compter), vous viviez sur le grand continent appelé "Lémurie". Et chacun de vous étiez des chamans et de saints hommes, des prêtres et des prêtresses. Et ceci est donc votre karma. Celui-ci vous a réunis ici en ce moment — mais peut-être pas pour longtemps, car vous allez chacun poursuivre votre chemin dans cette nouvelle énergie. Nous avons pensé que vous seriez peut-être intéressés à savoir qui vous êtes, car vous tous qui êtes réunis ici ce soir, vous avez eu un grand lignage sur cette planète. Ce n'est pas le fruit du hasard si ce groupe se réunit maintenant pour entendre les admonitions de l'Esprit.

Dépassez la peur de l'illumination! Cette illumination qui, semble-t-il, a joué un mauvais tour à certains d'entre vous lorsque vous étiez en cet endroit même qui était jadis la Lémurie. Car cet endroit a connu l'annihilation peu de temps après votre illumination, et on peut lire sur votre visage, pour ainsi dire, la crainte que cela ne se reproduise. De fait, passer à travers une telle nuit engendre une véritable peur. C'est une semence de la peur d'être persécutés que vous avez, semble-t-il, reçue des mains de l'Esprit Lui-même, alors que votre civilisation était annihilée il y a tant d'années de cela. Il nous fait donc extrêmement plaisir de vous accueillir, et nous saluons avec grand respect votre présence même en cet endroit. Pour ceux d'entre vous qui habitent en cet endroit que vous appelez Hawaii, nous disons ceci — non pas pour générer de la peur dans l'une ou l'autre âme humaine, mais en tout amour — à savoir, que la Terre est en construction ici.

Lorsque Kryeon s'affaire à modifier vos réseaux magnétiques, vous pouvez être certains que la Terre changera elle aussi — et nous allons en reparler plus tard au cours de cette même séance de channeling. La Terre fait partie d'un tout et vous faites partie d'un tout, et **les deux doivent changer** pour faciliter l'évolution de votre propre conscience. La Terre n'est pas morte; elle n'est pas un objet rocheux stérile. Elle possède également une essence divine et elle doit changer avec vous. Nous vous disons donc que dans une zone comme celle-ci, il y aura prochainement des grondements et des mouvements de la Terre. Nous disons aussi, à chacun de vous, de ne pas en avoir peur. Car aussi longtemps que vous avancerez dans votre droit chemin, vous serez au bon endroit, au bon moment. S'il advenait que certains parmi vous perdent des biens personnels en raison de ces événements, ne laissez pas le chagrin vous envahir, car ce qui est le plus important c'est votre essence divine. Vous vous sentirez tellement vivants avec votre moi supérieur que vous serez en paix face à ces pertes. Vous serez tels des phares pour celles et ceux qui auront peur, et vous serez en mesure de les réconforter avec votre savoir et votre illumination. Nous vous donnons cette information non pas pour semer la crainte parmi vous, car les jeunes enfants qui sont ici ce soir seront en sécurité. C'est avec honneur que ces changements se produisent sur cette planète.

Permettez-moi à présent de vous parler de l'être humain du Nouvel âge. Tandis que l'énergie d'amour à votre égard s'intensifie dans cette salle, je voudrais vous tracer le portrait des attributs du nouvel humain. Oh! mes chers amis, il m'arrive parfois de permettre à mon partenaire de vous voir tels que je vous perçois. Il m'a demandé de ne pas répéter la chose trop souvent, car cela le bouleverse profondément. Chacun de vous est magnifique!... et sur le point de le devenir encore plus. Laissez-moi dépeindre pour vous les attributs de l'être humain du Nouvel âge. Cet être humain aura une dualité affaiblie. La dualité, telle que perçue par Kryeon et l'Esprit, est ce nom qui est donné à la barrière entre vous, l'être humain, et votre "moi supérieur divin" que vous êtes également. Il vous arrive de concevoir Dieu comment étant quelqu'un d'autre. Vous faites partie du tout, tout comme Kryeon d'ailleurs. Et lorsque vous cocréez, vous cocréez avec l'Esprit et les guides, ainsi qu'avec vous-mêmes. La **dualité affaiblie** est donc l'attribut de l'humain du Nouvel âge. Le voile a été légèrement soulevé de manière à ce que vous puissiez vous relier plus fermement à votre moi supérieur. Et à cause de ce fait, les quelques prochains attributs dont je vais vous parler sont désormais possibles. Car l'humain du Nouvel âge a vu la possibilité que lui offre la nouvelle énergie et il a annulé son karma. Que ce karma ait été lourd ou minime, l'être humain du Nouvel âge a pu s'en défaire. Cette première étape permet à tous les autres attributs de prendre leur place.

L'attribut suivant concerne la **responsabilité**, et il comporte deux aspects. Le premier en est la conception générale. L'être humain du Nouvel âge comprend qu'il est totalement responsable à l'égard de tout ce qui se produit dans sa vie. Ceci veut dire qu'il a connaissance au niveau intuitif que ce qui se passe a été *projeté à l'avance par lui-même*. **Vous n'êtes pas prédestinés à faire quoi que ce soit**. Vous pouvez avoir votre propre vie, et elle se déroulera pour vous telle que vous l'entendez. Mais les moments opportuns de changements sont prévus à l'avance par vous, et l'un d'entre eux s'offre à vous ici ce soir alors que vous êtes dans ce siège, car c'est cela qui vous a amenés ici! Réfléchissez-y un peu. Si vous êtes en train d'écouter ou de lire ces paroles, ce n'est pas le résultat d'une prédestination, mais bien parce que *vous* l'avez choisi. Selon cette conception de la notion de responsabilité, aucun de vous n'est la victime de quoi que ce soit! Personne ni rien ne vous fait quoi que ce soit. Car vous comprenez que, même si les apparences peuvent laisser croire qu'il en est parfois ainsi, c'est en vertu des plans et du choix que vous avez vous-mêmes faits que ces leçons de vie vous arrivent. Bien des choses se produiront dans le cours de votre vie qui vous pousseront à vous arrêter et à penser : « Pourquoi ces choses m'arrivent-elles? » Puis votre intuition vous donnera la réponse, car vous les aviez prévues depuis fort longtemps et toutes les réponses sont là au niveau cellulaire attendant de surgir à votre bon gré et selon votre discernement.

Le second aspect relatif à la responsabilité est une chose à laquelle vous n'avez peut-être pas pensé jusqu'ici et, une fois encore, veuillez vous rappeler que Kryeon vous dit ceci par l'intermédiaire de l'Esprit. Vous êtes responsables à l'égard de la planète. Vous croyez peut-être que cette planète n'est que le véhicule vous permettant de vous incarner comme être humain; qu'elle est une chose sur laquelle vous marchez, dont vous respirez l'air et profitez tout simplement. Rien ne saurait être plus loin de la vérité. Car Kryeon est ici pour modifier votre planète. Les réseaux magnétiques ne sont qu'un des nombreux éléments grâce auxquels votre conscience peut fonctionner. **Car elle est vivante en son entier et elle possède une essence divine.** Il est important que vous soyez conscients de votre grande responsabilité à l'égard de cette planète et que vous affirmiez : « Je suis ici avec vous et vous avec moi pour la nouvelle énergie, et ensemble nous allons changer la vibration... ensemble comme un seul tout. » Et il est donc désormais important de vous souvenir de ces choses chaque fois que vous vous apprêterez à méditer. Utilisant le rituel cher à nombre de vos ancêtres, saluez respectueusement le ciel, la terre, les vents et les eaux. Avant de méditer, honorez le tout que vous formez avec l'ensemble de ces éléments. Exprimez à voix haute que vous êtes une partie du tout, car l'un ne saurait exister sans l'autre, et le système est complet lorsqu'on l'honore et qu'on assume sa responsabilité à son égard. Et croyez-moi, mes chers amis, lorsque vous commencerez à faire ceci, il vous honorera en retour. Il vous abritera et vous protégera. Et nous parlons même présentement des personnes qui sont à la veille d'entreprendre un long voyage... honorant tout particulièrement les eaux sur lesquelles se déroulera leur voyage.

L'humain du Nouvel âge est celui qui assume ses pouvoirs. Nous avons déjà employé ce terme auparavant, et il se réfère à la capacité d'un humain de cocréer. Il s'agit peut-être là de l'un des dons les plus précieux mis à votre disposition dans la nouvelle énergie. Car la cocréation veut dire que vous créez votre propre réalité en collaboration avec l'Esprit et avec les gens qui vous entourent. Cela peut vous sembler être un paradoxe, car on vous a dit de ne cocréer que pour vous-mêmes. Mais ce qui se produit lorsque vous commencez à cocréer pour vous, c'est que vous exercez alors une influence positive sur les gens qui vous entourent. Nous vous encourageons à relire la parabole de la fosse tapissée de goudron qui a été publiée dans le précédent livre de Kryeon (*Aller au-delà de l'humain,* page 115), afin de mieux comprendre de quoi nous parlons ici. Car c'est ainsi que la cocréation fonctionne. En cocréant pour vous-mêmes, les autres sont touchés et aidés; certains sont même illuminés!... et tout cela parce que vous avez cocréé pour vous-mêmes.

Il y a plusieurs éléments de cocréation que nous devons examiner afin de vous permettre de mieux comprendre ces choses. L'Esprit a recours au mot "abondance" pour désigner le concept de "quantité suffisante", mais ce que l'Esprit veut dire ici c'est "quantité suffisante sur une base quotidienne". Et si vous vivez constamment dans l'instant présent, cela signifie que chaque jour sera dans l'instant présent. Disposer d'une quantité suffisante veut donc dire avoir suffisamment du nécessaire requis pour une vie vécue dans l'instant présent. Voilà en quoi consiste l'abondance. Votre définition de ce qu'est un humain fortuné diffère-t-elle de ce qui est considéré ici comme suffisant pour vivre?

Et pourtant nous vous disons qu'il s'agit là de l'une des nouvelles idées qui seront parmi les plus difficiles à saisir pour vous, à savoir que vous avez la maîtrise de ces choses. Mais cela peut effectivement être fait. Tandis que vous franchissez avec succès cette étape de votre évolution, demandant à recevoir l'implant neutre tel un humain du Nouvel âge, vous commencerez à apprendre comment créer votre abondance. Nous vous avons donné précédemment l'exemple de l'oiseau et vous le considérez peut-être comme étant simplifié à l'extrême. Mais nous vous disons, mes chers amis, que lorsqu'il s'éveille, l'oiseau a faim, et pourtant la première chose qu'il fait est de chanter. Il a conscience de l'abondance et des aliments dont il dispose, car il cocrée chaque jour sa nourriture. Il ne s'inquiète pas de la provenance de sa nourriture, car il s'est habitué à manger tous les jours et sait qu'on y pourvoira. Toutefois, certains parmi vous diront : « Oui, mais comment pouvez-vous comparer un oiseau à un être humain? Après tout, les êtres humains sont dotés d'un intellect et d'une intelligence et ils ont tendance à se faire du souci, et en plus ils sont bien différents des oiseaux. » Et je vous dirai, chers amis humains, que le fait de savoir que votre intellect et votre intelligence vous causent de tels soucis vous donnera peut-être une idée de l'influence négative que l'intellect et l'intelligence peuvent avoir sur vous! Car nous vous dirons une fois de plus que l'intellect sans l'intuition est votre ennemi. Vous pouvez en venir intellectuellement à vous donner la mort, la maladie et le déséquilibre, mais lorsque vous combinez l'intellect avec le moi spirituel, l'intuition et le moi supérieur — ah! alors cette association donne de remarquables résultats. Et ils se marient l'un avec l'autre. **En conséquence, l'humain du Nouvel âge trouvera son équilibre dans l'union de sa nature intellectuelle et de son intelligence avec son moi spirituel.** Cette triade n'est rien de subtil à discerner pour celles et ceux parmi vous qui comprennent le pouvoir du chiffre trois.

L'attribut suivant est celui des **relations**. Cet attribut, est-il nécessaire de le souligner, est parfois l'un des plus difficiles. Nous parlons à présent de tous les genres de relations. Nous parlons des relations entre les mères et leurs filles, de celles entre les pères et leurs fils, et de celles entre les partenaires. Tout ce domaine des relations humaines vous a été donné pour vous mettre à l'épreuve. Chaque fois que vous éprouvez une difficulté en ce domaine, vous êtes invités à cocréer le moyen de vous en sortir. Et lorsque vous y parvenez, et que ça se passe au niveau d'une relation de couple, observez bien à quel point vous changez! Mais qui plus est, mes chers amis, à mesure que vous changez, observez bien la réaction de votre partenaire. Il y a des miracles qui peuvent alors se produire si vous les acceptez. Certains d'entre vous attendent toujours de trouver le bon ou la bonne partenaire. Nous vous disons que ces choses peuvent être cocréées et donner de merveilleux résultats, et nous vous demandons de faire preuve de patience, car les moments opportuns sont préparés à votre intention alors même que vous attendez.

L'attribut suivant de l'humain du Nouvel âge se manifeste dans le domaine de la **santé** et de la **guérison**. L'humain du Nouvel âge comprend ce que signifie l'auto-guérison, car il ou elle a découvert quelque chose d'important, à savoir que le mariage de l'intellect, de l'esprit et de l'intelligence à la biologie est d'une importance cruciale (la triade encore une fois). Vous ne pouvez passer votre vie à vous imaginer que votre Esprit réside dans votre tête tandis que le reste n'est rien de plus que de la viande! (Rires dans la salle.) Et pourtant c'est ce que font certains d'entre vous! Et lorsque les choses se mettent à mal aller pour votre corps, vous dites : « Ceci ou cela a mal fonctionné », ou « J'ai mal ici ou j'ai mal là. » Commencez à mettre en pratique le mariage avec votre biologie. Demandez-lui de vous parler et de ne faire qu'un avec vous, et lorsque quelque chose vous irrite ou que vous ressentez une douleur, examinez-en la raison. Commencez à penser à votre corps comme faisant partir du "nous" plutôt que de dire "il", et cela vous aidera, car l'humain du Nouvel âge voit son corps et son esprit comme une seule et même chose. Il s'agit là d'une information cruciale pour les personnes qui souhaitent vivre très longtemps. Et parlant de cela, nous disons à celles et ceux qui ont annulé leur karma que le moteur du karma est effectivement la mort et la renaissance; lorsqu'il sera annulé, il n'y aura alors plus de raison de mourir. Par conséquent, ce que nous vous disons, c'est que nous vous invitons, comme humain du Nouvel âge, à vivre très longtemps, plus longtemps que vous n'avez jamais pu l'imaginer. Ralentissez le processus du vieillissement et faites en sorte que grâce à votre cocréation spirituelle, l'hormone de mort soit éliminée. Tel que nous l'avons channelé dans le passé, tout cela fait partie de vos capacités, mais il faudra de la pratique. Vous ne serez pas tous capables de faire cela immédiatement, puisque tout cela est très nouveau pour vous, et que ça va à l'encontre de tout ce qu'on vous a enseigné jusqu'ici.

L'attribut suivant des humains du Nouvel âge est qu'ils ont la capacité **d'entretenir la magie** sur la planète. Comme mon partenaire vous l'a mentionné plus tôt, mes chers amis, cela signifie la même chose que ce qui vous a été expliqué à l'égard du 11:11 et du 12:12. Les entités qui quittent peu à peu la planète sont en train de vous passer le flambeau. Cet humain du Nouvel âge que vous êtes peut entretenir la magie! Oh! réjouissez-vous de ce fait, car c'est la toute première fois que nous disons ceci à des humains! Ceux d'entre vous qui désirent vivre l'ascension entretiendront la magie. Ceux qui ne le désirent pas, mais qui souhaitent plutôt être des porteurs de lumière et des travailleurs de la lumière, contribueront aussi à entretenir la magie. Vous pouvez tous y contribuer dans une certaine mesure. Chacun de vous peut préserver l'énergie et la vibration de la planète... être un protecteur de l'illumination et un gardien de la vérité; voilà ce que vous êtes. Car le flambeau vous a été remis par les dévas et les êtres des rochers amis qui quittent la Terre en ce moment. Et tandis qu'ils vous honorent le cœur rempli de joie en quittant cette planète, c'est avec grand respect qu'ils le font et sans la moindre tristesse, car ils n'ont jamais cru qu'une telle chose puisse un jour se produire. Respect est le mot clé ici. Toute la magie que vous leur aviez attribuée est désormais vôtre! Vous êtes les seuls à préserver l'espace d'énergie de l'ensemble de la planète, et vous n'avez plus à partager cette responsabilité avec ceux qui l'ont fait pour vous depuis si longtemps. Il n'y a aucune tristesse dans leur départ, croyez-moi!

L'humain du Nouvel âge est un être pacifique. Il est pacifique parce qu'il a une vue d'ensemble des choses et qu'il comprend ce qui se passe. Nous avons parfois appelé cela la "paix injustifiée". Cette interprétation peut vous surprendre, mais c'est le genre de paix que vous ressentez même lorsque le désordre et la confusion règnent autour de vous. Le chaos peut avoir envahi la vie des gens qui vivent près de vous, mais néanmoins, lorsque vous les regardez, vous vous sentez en paix. **Car vous vous sentez en sécurité dans le plan que vous avez créé, et vous vous sentez paisibles peu importe ce qui arrive.** Et nous vous disons, mes chers amis, que même face à la mort des êtres qui vous sont chers, vous pouvez n'éprouver que de la paix, sachant fort bien qu'ils avaient projeté que les choses se passent ainsi avant même de venir. Nous avons déjà parlé de ces choses auparavant, et de la justesse du chagrin à la suite de la perte de quelqu'un. Certains parmi vous ont peut-être perdu un être cher récemment; nous vous disons qu'ils sont au nombre des êtres présents dans cette même salle qui vous envoient leur amour en cet instant! Percevez-vous l'ensemble des choses, les allées et les venues... et l'unité de la planète pour vous tous? L'humain du Nouvel âge reconnaît qu'il est son propre ancêtre! Il y a là tout un humour karmique!... Imaginez-vous en train de laisser chaque fois des messages à votre intention, messages que vous devez ensuite déceler et trouver. Vous êtes issus de toutes sortes de cultures et de couleurs, vous qui êtes assis dans cette salle ou en train de lire ces mots. Voilà un autre attribut de l'humain du Nouvel âge.

Le dernier attribut de l'humain du Nouvel âge est difficile à mettre en pratique pour beaucoup d'entre vous, mais vous apprendrez à le faire avec le temps : **la patience et la tolérance.** Car nous vous disons que l'humain du Nouvel âge est tolérant à l'égard de son prochain qui n'est pas éveillé spirituellement et, bien que cela puisse sembler simple à décrire, la tolérance peut s'avérer difficile pour vous à mettre en pratique tant que vous n'avez pas eu à le faire. Lorsque d'autres personnes vous adresseront des critiques, c'est grâce à votre tolérance, votre paix et votre patience que vous pourrez les aimer en retour, car vous comprendrez qu'ils traversent alors leur propre processus évolutif et vous ne les jugerez pas. C'est là un trait merveilleux des humains du Nouvel âge que de pouvoir lorsqu'on les accuse, non pas penser à eux-mêmes, mais se préoccuper plutôt de l'accusateur et de l'aimer dans le contexte de son processus évolutif. Ce n'est pas une chose difficile à faire, car cela fera partie de votre nature en tant qu'humain du Nouvel âge. Et même si vos adversaires pourront vous en faire voir de toutes les couleurs, vous vous abstiendrez tout de même de les juger. Car vous aurez la sagesse de constater qu'ils font partie de votre propre processus évolutif tel que vous l'avez conçu. C'est en vertu de leur contrat qu'ils sont dans votre vie, mais comme vous aurez annulé votre karma, ils se heurteront à un mur de briques en tentant de toucher vos points sensibles. Et en regard de leur propre processus évolutif, il est approprié qu'ils soient dans votre vie. Il est crucial pour vous, mes chers amis, de savoir ceci. Certains d'entre eux peuvent ne jamais parvenir au niveau d'éveil spirituel que vous avez atteint, et pourtant ils cheminent sur leur voie tout comme vous. Ils ne sont pas différents de vous. Ils ont planifié à l'avance avec vous de se trouver ici, et ils ont leur propre chemin à suivre. Par conséquent, les critiquer ou les juger reviendrait à vous critiquer vous-mêmes. Les juger, c'est vous juger vous-mêmes car chacun d'eux fait partie de votre plan collectif.

Nous désirons maintenant vous dire quelque chose que vous avez peut-être déjà remarqué sur votre planète, et il s'agit de la "conscience tribale". Nous vous suggérons d'observer autour de vous afin de voir ce qui se passe sur la Terre. Car dans la nouvelle énergie et avec tous les changements qui se produisent, il y aura cet élément de conscience pour vous; et comme on pouvait s'y attendre, cela a quelque chose à voir avec le **lignage**. Mes chers amis, tous les grands conflits ainsi que les guerres de moindre importance de cette planète sont présentement de nature tribale. C'est là que les choses en sont rendues en ce moment. Ce ne sont plus les nations qui s'opposent comme dans l'ancienne énergie. Pour le moment, ce sont les tribus et c'est ce qui était anticipé. Ce genre de choses va se poursuivre dans une certaine mesure pour le reste du temps sur cette planète, car tous ne deviendront pas illuminés.

Cette conscience tribale est un fait normal. Il est intéressant de voir ce que l'Esprit veut que vous en fassiez, car elle représente la conscience des "germes du début de la tribu de la Terre". Car lorsque vous vous joindrez aux autres tribus de la galaxie, nous souhaitons que vous puissiez sentir votre lignage, et en ce moment vous le ressentez comme des lignages individuels des tribus de la planète. Nous vous demandons d'unir ces sentiments épars en une seule sensation intérieure du lignage humain, parce que **vous y serez forcés plus tard**, mes chers amis. Vous devrez effectivement négocier avec d'autres tribus de la galaxie en tant qu'une seule et unique tribu humaine de la planète Terre. Et nous vous demandons donc de conserver cette pensée à l'esprit. Ces choses deviendront plus claires à mesure que le temps passera.

Nous tenons d'autre part à enjoindre les chefs de tribus à traduire les anciennes langues et à les réunir en une seule. Les langues dont nous parlons ici sont celles qui remontent à au moins dix mille de vos années. Nous demandons aux leaders spirituels de ces tribus, peu importe le lignage existant sur cette planète, de réunir ces enseignements et de les comparer. Regardez les similitudes qu'il y a entre elles et honorez-les comme étant la vérité manifeste. Ne vous fiez pas aux écrits qui datent de moins de dix mille ans. Ceux-ci deviendront aussi plus clairs à mesure que le temps passera.

Ce sont là les exhortations de l'Esprit dans le Nouvel âge, et tout le respect que nous avons à votre égard en tant qu'êtres humains afin que vous puissiez maintenant exister dans ce Nouvel âge. Car l'Esprit ne peut pas le faire seul! Vous êtes toujours des humains incarnés sur Terre et il y a tant de leçons encore à apprendre pour vous. Pas des leçons karmiques, mais des leçons terrestres... et plus tard il y aura des leçons galactiques. Mais pour le moment, tandis que vous avancez sur la voie d'un humain illuminé, vous serez en paix face à chacune de ces leçons à mesure qu'elles se présenteront à vous... sans éprouver de crainte même si vous êtes devant l'inconnu. Tel est bien l'humain du Nouvel âge!

(*Commentaire à l'intention des lecteurs. Cette séance de channeling a eu lieu quelques jours après le tremblement de terre de Kobe au Japon en janvier 95.*) Nous nous arrêtons pour un moment, avant d'entreprendre le récit d'une histoire de Kryeon, afin de vous parler une fois de plus dans cette communication de quelle façon l'Esprit vous perçoit. Oh! mes chers amis, en cet instant même, il y a des milliers d'âmes qui étaient encore tout récemment des humains sur cette planète, qui ont repris leur essence divine dans la caverne de la création et qui sont présentement dans le grand hall d'honneur! Car ces êtres qui ont récemment quitté la planète, et dont le départ en laisse plusieurs attristés, sont dans un état d'extase et de joie en ce moment. Si vous pouviez voir cette scène, et si je pouvais vous montrer la cérémonie de remise des récompenses durant laquelle ils reçoivent leurs couleurs, vous seriez frappés de stupéfaction. Dans "l'instant présent" du temps, chacun d'eux dispose d'une possibilité illimitée d'être en présence de l'Esprit et d'être respectueusement salué par son nom pour sa toute dernière incarnation et pour la réalisation de son contrat de vie. Votre impression sur la mort d'un humain serait entièrement différente si vous pouviez voir ce qui se passe.

Et maintenant, permettez-moi de vous raconter l'histoire d'un père et de son fils. Laissez l'amour saturer chaque pore de votre corps à mesure que la vérité de cette histoire vécue s'offrira à vous. Le moment est venu pour la guérison que vous recherchiez en venant ici, ou en lisant ce livre. Oui, c'est bien à vous que je m'adresse. Nous savons qui vous êtes!

Et c'est ainsi qu'il y avait un père vivant sur la Terre. Or en fait, il ne l'était pas encore, mais il avait bien hâte de le devenir, car la naissance de son enfant était imminente. Et il espérait que ce soit un garçon, car il avait conçu de grands projets pour un enfant du sexe mâle. Il était charpentier et il désirait enseigner la menuiserie à son fils. « Oh! il y a tant de choses à lui enseigner, tous les trucs du métier, et je sais que ça lui plaira beaucoup et qu'il perpétuera la tradition de ce métier transmis dans cette famille de père en fils depuis des générations », pensait-il en son for intérieur. Et c'est ainsi que lorsque la naissance eut lieu et qu'on vit qu'il s'agissait bien d'un garçon, le père ne put contenir sa joie. « Voici mon fils! » s'écria-t-il. « C'est celui qui prendra ma succession comme charpentier. C'est celui qui portera mon nom. Voici qu'un nouveau et grand charpentier est né, et je lui enseignerai tout ce que je sais. Nous allons vivre de grands moments ensemble, mon fils et moi. »

Et c'est ainsi que plus l'enfant grandissait et prenait de l'âge, plus il aimait son père. Car son père l'aimait à la folie, le soulevant dans ses bras chaque fois que l'occasion s'en présentait en lui disant : « Garçon, attends que je puisse partager tout ce que je sais avec toi! Tu vas aimer ça. Tu connaîtras tout le savoir de nos ancêtres, tout sur notre métier et notre famille, et tous seront fiers de toi longtemps après ma mort. » Mais quelque chose d'insolite se produisit un jour. Car à mesure que les années passaient, le fils se sentit lentement étouffé par l'attention du père, et il commença à ressentir le besoin de suivre sa propre voie, et cela même s'il n'arrivait pas encore à reconnaître encore clairement ce sentiment. Et il commença à se rebeller. Lorsqu'il entra dans la période de l'adolescence, le fils se désintéressa de ce que son père avait à lui raconter sur la menuiserie et la tradition familiale. Et il dit à son père : « Père, je vous en prie respectez-moi; j'ai mes propres désirs. Il y a des choses auxquelles je m'intéresse et qui ne concernent pas la menuiserie. » Et son père, qui ne pouvait en croire ses oreilles, lui dit : « Mais mon fils, tu ne comprends pas! Vois-tu, je suis plus sage que toi et je peux prendre des décisions pour toi. Laisse-moi te montrer ces choses. Fais-moi confiance. Laisse-moi faire ce que je suis censé faire pour t'enseigner mon art, et nous allons avoir bien du plaisir ensemble. » Et le fils dit : « Je ne vois pas les choses ainsi, père. Je ne souhaite pas être charpentier, pas plus que je ne désire vous offenser, père. Mais j'ai ma propre voie à suivre et je souhaite pouvoir le faire. » Ce fut la dernière fois qu'un semblable ton respectueux fut employé, car l'estime qu'il y avait entre le père et le fils se désintégra peu à peu et diminua au point de devenir un vide de ténèbres insondables.

Car plus le fils grandissait, plus il se rendait compte que le père continuait à l'importuner sans arrêt pour qu'il devienne ce qu'il ne souhaitait pas être. Et c'est ainsi que le fils quitta le foyer familial, sans même dire au revoir à son père, mais en laissant une note qui disait : « Je vous prie de me laisser seul. » Le père en fut mortifié. « Mon fils », pensa-t-il, « j'ai attendu pendant vingt ans que ce moment arrive. Il était censé être tout... le charpentier, un grand maître de l'art portant mon nom. J'ai honte. Il a ruiné ma vie! » Et le fils de son côté ne cessait de penser à son père et de se dire : « Cet homme a ruiné mon enfance, et a fait de moi quelque chose que je n'ai pas choisi d'être. Il n'aura certainement pas mon affection. » Et il y eut effectivement de la colère et de la haine entre le père et le fils, et cela dura toute leur vie. Et lorsque le fils eut lui aussi un enfant, une très jolie fille, à ce moment le fils pensa : « Peut-être devrais-je inviter mon père à venir voir cette enfant de sa descendance. » Mais il changea ensuite d'avis, en se disant : « Non, c'est le père qui a ruiné mon enfance et qui me déteste. Je ne vais absolument rien partager avec lui. » Et c'est ainsi que le père n'eut jamais la chance de voir sa petite-fille.

Or voilà que le père mourut à l'âge de quatre-vingt trois ans. Et sur son lit de mort, il repensa au passé et se dit : « Comme je suis sur le point de mourir, peut-être devrais-je maintenant faire appeler mon fils à mon chevet. » Et c'est ainsi qu'en ce moment de sagesse, à l'approche de la mort, poussé par son intuition et sachant ce qui allait bientôt se produire, il envoya quelqu'un chercher son fils. Mais la réponse fut que son fils ne viendrait pas le voir. « Je me fous éperdument de toi, car tu as ruiné ma vie. Ne me contacte plus. » Et puis le fils ajouta : « Je serai content d'apprendre la nouvelle de ta mort. » Oh! la colère et la haine qu'il y avait là!

Le fils vécut une bonne vie. Et lui aussi mourut passé l'âge de quatre-vingts ans, entouré d'une famille qui l'aimait tendrement et faisait le deuil de son essence que l'on ne verrait plus sur la planète Terre. Et c'est ici, mes chers amis, que commence réellement cette histoire. Car le fils se retrouva bientôt dans la caverne de la création. Il fit le voyage de trois jours durant lequel il reprit son essence divine et son nom et se rendit ensuite dans le grand hall d'honneur. Et il demeura un long moment en adoration en cet endroit, où des millions d'entités, littéralement, dans un stade dont vous ne pouvez même commencer à imaginer l'immensité, l'applaudirent et l'honorèrent pour ce qu'il avait enduré alors qu'il était sur votre planète. Voyez-vous, mes chers amis, vous êtes tous déjà passés par cet endroit auparavant, mais nous ne pouvons vous le montrer, car cela gâcherait votre temps ici et vous rappellerait trop de souvenirs. Mais vous y reviendrez un jour pour y recevoir la prochaine couleur. Car ces couleurs sont perçues par tout le monde dans l'univers lorsqu'ils vous rencontrent. Vos couleurs sont un insigne d'identification indiquant que vous avez été un guerrier de la lumière sur la planète Terre. Cela est difficile pour vous à concevoir en ce moment, je le sais, tandis que je vous dis ceci, mais c'est néanmoins vrai. Vous n'avez pas la moindre idée de toute l'importance de ces insignes terrestres bien spéciaux. Un jour, vous vous souviendrez de mes paroles lorsque vous me rencontrerez parmi les spectateurs dans le grand hall d'honneur.

Et c'est ainsi que le fils était en train de recevoir ses accolades, et on lui apposait ses nouvelles couleurs sur son énergie pour qu'elles se marient dans le tournoiement de ses autres couleurs afin de montrer qui il était à ceux qui l'entouraient. Et lorsque son temps en cet endroit fut terminé, le fils, sous l'apparence de la véritable entité qu'il est comme entité universelle, fit son entrée dans un endroit où il reconnut immédiatement son meilleur ami Daniel... celui qu'il avait laissé pour venir sur la planète Terre. Et il vit Daniel de l'autre côté du vide et dit : « C'est toi! Tu m'as tant manqué! » Et ils se réunirent, pour ainsi dire, en une longue étreinte, entrelaçant leurs énergies. Ce fut donc avec une grande joie qu'ils parlèrent du bon vieux temps universel dont ils avaient profité ensemble avant que le fils ne se rende sur Terre.

Alors qu'il folâtrait dans l'univers avec son ami Daniel, il lui dit un jour ceci : « Tu sais Daniel, tu as fait un excellent père pour moi sur Terre. » Et Daniel de lui répondre : « Mon très bon ami, sache que tu fus pour moi un fils merveilleux. N'était-ce pas ahurissant tout ce que nous avons vécu comme humains? Comme elle fut totale la dualité qui nous sépara alors que nous étions sur Terre, nous les meilleurs amis l'un de l'autre. Comment une telle chose a-t-elle pu être possible? » Sur quoi l'ancien fils répondit : « Oh! c'était parce que le voile était si puissant que nous ne savions pas qui nous étions réellement. »

« Mais la planification a si bien fonctionné, n'est-ce pas? » dit l'ancien fils. « Oui, cela a bien marché, » répondit Daniel, « car pas une seule fois nous n'avons perçu la moindre lueur de vérité sur qui nous étions! »

Nous quittons ici ces deux entités alors qu'elles se dirigent vers la prochaine session de planification avant de retourner sur Terre. Et nous en entendons une dire à l'autre en s'éloignant : « Oh! recommençons, tu veux bien! Sauf que cette fois, je serai la mère et tu seras la fille! »

Cette histoire fort remarquable est racontée tout particulièrement à l'intention de celles et ceux lisant ceci en ce moment qui n'ont pas encore reconnu combien est précieux ce qui se produit dans leur vie... ou bien qui n'ont pas encore reconnu leur meilleur ami.

Mes chers amis, considérez tout l'amour qu'il a fallu à ces deux entités pour consentir à vivre une telle expérience! Nous vous avons donné un exemple de colère et de haine, mais ce n'étaient là que des attributs karmiques. C'étaient des peurs qu'il fallait briser, et je vous affirme que si le fils ou le père avaient pu reconnaître qui ils étaient au cours de cette vie, ils auraient passé par-dessus la peur de la haine et de la colère, et ils en seraient ressortis remplis d'amour. **L'autre n'aurait pu résister à un tel amour, et les choses auraient été bien différentes pour les deux.** Voilà la leçon que doit comprendre l'humain du Nouvel âge. Peu importe ce que vous pensez de ce qui se trouve devant vous et de ce que les apparences laissent voir, il ne peut s'agir en fait que d'une peur insignifiante prête à se dissoudre et à se transformer en amour.

Mes chers amis, l'amour est la plus grande force de l'univers. Cette énergie d'amour n'est pas seulement ce qui vous donne le pouvoir d'agir. Cette énergie d'amour est aussi responsable de votre silence devant l'accusation, de vos vérités universelles, mais elle est également responsable des choses les plus rétrogrades qui se puissent imaginer sur cette planète! Car l'amour est aussi la source de vos circonstances karmiques. Il peut parfois prendre un étrange visage, tel la haine et la colère, mais l'amour règne en maître absolu sur le plan de l'évolution des êtres. Il est une énergie palpable et tangible. Il a sa logique et sa raison. Il est l'essence de l'univers et il vous est transmis ce soir.

Nous sommes présentement ici sur rendez-vous pour vous rencontrer, et toutes les paroles dites ce soir l'ont été pour que vous puissiez personnellement bénéficier d'une ouverture du cœur bien méritée, ou d'une transformation de votre énergie. Et mon partenaire a fait tout ce trajet pour vous communiquer ces messages : qu'il est aimé tout autant que vous l'êtes, que sa tâche n'est pas plus importante que la vôtre, et qu'il vous faut recevoir le don de la nouvelle énergie et devenir l'un de ces humains du Nouvel âge dont nous avons parlé. Et, ce faisant, tournez votre attention vers vos guides et sentez l'électricité et le magnétisme de l'amour que l'Esprit a pour vous en cet instant même. Kryeon n'est qu'une parmi des dizaines de milliers d'autres entités présentes sur votre Terre.

Nous espérons que ces moments passés ensemble vous auront permis de mieux comprendre non seulement qui vous êtes, mais en fait qui est la personne assise juste à côté de vous qui prétend ne pas vous connaître, mais qui pourrait très bien s'avérer être votre meilleur ami ou un précédent partenaire. N'est-il pas ironique, ici ce soir, que cette réunion soit la seule occasion qui vous soit donnée de vous voir sous la forme d'humains tandis que vous êtes incarnés. Tel est l'humour cosmique de l'Esprit qu'il vous faille sans cesse revenir en raison du karma de groupe pour revoir des visages que vous ne reconnaissez même pas! Des pères et des fils, des mères et des filles, des sœurs et des frères... Nous vous l'affirmons, vous vous connaissez tous les uns les autres!

Maintenant, tandis que nous vous entourons d'amour, nous vous rappelons que vous formez tous une grande famille et que la tribu à laquelle vous appartenez est celle de la planète Terre. Et nous concluons donc cette séance en vous disant que ce que vous avez ressenti ce soir a eu une résonance jusque dans vos cellules et ne peut plus jamais être renié. Car tout cela fera désormais partie de vous, même si vous ne vous souvenez plus des paroles entendues. Recevez ce don, si tel est votre choix. L'Esprit salue et honore chacun de vous qui s'est donné la peine de se rendre jusqu'ici ce soir, ou qui lit ces mots. Et nous ne voulons pas forcément dire par là le trajet parcouru au cours des dernières heures, mais plutôt le cheminement de votre vie jusqu'à ce moment-ci. Car vous êtes dans "l'instant présent" avec nous ici. Et toutes les personnes lisant ceci sont dans le même "instant présent" et ressentent la même énergie que celles écoutant mes paroles sur cette grande île.

Avez-vous réellement l'impression d'avoir choisi ce livre par pur hasard? Notre amour pour vous est absolu et donné librement en signe d'appréciation de qui vous êtes.

Et il en est ainsi.

Kryeon

Lettre d'une lectrice

Avec quel amour, quelle euphorie j'ai envie d'essayer de vous exprimer tout ce dont je vous suis redevable; la lecture d'un de vos livres, l'écoute de Kryeon en mon esprit, ou simplement le fait d'aller me promener dans un de mes champs par une chaude journée ensoleillée répond à plus de questions que je n'ai jamais su poser. L'élimination des habituelles pensées négatives, des crises de colère, des insécurités, des peurs et des affreuses sautes d'humeur demande du temps, mais il y a de ces moments où vous découvrez une parcelle de plus du grand casse-tête qui vous indique que vous allez dans la bonne direction. Quelque chose de puissant est en train de se dénouer ici; pas assez, ou pas suffisamment vite pour apaiser mon terrible appétit, mais il semble que je n'aie personne d'autre à blâmer que moi-même pour les périodes stagnantes. C'est comme si on me mettait au défi de trouver la clé pour surmonter un obstacle après l'autre avant que je puisse entreprendre l'étape suivante. Si je pouvais réussir à manifester un seul vœu, ce serait celui de parvenir à une telle illumination spirituelle dans cette vie que je pourrais motiver et/ou aider n'importe quelle personne le désirant à parvenir à une maîtrise de l'art de vivre aussi grande que la mienne.

Avec amour et appréciation

Cecelia M. Villarreal
Raymond, Washington

Les béatitudes

Séance de channeling
Bellevue, Seattle

La transcription de cette séance de channeling devant public a été modifiée par l'ajout de mots et de pensées afin d'en clarifier le sens et de permettre une meilleure compréhension de ce qui a été dit.

Salutations à vous, amis très chers. Je suis Kryeon du service magnétique. Vous êtes tous tendrement aimés! Il est juste de dire que la voix que vous entendez en ce moment est la même que celle qui sortait du buisson ardent. C'est l'Esprit qui vient devant vous ce soir. C'est l'Esprit qui se tient à vos pieds tandis que vous écoutez la voix de mon partenaire. Car vous êtes de véritables guerriers de la lumière. Et nous vous demandons en tout amour de vous préparer et d'ouvrir votre cœur au message de Kryeon ce soir. De plus, comme il s'agit d'une occasion très spéciale, ceci étant la situation idéale dans laquelle j'ai mis mon partenaire afin de lui permettre maintenant de remplir son contrat, nous demandons aux sensitifs qui sont ici ce soir de vérifier le bien-fondé de ce channeling, et nous les invitons à sentir l'Esprit et à percevoir ce qui est en train de se produire. Nous leur demandons de voir les auras changer, de sentir la puissance de l'amour tandis qu'Il circulera dans les allées de cette place, et de savoir que c'est réel et que ça se passe vraiment. Car chacun de vous est une entité très spéciale et l'Esprit voit qui vous êtes tandis que vous êtes assis sur ces sièges devant mon partenaire. L'Esprit sait beaucoup de choses à votre sujet. L'Esprit voit une époque où il y aura une grande célébration lorsque vous ne serez plus ici-bas, une époque où tous sauront qui vous êtes en voyant les insignes de couleurs que vous portez, car ils diront : « Ahh! vous étiez ceux qui étaient sur la planète de l'incarnation. Vous êtes les entités de la planète du libre choix qui a elle-même élevé sa vibration. Nous vous honorons. Nous pouvons voir grâce à vos galons qui vous êtes. » Car tel est le manteau que vous portez sur vous alors même que vous êtes ici en ce moment, un manteau auquel se rattache un formidable honneur!

Le message de ce soir vous surprendra peut-être. Il s'agit d'un message intérieur à votre intention. Il y en a qui ont dit : « Kryeon, il ne vous est jamais arrivé de parler des autres maîtres qui sont sur cette planète. Vous n'avez pratiquement pas foi en celui qui est allé dans la caverne et qui en a ramené le Coran, et pourtant il y a des millions de fidèles qui le suivent. Vous n'avez pas parlé des maîtres de l'Inde. Vous n'avez pas parlé des Babas ni de l'Avatar. Et qu'avez-vous à dire sur le Bouddha? Il y a tant de maîtres, et pourtant vous n'avez donné aucune information à leur sujet. » Et ma réponse est la suivante, à savoir que les autres channels dans les autres cultures se chargeront d'en parler. Car ils avaient tous un message d'amour à offrir et ils sont tous liés à l'Esprit. Mais nous souhaitons examiner aujourd'hui d'autres messages transmis par le maître du Nouvel âge que vous appelez Jésus, auquel nous nous référerons comme étant le Jésus des Juifs. Car il y eut un temps jadis où Il rassembla, près d'un endroit appelé Galilée, une foule à qui Il donna les neuf déclarations de béatitude qui sont les déclarations bénies du Nouvel âge. Celles-ci seront réinterprétées ce soir, et vous verrez alors en quoi ce maître de votre culture était effectivement le premier maître d'amour de votre Nouvel âge. Ce qui sera communiqué dans ces réinterprétations, c'est l'essence de ce qu'elles signifiaient au moment où ces channelings furent donnés. Procède lentement mon partenaire, car on ne réinterprète pas sans une certaine crainte les Saintes Écritures (rires dans la salle).

Ces béatitudes sont pour vous, mes chers amis. Écoutez attentivement, car elles sont communiquées par ordre d'importance. Il y en a neuf en tout et ce sont celles comportant le plus d'énergie qui sont données en premier.

Mais avant de commencer, il y a un entourage d'entités que j'amène avec moi qui se trouvent dans les allées de cet endroit tandis que vous entendez ou lisez ces paroles; elles sont assises près de vous et élèvent la vibration de cette salle. Ces entités m'accompagnant, ainsi que les autres qui ont été invitées, sont là pour répondre à vos besoins. Elles sont en amour avec vous et elles sont ici pour vous servir. Nous crions « Honneur! » et nous vous disons de vous habituer à cet amour qui jaillit de l'Esprit, car ainsi vont les choses. C'est ainsi que travaille l'Esprit. Car chacun de vous est aimé exactement comme l'autre personne près de vous, ni plus ni moins. Et les entités que j'amène en cet endroit ce soir sont ici pour être à votre service ainsi qu'au service de vos guides, que vous appelez aussi vos anges. Elles sont très enthousiastes et savent qu'il n'y a pas de hasard et que vous êtes ici sur rendez-vous. Cela ne vous servirait pas si vous ne le saviez pas.

(1) Voici la première béatitude. Heureux les pauvres d'esprit car ils sont dans ma famille. À présent, vous vous demandez peut-être : « Qui sont ces gens qui sont pauvres d'esprit? » Cette phrase a été mal interprétée car on a cru qu'elle voulait dire "ceux qui sont humbles". Mes chers amis, il y en a tant parmi vous, ce soir dans cette assemblée, qui ont eu des vies spirituelles et des incarnations dans le passé. C'est avec un grand humour cosmique que nous voyons combien parmi vous ont déjà porté des sandales et des vêtements de toile grossière dans une vie passée! Et nous voyons toutes ces incarnations où vous étiez constamment à genoux, en train de courber le dos et de vous mettre le nez contre le sol devant l'Esprit. Vous ne pouviez à ces époques dans l'histoire de votre planète, vous rendre en un endroit d'illumination sans avoir à passer par tous ces gestes rituels. Beaucoup d'entre vous sont familiers avec ceci; ils ont fait faire l'analyse de ces vies passées et savent donc de quoi je parle.

Cependant mes chers amis, je suis ici pour vous dire que celui qui est humble n'est pas celui dont il est question dans cette déclaration. Être humble ne veut pas dire être pauvre d'esprit. Car depuis des temps immémoriaux et dans toutes vos vies passées, l'humilité n'a engendré que des maux de dos et des nez éraflés. Non. Nous parlons ici de celui qui était donné en exemple dans la parabole de l'enfant prodigue. Or cette parabole, rappelons-le brièvement, concerne une famille qui comptait deux fils. L'un des fils était demeuré à la maison et honorait sa famille et son père. Ce fils assumait la responsabilité des choses qu'il savait devoir faire, et il s'en acquittait fort bien. L'autre fils fit tout le contraire. Il n'a pas vu la responsabilité qui était sienne dans la famille; il a pris son héritage et s'en est allé. Il l'a bêtement dilapidé et il a fait tout ce qui lui passait par la tête. Tout ce qu'il voulait faire, il le faisait. Et selon ce que raconte l'histoire, comme vous le savez, le jour vint où le fils qui n'en faisait qu'à sa tête dut reconnaître sa responsabilité et retourner dans sa famille. Et maintenant, vous pensez peut-être que cette parabole porte essentiellement sur ce fils qui revient chez lui. En fait, tel n'est absolument pas le cas. Elle porte sur le fils qui est resté à la maison. Car c'est ce fils qui a fait le travail et qui a assumé la responsabilité. C'est lui qui était mortifié de voir la célébration de celui qui revenait! Car il ne comprenait pas la logique selon laquelle la célébration était en l'honneur de celui qui n'avait pas fait le travail alors que lui était resté pour le faire! Mes chers amis, ceci illustre une situation dans laquelle le fils qui revient est celui qui, d'ingrat qu'il était, devient illuminé. Et cela montre comment vous devez considérer ceux qui, autour de vous, ne sont pas illuminés en ce moment. Car ce sont bien eux les *pauvres d'esprit*.

Ce sont eux, chacun d'entre eux, qui ont le potentiel d'être de merveilleux Esprits illuminés. Pourtant, le temps n'en est tout simplement pas encore venu. Par conséquent, tandis que vous les observez, voyez en chacun d'entre eux un fils prodigue, quelqu'un qui est pauvre d'esprit. La hiérarchie de l'importance veut que cet exemple vienne en premier, et vous demanderez sans doute pourquoi il en est ainsi. C'est parce que l'Esprit aime ceux qui ne sont pas illuminés tout autant qu'Il vous aime. Ils ne font tout simplement pas encore partie de la famille; mais cela viendra. Et ainsi la béatitude et l'admonition qui l'accompagne est qu'il faut s'en réjouir lorsque la célébration se produit et que ces êtres non illuminés joignent la famille! Ne voyez pas cette situation comme quelque chose d'offensant et de blessant pour vous. Loués soient les pauvres d'esprit! Les pauvres d'esprit sont donc tous ces gens autour de vous qui ne considèrent pas faire partie de votre Nouvel âge, et pourtant la compassion de l'Esprit leur est tout entière consacrée. Comprenez-en la sagesse, et vous comprendrez vraiment Dieu!

(2) La chose qui est honorée ensuite est très importante. Heureux ceux qui pleurent car ils recevront la paix. Mes chers amis, rien ne touche plus l'âme de l'être humain que le deuil pour un être humain décédé. Et l'Esprit en est bien conscient, car l'Esprit comprend que c'est là un trait unique pour vous, les humains. L'Esprit ne pleure pas la perte de quelqu'un comme vous le faites, mais nous comprenons qu'il ne saurait y avoir de souffrance plus grande que la souffrance du cœur.

Il y en a parmi vous ce soir qui ont été plongés dans le deuil récemment. Il y en a ici qui ont encore le cœur serré pour des humains qui sont décédés et qui étaient de leur famille. Mes chers amis, je souhaite que certains de ces êtres remplissent ces allées ce soir et qu'ils vous laissent savoir que même si vous pleurez leur disparition, ils sont encore ici ce soir à vous crier leur présence.

« **Nous sommes éternels!** Notre existence n'a jamais de fin et il en est de même pour vous... et nous vous aimons tendrement. Nous voyons votre peine et nous souhaitons que vous retrouviez la paix à l'égard de ce qui s'est produit. Nous vous honorons tout comme l'Esprit pour votre présence ici, et nous voulons également vous faire comprendre que vous aussi vous êtes éternels. *Car la mort n'existe pas.* Célébrez la vie que vous avez grâce à l'Esprit et sachez que **nous sommes toujours là!** »

Les êtres qui sont nombreux ici ce soir sont ceux qui sont récemment passés de l'autre côté et ils sont maintenant revenus ici pour vous voir. Ahh! certains d'entre vous n'en croient rien, mais il y en a parmi vous qui savent que cela est vrai. Ils sont ici, et comme mon partenaire est rempli d'émotion devant ce qui est en train de se passer, il dit : « Honorez ceux qui pleurent, mais rendez-vous compte qu'ils pleurent pour des êtres qui sont bien vivants et qui sont là dans les allées ici ce soir. »

Cette béatitude occupe le second rang, car elle démontre à quel point l'Esprit vous aime en raison de tout ce que vous devez subir en tant qu'êtres humains. Vous êtes grandement loués de porter ce manteau, de venir ainsi sur une planète où vous ne pouvez même pas voir qui vous êtes et où vous pleurez ceux qui ne sont plus là. Vous êtes éternels... éternels.

(3) Heureux ceux qui sont doux, car ils hériteront de la planète. Qui sont ces doux, demanderez-vous peut-être? Ce ne sont pas des faibles comme certains vous l'ont affirmé. Les doux sont les guerriers de la lumière. Les doux sont lents à se mettre en colère face à certaines situations qui pourraient engendrer de la colère. Ces doux sont lents à se défendre dans une position où la défense semblerait s'avérer nécessaire. Ces doux sont ceux qui tolèrent l'intolérable. Les doux sont ceux qui sont assis devant l'Esprit ce soir! Ce sont les guerriers de la lumière. Cette personne douce, c'est VOUS. Car vous êtes celles et ceux qui ont vu l'amour et la paix de l'illumination. Quand il est question de ceux qui hériteront de la planète, soyez conscients que c'est de vous dont il s'agit. C'est vous qui allez guider les autres dans ce Nouvel âge qui arrive. Car vous savez ce qui se passe et les autres n'en ont pas conscience. Vous êtes les nouveaux leaders. Vous, les doux, méritez certes d'être loués.

(4) Heureux ceux qui cherchent la vérité, car ils la trouveront. Mes chers amis, nous avons fréquemment parlé de l'intention. Vous, qui cherchez la vérité, êtes ici ce soir parce que vous avez exprimé

l'intention de connaître l'Esprit et de mieux vous connaître. Cette parcelle de Dieu que vous avez en vous, où que vous alliez, est prête à se révéler à vous de façon individuelle. Vous êtes honorés pour avoir entrepris cette quête, alors même que vous êtes face à l'Esprit ce soir. Car c'est l'intention qui compte par-dessus tout. N'exprimez pas le désir de faire quelque chose à moins d'en avoir fermement l'intention. Et lorsque vous le faites, exprimez-le à haute voix afin que ce qui est humain en vous puisse s'emplir de la proclamation de ce désir! Loués soient ceux qui cherchent la vérité.

(5) Heureux les miséricordieux, car on leur témoignera de la miséricorde. Les miséricordieux sont ceux qui sont bons et qui font preuve de compassion; ils représentent le groupe de ceux parmi vous qui ont supprimé leur karma. Car voyez-vous, celui qui est bon et qui a de la compassion ne peut avoir un esprit porté sur la critique. Car celui ou celle qui se permet de critiquer démontre ainsi avoir encore du karma à régler, puisque du karma non réglé engendre rage et colère. La personne qui charrie de la rage et de la colère ne peut être une personne miséricordieuse, et l'Esprit honore les miséricordieux, c'est-à-dire les personnes qui ont appris leurs leçons karmiques et qui ont fait crever leurs bulles personnelles de peur. Car ces bulles apparaissent menaçantes devant vous et génèrent de la peur en vous; mais elles sont si faciles à crever et disparaissent si rapidement qu'elles ne sont rien de plus que des fantômes! Lorsqu'elles sont éliminées, la personne miséricordieuse en vous se révèle... celle qui éprouve une véritable compassion et témoigne d'une authentique bonté.

(6) Heureux les cœurs purs. Oh! mes chers amis, ceci a été tellement mal compris. Qui sont ces êtres au cœur pur? J'aimerais ici m'adresser aux mères parmi vous, qui sont généralement les femelles... (rires)... une note d'humour cosmique à la façon de Kryeon. Pouvez-vous vous souvenir de la première fois où vous avez eu un enfant? Tandis que vous portiez cette précieuse vie en vous, vous regardiez les autres enfants autour de vous et il vous arrivait souvent de vous dire : « Le mien ne sera pas comme cela car, voyez-vous, je vais éduquer le mien mieux que cela. Je ne vais lui présenter que les meilleures vérités qui soient et il sera entouré d'amour à la maison. Je vais bien le protéger et très bien l'éduquer. Et ça va être un enfant merveilleux qui m'aimera profondément. » Puis, à votre grand désespoir, pour certaines d'entre vous, le petit

être cher vint au monde avec une série d'attributs à peine croyables! Puis il y eut de la colère, de la peur, de la jalousie, de l'égocentrisme et, oui, même de la fourberie. Il n'a jamais pu apprendre cela de vous... n'est-ce pas? N'est-ce pas là une preuve de l'existence de l'empreinte que portent tous les enfants nés sur cette planète comme attribut de leur karma?

Aucune mère n'eut à leur donner ces choses. En fait, c'est tout le contraire qui est vrai, car les mères parmi vous qui ont vu ce qui se produisait ont rapidement pris conscience que leur travail consistait à les aider à désapprendre ces choses! Oui. La personne au cœur pur est celle qui a assumé la responsabilité de son contrat et qui comprend qu'elle n'est pas la victime de quoi que ce soit. Chaque personne ici doit faire face à un ensemble de circonstances dans sa vie qu'elle a elle-même planifiées. Et aussi bizarre et étrange que la chose puisse paraître, quelle que soit la situation dans laquelle vous êtes en ce moment, vous l'aviez conçue et projetée à l'avance! Vous l'avez planifiée avec l'aide des autres autour de vous, même de ceux d'entre eux que vous dites ne pas connaître. Car en fait, ils savent fort bien qui vous êtes. Vous vous connaissez mutuellement et vous n'en êtes même pas conscients. Telle est la force de votre dualité. Vous aviez prévu la situation où vous vous retrouvez en ce moment et vous en êtes responsables. Lorsque vous aurez pleinement conscience de ces faits, vous serez ceux que l'Esprit qualifie d'êtres au cœur pur. Car votre cœur comprend très bien la planification minutieuse qui a mené à la création des situations où vous vous retrouvez. Vous direz peut-être : « Comment peut-il en être ainsi, car il y en a tant qui sont négatives? » Et l'Esprit vous répondra : « Vous avez délibérément demandé que ces choses arrivent afin de pouvoir y faire face sans possibilité d'y échapper. Le tigre peut ainsi être exposé et le karma accompli. » Celles et ceux parmi vous qui ont choisi d'accepter le cadeau de l'implant neutre deviendront automatiquement des êtres au cœur pur. Car votre sombre nuage du karma est ainsi supprimé et la clarté intérieure est alors dévoilée au grand jour. Loués soient les êtres au cœur pur.

(7) Heureux les pacificateurs, car ils auront la paix. Mes chers amis, un ennemi est tapi dans votre conscience humaine. Sans l'intégration d'une certaine partie de votre cerveau avec une autre partie, vous possédez un ennemi en vous. Nous parlons en ce moment de votre intellect. À moins de marier l'intellect avec le

spirituel en vous, vous avez là un tueur en puissance dissimulé dans votre corps. Combien d'entre vous ont déjà vécu l'expérience de s'éveiller tôt le matin et d'entendre la voix de leur intellect actif leur dire : « De quoi devrais-je maintenant m'inquiéter qui me tiendra éveillé? Dressons la liste des "que se passera-t-il si". Que se passera-t-il si cela arrive? Que se passera-t-il si cela n'arrive pas? » C'est là un trait typiquement humain lorsqu'il y a une partie de votre cerveau ne participant pas à la dualité qui ne cesse de vous faire imaginer le pire de tous les scénarios. Ce faisant, vous perdez votre équilibre intérieur et la maladie se déclare dans votre corps. Car le souci engendre un déséquilibre chimique, et votre intellect ne vous apporte alors rien de bon. Nous aimerions vous aider à bien comprendre ce soir le fonctionnement de cet attribut, car vous êtes les pacificateurs. Vous n'êtes pas nécessairement ceux qui créent l'équilibre politique entre les nations, mais nous parlons ici de la paix intérieure. Nous parlons d'une paix où la paix n'a pas de raisons d'être, existant aux côtés de problèmes et de situations qui causeraient normalement du déséquilibre et de la peur. Au lieu de cela, vous revendiquez la paix et vous la possédez! Voilà ce qu'est un pacificateur. C'est celui qui a marié l'intellect avec le spirituel... car, voyez-vous, il s'agit d'un pouvoir catalytique. Cet ennemi de l'intellect devient très puissant lorsque marié au spirituel. Car non seulement vos plus grandes réalisations scientifiques en résulteront-elles, mais votre plus grande paix intérieure également.

L'intellect vous réveillera alors à trois heures du matin et dira : « Sais-tu à quel point tu es aimé? Sais-tu qui tu es? Sais-tu que tes guides sont avec toi en cet instant même? » Tout un changement, vous en conviendrez! Tel est le pacificateur; l'honneur est grand. Oh! n'aspirez-vous pas de tout votre être à cela, ceux parmi vous qui ne les ont pas unifiés? Cela peut se faire ce soir même alors que vous êtes assis sur votre siège sur rendez-vous (ou que vous lisez ces paroles également sur rendez-vous). C'est l'esprit qui vous parle en ce moment, et non un être humain. Nous savons qui vous êtes; nous savons ce que vous portez en vous. Nous connaissons votre désir de paix et nous disons : « Nous honorons cela et nous sommes à votre entière disposition pour le réaliser. » Vous pouvez maintenant aller en paix et quitter cet endroit comme une personne différente.

(8) La huitième et la neuvième béatitude ne sont semblables que par leur intensité. Heureux ceux qui vivent dans la vérité au

milieu de ceux qui ne le font pas. Car l'Esprit comprend ce que c'est que de se trouver au milieu de gens qui vous regardent et se mettent à rire... et qui roulent les yeux, passent des remarques et ne voient pas qui vous êtes, ou ne vous croient pas lorsque vous parlez de ces choses qui sont des perles précieuses de vérité dans votre système de croyance.

Car vous avez vraiment compris comment fonctionnent les choses, et pourtant il y a tellement de gens autour de vous qui ne le reconnaissent absolument pas. Pour certains d'entre vous il s'agit là de membres de votre famille, et pour d'autres il s'agit de camarades de travail. Une fois de plus, nous vous honorons pour ce voyage, et nous vous encourageons à voir chacune de ces personnes comme un enfant prodigue et aussi comme un très grand travailleur de la lumière. Elles ne le savent tout simplement pas encore. Car chacune d'elles peut être exactement telle que précédemment décrite : remplie de miséricorde, respectée dans le deuil et ayant le cœur pur. Ces personnes ne sont pas encore arrivées à exécuter leur contrat. Mais vous vivez à leurs côtés comme une lumière, et le temps viendra où elles vous demanderont peut-être de partager votre lumière avec elles. Soyez préparés à partager avec calme et respect ce que vous savez comme vérité personnelle. L'Esprit vous honore pour ce que vous devez endurer, et vous prie d'être patients.

(9) La neuvième déclaration d'honneur et de béatitude est pour celles et ceux dans cette salle (ou lisant ceci) ayant passé leur graduation et se préparant à l'ascension qui vivent maintenant dans la vérité. L'Esprit les honore dans la neuvième béatitude et, bien que ce soit la dernière, elle est vraiment importante. Heureux ceux qui vivent dans la vérité car ils transformeront réellement la planète. Qui plus est, mes chers amis, à ceux parmi vous qui savent déjà qu'ils sont dans cet état de conscience, je dis de se tenir prêts. Un jour viendra bientôt où ces enfants prodigues, ceux-là même qui vous ridiculisaient, viendront frapper à votre porte avec les yeux remplis de terreur et la peur au cœur pour vous demander de les aider. Car lorsque leur situation sera pénible et que le changement les pressera de tous côtés, et qu'ils sentiront la peur monter dans leur cœur, ils seront frappés de terreur et incapables d'y faire face. Ils ne sauront pas ce qui leur arrive et leur biologie flanchera. La folie s'emparera de leur cerveau; ils viendront à vous et vous supplieront de leur dire ce qui se passe. À leurs yeux, vous serez

des chamans; oui, les doux qui hériteront de la planète.

Voilà le message du Nouvel âge. Ce sont là les neuf déclarations d'honneur et de béatitude telles qu'elles vous ont été données il y a si longtemps déjà par le premier maître d'amour, le Jésus des Juifs. Ce sont les nouvelles interprétations dans ce Nouvel âge que vous pouvez amener avec vous ce soir, comprenant et sachant ce qu'elles signifient maintenant pour vous dans cette nouvelle énergie.

Nous vous demandons de ne considérer Kryeon que comme un simple mécanicien. Il y a tellement plus à connaître et à être transmis grâce aux autres groupes de channeling et aux autres êtres vous amenant de l'information à partir de différentes dimensions. Mon partenaire désire maintenant quelque chose de très spécial; il souhaite entendre la musique pour revenir. C'est une chose qu'il n'a pas faite auparavant, mais que je lui ai demandé de faire. (Un musicien sur scène commence alors à jouer de la harpe.)

Soyez conscients de l'effet que les tonalités vibratoires produisent sur votre âme et de leur importance en cet instant où vous êtes rassasiés au plan spirituel. Mes chers amis, alors que nous terminons ce channeling ce soir, nous avons une invitation à vous faire. Il y a les gens qui sont assis ici (et qui lisent ceci) qui sont venus sur rendez-vous. Et lorsque nous disons sur rendez-vous, nous voulons dire que ce n'est pas par hasard ou par le fait d'une coïncidence si vous êtes présentement assis devant l'Esprit qui vous exprime son amour à travers ces messages. Et si vous repartez ce soir avec certaines informations nouvelles, ce sera bien. Mais si vous quittiez cet endroit guéris, ce serait encore mieux. Il y en a parmi vous qui ne croient pas ce qui est présenté par mon partenaire. Et moi, en tant que Kryeon et Esprit, je vous dis que vous êtes tendrement aimés, et que les semences de vérité sont en train d'être implantées en vous ce soir. Et qu'un jour viendra où vous vous souviendrez de ces paroles et y serez réceptifs. Laissez votre cœur vous guider vers la vérité et ce qui sonne juste dans votre esprit.

Il y en a d'autres parmi vous ce soir qui sont préparés pour ce qui va se produire. L'entourage qui est avec moi, le groupe Kryeon, vous offre ce soir... d'intervenir. Sur cette planète du libre choix, vous avez le choix ce soir d'effectuer un changement. Cela concerne la guérison. Nous sommes ici dans l'amour et la pureté. Nous voyons clairement votre moi supérieur. Nous examinons vos couleurs et nous savons qui vous êtes. Il y en a qui ont besoin d'être guéris de la peur. Oh! oui. Il y en a ici qui ont besoin d'une guérison biologique, et nous vous demandons immédiatement de savoir qui vous êtes, et de considérer si c'est bien le bon moment pour effectuer cette guérison. Car mes chers amis, si c'est le bon moment, elle se fera ce soir! Plusieurs d'entre vous, en quittant cet endroit, pourraient se sentir une personne différente, un être humain touché et transformé par l'Esprit... conscient de son moi supérieur et de l'intervention émanant de cette autre partie de chacun de vous qui est invisible. Voyez-vous, l'Esprit fait partie de vous. Vous demandez à être touchés par cette partie de vous qui est Dieu, afin qu'Il descende jusqu'à vous et fasse les changements nécessaires. Il n'y a rien d'impossible ici. Il n'y a aucune anomalie biologique qui ne puisse être réorientée. Il n'y a aucune pensée qui ne puisse être redirigée. Il n'y a aucune situation qui ne puisse être transformée en une situation gagnante. Il n'y a aucune peur représentée ici ce soir que la paix ne peut remplacer.

Et nous vous demandons donc d'exprimer l'intention que cela se produise, alors que vous êtes calmement assis ici. Sentez la présence des entités se trouvant dans les allées ce soir, en train de converser avec vos guides. Car l'aide nécessaire est à portée de main pour beaucoup d'entre vous, et c'est la raison de votre présence ici. Voilà pourquoi vous entendez ces voix en ce moment. Beaucoup pourra s'accomplir pour vous au cours des trois prochains jours. Je m'adresse à vous! Vous savez qui je suis! Les sensitifs peuvent observer ce qui est en train de se passer en ce moment. Cette salle est différente de ce qu'elle était il y a tout juste quelques instants. Aucun mal ne peut vous atteindre. Aucune force obscure ne peut vous nuire. Vous êtes pur amour en ce moment, c'est ainsi que vous êtes venus et ainsi que vous retournerez. Voilà comment nous vous voyons, mes chers amis, tandis que nous vous honorons au sein de l'Esprit. Nous voulons que ce qui s'est produit ici vous appartienne et que vous quittiez cet endroit guéris.

Lorsque nous parlons de la nouvelle Jérusalem, nous disons que vous êtes dedans! Elle représente la nouvelle Terre, le Nouvel âge et la nouvelle énergie utilisée par ceux qui pleurent, par les humbles, par ceux qui cherchent la vérité, par les cœurs purs et par ceux qui endurent le ridicule... et qui représentent l'énergie d'amour pour la planète entière : VOUS.

Et il en est ainsi... Et il en est ainsi.

Kryeon

Cher Lee,

Ceci n'est probablement pas une des lettres que vous voudrez ajouter à votre prochain livre, puisque j'ai eu de nombreux signes physiques suggérant que je passe à travers le processus de l'implant.

Un jour, j'ai décidé que j'organiserais un pique-nique pour discuter en groupe des livres de Kryeon. C'est ainsi qu'ont débuté nos rencontres mensuelles sur Kryeon en août 1994. Parmi mes problèmes, le plus incommodant était que, peu importe ce que je mangeais, j'étais malade. Je n'étais pas la personne la plus agréable à côtoyer. Lorsque ces problèmes furent réglés, c'est alors que la sinusite et les maux de tête commencèrent. Après avoir tenté pendant trois mois d'expliquer pourquoi la guérisseuse n'arrivait pas à se guérir elle-même, je suis allée dans mon sanctuaire et j'ai eu une conversation très franche avec Kryeon.

Je lui ai dit, à travers mes larmes, que je ne pouvais plus en prendre. J'en ai par-dessus la tête d'être malade, je pleure tout le temps, je me sens si seule et je n'ai pas d'argent. Je suis bien incapable d'expliquer ce qui s'est alors produit, mais mes chandelles se sont éteintes, mon magnétophone à cassette s'est arrêté... et j'ai cessé de pleurer.

Depuis ce moment, je n'ai plus versé de larmes, sauf des larmes de joie. Je n'ai plus été malade. Je suis si heureuse de me sentir à nouveau bien, mais ce qui est encore plus important, c'est que j'ai trouvé un tout nouveau sens à ma vie. Ma vie, mes enfants et toutes mes amies ainsi que mes étudiants ont profité de mes trois mois de changement. Mon cœur est tellement rempli d'amour et d'unité que je ne me souviens même plus de ce qui a pu m'inquiéter ou de qui a pu m'embêter...

Avec amour et respect,

Kathie Greene
Tonawanda, New York

QUATRE

Guérison dans la nouvelle énergie

Un mot de l'auteur...

« Arrêtez les presses! Arrêtez tout! » m'imaginais-je en train de crier à quelqu'un. Or, je suis le gars qui écrit tous les mots ici, qui fait la mise en page et le graphisme, et qui amène le tout chez l'imprimeur. Donc, j'ai bien l'impression que j'étais en train de me crier à moi-même (ce qui est plutôt assommant maintenant que j'y pense.)

De tout façon, j'en avais pour ainsi dire terminé avec ce livre et je mettais la touche finale à la correction des épreuves et à la préparation des directives de dernière minute pour l'imprimeur lorsque Kryeon fit un séminaire à Laguna Beach en Californie. Peut-être était-ce parce que le séminaire allait avoir lieu près de chez moi, ou parce que nous étions si à l'aise que ça se passe à la librairie Awakening Books qui organisait l'événement (une excellente librairie) — mais je ne m'attendais vraiment pas à aucune surprise lors de ce channeling. Je me trompais.

Quelques jours auparavant, notre bon ami Joe Gonzales, un guérisseur de renommée internationale, était décédé tout doucement durant son sommeil. Quelques-uns des amis et des membres de la famille de Joe étaient présents au séminaire, et lorsque débuta la partie de la soirée consacrée au channeling, l'atmosphère était exceptionnellement intense. Je pense que Joe et Kryeon avaient uni leurs énergies pour nous apporter un merveilleux message sur la guérison! Joe va grandement nous manquer. Je lui dédie ce chapitre, tel que Kryeon souhaiterait que je le fasse. Ce chapitre le représente d'une manière si complète, de même que l'amour qu'il a donné à tant de gens... et si souvent.

Séance de channeling
Laguna Beach, Californie

*La transcription de cette séance de channeling devant public a été
modifiée par l'ajout de mots et de pensées afin d'en clarifier le sens et de
permettre une meilleure compréhension de ce qui a été dit.*

Salutations à vous. Je suis Kryeon du service magnétique.
Comme lors de nombreuses autres séances de channeling, nous
invitons maintenant les personnes qui peuvent voir et sentir les
auras, et celles qui savent de quoi les auras ont l'air et qui peuvent
voir les autres êtres, à observer la validité du travail de mon
partenaire. Je vais l'entourer de ma couleur et plus aucun doute ne
subsistera que ce soir l'Esprit vous a bien rendu visite. Ah, sentez
sa présence; vous n'avez qu'à vous donner la peine de la ressentir.
Vous pouvez recevoir l'équivalent de toute une vie de guérison en
cet instant, car c'est pour cela que vous êtes ici. Nous répondons ce
soir à la conscience de cette salle et à ces chers êtres ici présents qui
se sont incarnés avec un but précis à leur existence. Et ce but, c'est
de vouloir guérir chaque être humain rencontré! C'est un objectif
bien réel et il exige une très grande passion. Le résidu karmique en
cause n'est pas le fruit du hasard, car nous savons que les personnes
qui entendent cette voix sont les précurseurs des guérisseurs de la
planète.

C'est ainsi que nous venons ce soir pour vous parler de guérison
et, ce faisant, nous allons répondre à sept questions posées par ce
groupe. Ces questions sont les suivantes :

(1) Comment puis-je savoir si je suis censé être un guérisseur?
(2) Quels sont au juste les mécanismes grâce auxquels un être
humain en guérit un autre? Que se passe-t-il réellement?
(3) Que peut faire mon patient pour coopérer avec moi pour faciliter
sa guérison?
(4) Qu'est-ce que ça prend pour être un bon guérisseur? La réponse
à cette question pourrait vous surprendre.
(5) Dois-je vraiment être célibataire pour être guérisseur? (Rires)
(6) Kryeon, comment puis-je savoir si je suis sur ma voie?
(7) Quelle est la clé pour devenir un puissant guérisseur?

Nous allons revenir plus tard à ces sept questions dans l'ordre où elles ont été posées. Ne t'en fais pas, mon partenaire, je vais arriver à m'en souvenir. (Note de l'auteur : Kryeon sait que je n'aime pas ce genre de liste d'épicerie, puisque j'ai tendance à les garder en tête durant le channeling pour ne pas les oublier au lieu de laisser l'Esprit s'en occuper. Le plus drôle, c'est qu'il a énuméré les sept questions dès le début uniquement pour mon processus! Il voulait que je me détende et que je vois que je n'avais pas à me préoccuper de m'assurer qu'elles soient correctement répétées. C'est amusant, rétrospectivement.)

Avant de pouvoir répondre à ces questions, nous devons d'abord vous parler d'énergie nouvelle et de guérison. Nous avons examiné ce qui se passe sur votre planète — la conscience qui change, les nouveaux dons, ce que vous avez appelé l'implant, le cadeau de l'élimination du karma. Mais ce sont là des dons pour vous, facilitateurs et guérisseurs, qui vous stupéfieront. Avant de les énumérer, permettez-nous de vous dire que le fondement de ce qui se produit dans la nouvelle énergie pour tout ce qui touche la guérison, c'est la fusion des sciences. Car, dans l'ancienne énergie, les guérisseurs étaient généralement séparés en plusieurs groupes spécifiques et spécialisés. Ainsi, par exemple, un humain recevait une formation pour une sorte de science et ne pratiquait qu'une sorte de guérison. Cela commence maintenant à changer et certains d'entre vous savent de quoi je parle.

Laissez-moi vous donner un exemple; pour cet exemple, nous allons nous servir de l'acupuncture. Nous prenons cette science en particulier parce qu'elle a un grand lignage et qu'elle est très ancienne. C'était jadis un merveilleux enseignement transmis par un maître, et il établit un lien entre l'ancienne énergie et la nouvelle. Mademoiselle ou monsieur l'acupuncteur, permettez-moi de m'adresser à vous : imaginez-vous que vous vous trouvez au-dessus de votre patient en train de faire tourner vos aiguilles. (En passant, avez-vous conscience que vous faites alors de la thérapie magnétique? Car le tournoiement des aiguilles crée de l'électricité, et c'est le but même de l'acupuncture.) Laissez-moi vous demander ceci et je comprendrai si vous roulez les yeux : vous est-il déjà arrivé de vous servir d'aiguilles de différentes couleurs? Vous est-il déjà arrivé de les colorer de la couleur des chakras? Êtes-vous conscient du potentiel de guérison des couleurs? Avez-vous une idée de l'accroissement d'énergie lié à votre processus si vous décidiez de colorer vos aiguilles? Permettez-moi, cependant, de faire cette recommandation. Les aiguilles ne devraient pas simplement être colorées en surface, mais être entièrement colorées à l'intérieur. Les couleurs **feront une différence**! Alors en vous approchant des 24 méridiens, pensez aux couleurs qui conviendraient le mieux, et si vous ne le savez pas, eh bien! alors il est temps pour vous de consulter ceux qui s'y connaissent en matière de couleurs! Pouvez-vous vous résoudre à le leur demander?

Dites-moi, mademoiselle ou monsieur l'acupuncteur, quelle odeur votre patient sent-il pendant que vous lui faites son traitement? Sent-il les mêmes vieux encens communs que l'on vous a dit de faire brûler? Peut-être est-il temps de changer cela. En avez-vous parlé avec des guérisseurs qui s'y connaissent en matière d'arôme? Que sent le patient qui se trouve devant vous? Est-il venu vous voir parce qu'il a un mal de dos? Peut-être un de ses organes fonctionne-t-il mal? Saviez-vous qu'il y a une couleur qui est associée à cela? Saviez-vous qu'il y a un arôme qui est associé à l'état d'esprit dans lequel vous aimeriez que votre patient se trouve tandis que vous traitez son mal de dos?

Laissez-moi vous demander ceci. Qu'entend-il pendant que vous lui appliquez votre traitement? Entend-il des tonalités pures susceptibles de se coordonner avec les couleurs et les arômes? Lorsqu'il ouvre les yeux, que voit-il autour de lui? Voit-il l'éclairage et les couleurs que vous souhaitez lui faire voir? Nous vous demandons de prendre en considération tous ces éléments et en voici la raison : vous n'auriez pas pris la peine d'étudier avec des maîtres et de faire ce que vous êtes en train de faire si vous ne désiriez pas une guérison pleine et entière de la personne se trouvant devant vous. Si vous voulez bien prendre à cœur d'appliquer certaines des suggestions de l'énergie nouvelle et de les considérer sérieusement, vous pouvez multiplier par trois votre pouvoir de guérison. Cela en vaut-il la peine? C'est à vous de voir. Ne croyez pas Kryeon sur parole là-dessus. Faites-en l'essai! C'est donc la fusion des sciences qui est le nouvel élément ici, et nous demandons à chacun de vous de comprendre qu'il peut y avoir d'autres moyens d'accroître l'efficacité de ce que vous faites à part ceux que l'on vous a enseignés.

Il y a cinq nouveaux attributs de guérison. Ne t'en fais pas, très cher partenaire, je vais m'en rappeler. (Voilà qu'il remet ça encore. Kryeon se moque réellement de moi maintenant. Il fait une liste de cinq éléments à l'intérieur de la liste des sept qu'il n'a pas encore commencé à énumérer!)

Nouveau savoir

Le premier attribut concerne le nouveau savoir. Dans le cas de l'acupuncteur, vous direz peut-être : « Comment puis-je savoir quelles couleurs utiliser? » Nous vous répondrons que cela vous viendra intuitivement, car vous êtes un guérisseur. Si vous n'êtes pas certain, vous pouvez demander aux autres, car ils l'ont su intuitivement. Mais nous savons aussi qu'en parlant avec l'acupuncteur, certains d'entre vous ont découvert de nouveaux méridiens, malgré la formation reçue, et essayé de nouvelles choses. Et vous vous êtes rendu compte qu'il y a du pouvoir en d'autres domaines pour faire tournoyer les aiguilles. Vous ne parlez pas de ces choses à ceux qui vous ont enseigné l'acupuncture car vous craignez qu'ils se moquent de vous, et pourtant telles sont les nouvelles connaissances. Car peu importe la science ou la forme de guérison que vous pratiquez, vous pouvez intuitivement recevoir de nouvelles connaissances grâce au don de l'Esprit.

Mon partenaire veut placer quelque chose qu'il croit être drôle ici, et je vais le lui permettre. Il dit : « Si le vieux maître en acupuncture arrive et voit l'acupuncteur en train de faire tournoyer ses aiguilles multicolores et les insérer dans le patient, avec les odeurs, l'éclairage et les couleurs, il saura certainement alors qu'il est dans le sud de la Californie! » (Rires)

Je m'adresse maintenant à celles et ceux parmi vous qui se considèrent être des massothérapeutes. Avez-vous remarqué que, dorénavant, vous faites également un travail d'énergie? Car une chose étrange se produit pour certains d'entre vous. Vos patients ne sont pas simplement réconfortés; ils sont guéris! Ils repartent avec une véritable guérison permanente. Qu'est-ce qui se passe? C'est le nouveau savoir, car vous avez l'habitude de toucher le corps humain et vous savez à quel endroit et comment le faire, et vous envoyez de l'énergie dans le corps. En fait, certains parmi vous s'inquiètent même que votre pratique soit moins lucrative, car les gens que vous aviez l'habitude de masser s'en retournent guéris et ne reviennent plus. Ils s'en vont guéris, et non pas simplement réconfortés! Et nous vous disons que lorsque les gens entendront parler de ce que vous faites, vous n'aurez aucun problème à trouver des clients. Soyez attentifs au nouveau savoir intuitif à propos des endroits différents à toucher, aux moyens différents dans votre science de créer et de transférer de l'énergie. Considérez le toucher d'une façon bipolaire — en devenant équilibrés et en acceptant la nouvelle fusion comme partie intégrante de votre travail. Personne ne détient le monopole de la vérité en aucun domaine de guérison. Nous vous disons ceci, mes chers : c'est le temps de les réunir! Car lorsque vous le ferez, les résultats seront spectaculaires et vous attirerez l'attention de ceux qui ne croyaient pas que la chose soit possible. Il leur faudra l'étudier... parce que ça marche. Ils ne pourront se permettre d'ignorer les résultats.

Nouveaux outils

Le second attribut concerne les nouveaux outils dans la nouvelle énergie. À présent, mes chers, il ne s'agit pas forcément là d'outils physiques, mais certains le sont. Nous parlons d'outils qui sont également cosmiques. Nous parlons de mécanismes que vous possédez maintenant qui attendent d'être utilisés et que vous les preniez et sachiez qu'ils existent. Laissez-moi vous donner un exemple — et, à nouveau, ceux qui entendent ceci dans l'instant présent risquent d'avoir toute une surprise. Je m'adresse maintenant aux gens qui travaillent avec l'énergie, autant ceux qui ont reçu une formation classique que ceux qui n'en ont pas reçue. Vous avez appris à faire circuler l'énergie. Vous savez comment la faire se mouvoir et la transporter d'un endroit à l'autre. C'est ainsi que vous équilibrez un être humain. Vous savez aussi comment la faire circuler à travers vous vers un autre humain, et ainsi votre travail avec l'énergie reçoit une considérable validation, car les gens qui sont assis ou étendus devant vous, tandis que vous utilisez l'énergie, sont guéris et soulagés. La souffrance disparaît. Les choses changent. La santé s'améliore. Vous savez donc de quelle façon l'énergie fonctionne. Vous savez aussi intuitivement qu'elle passe d'un endroit à un autre. Permettez-moi de vous demander ceci. Que se produirait-il si vous placiez une fiole remplie d'une herbe médicinale dans votre main et que vous fassiez passer votre énergie à travers la fiole vers un être humain? Pensez-vous que cet humain recevrait quelque chose de différent? Et la réponse est : **absolument**. Car vous disposez maintenant d'un nouveau don, grâce auquel la transmission des propriétés d'une plante médicinale que vous tenez dans votre main peut être transférée à l'humain, en plus de l'énergie que vous transmettez déjà. L'herbe médicinale n'a donc pas à être ingérée, et ainsi elle n'en souffre pas tandis qu'elle est utilisée! La plante médicinale scellée dans la fiole est toujours fraîche. *Il en est ainsi parce que c'est votre travail avec l'énergie qui produit l'effet recherché. Il n'est donc pas nécessaire de drainer de l'énergie de la plante utilisée. Seuls l'attribut et les propriétés curatives de l'herbe médicinale se juxtaposent à l'énergie que vous transférez au patient.* Certains diront que c'est de la magie. D'autres diront qu'il s'agit d'un nouveau don. Alors quelle herbe médicinale devriez-vous utiliser, cher travailleur de l'énergie? Peut-être est-il temps de consulter un herboriste? C'est la fusion. C'est le nouvel outil. Étonnant? Absolument! C'est un cadeau de l'Esprit pour le Nouvel âge. Il vous appartient. Je vous en prie, mes chers, ne me croyez pas sur parole. Faites-le. Mesurez-en les résultats. Essayez-le. Mais, ce faisant, familiarisez-vous avec les autres sciences.

Changement de polarité

Le troisième attribut est le changement de polarité. Mes chers, votre biologie est polarisée, car votre corps possède des propriétés magnétiques. Autrement vous ne seriez nullement influencés par le réseau magnétique. Nous en avons parlé dans un précédent channeling, et nous n'allons pas revoir ce sujet maintenant, sauf pour dire que vous êtes influencés par les champs magnétiques de la planète. Le corps humain a une capacité d'adaptation exceptionnelle au changement magnétique. Il faut qu'il en soit ainsi pour que vous puissiez voyager d'un endroit à un autre. Savez-vous ce qui se produit lorsque vous prenez un être humain et que vous le lancez à des centaines de kilomètres à l'heure vers un autre point de la planète? Il traverse de nombreuses lignes du champ tellurique terrestre, et son champ magnétique personnel franchit alors le champ magnétique de la Terre. Celles et ceux d'entre vous qui comprennent l'électricité savent ce qui se produit lorsque vous faites passer des champs magnétiques à travers des champs électriques. Vous obtenez du courant électrique! C'est ce que vous avez appelé le "jet lag" (la fatigue due au décalage horaire). Ce n'est pas nuisible mais c'est un déséquilibre temporaire; et on dit qu'il faut trois jours complets pour s'en remettre avant de redevenir parfaitement équilibrés. Par conséquent, s'il y a quelque chose de crucial que vous devez absolument faire pour que vos processus mentaux et biologiques fonctionnent parfaitement, accordez-vous trois jours de repos. Votre corps va s'acclimater et s'habituer à la nouvelle position qu'il occupe relativement au magnétisme. Mais il y en a certains dont la biologie est déséquilibrée au point où un changement semblable à celui décrit ici peut être permanent jusqu'à ce qu'il soit rééquilibré par un thérapeuthe. Cela est particulièrement vrai dans le cas des êtres humains qui voyagent de l'hémisphère nord à l'hémisphère sud, par exemple, car il y a là le plus grand potentiel de changement de polarité chez un humain. Ainsi, un humain qui va dans le sud et qui revient dans l'hémisphère nord peut se retrouver dans une situation où sa polarité n'est pas revenue à son état initial, et ce changement aurait alors besoin d'être aidé. Cet attribut se manifeste de lui-même et vous permet de le mesurer et de le faire revenir à sa polarité initiale.

Nous vous disons donc tous qu'il est important pour vous d'apprendre comment faire pour le mesurer. Ce n'est pas à Kryeon de vous donner cette information, car elle est déjà connue. Cherchez-la, car c'est l'une des premières choses que vous voudrez savoir au sujet d'un patient se trouvant devant vous. Sa polarité est-elle correcte? C'est une mesure de la polarité humaine relativement à l'endroit où il se trouve, et ce n'est pas un absolu. Il arrivera souvent qu'un changement de polarité puisse transformer une personne très malade en une personne en pleine santé, et ce en seulement trois jours! Incorporez ceci dans vos propres techniques de guérison!

Champs magnétiques

Le quatrième attribut est de nature magnétique. Vous allez observer une prodigieuse augmentation du nombre de guérisons à l'aide du magnétisme. Comme pour les autres sciences de la santé, il y a de sages conseils à noter. Nous encourageons chacun d'entre vous souhaitant être soigné par des aimants à recourir à l'aide d'une personne d'expérience et de ne pas le faire par vous-même. La guérison par le magnétisme est une méthode tout aussi délicate que l'acupuncture, l'herboristerie ou l'ingestion de substances chimiques. Elle peut donc s'avérer tout aussi dangereuse si on en fait un usage impropre ou abusif. Prenez cet avertissement au sérieux et obtenez de l'aide. Si aucune personne expérimentée en ce domaine n'est disponible, lisez alors attentivement tout ce que vous pourrez trouver de sources appropriées avant de vous servir de champs magnétiques sur vous-même.

Comprenez également qu'il y a une grande différence entre ce que l'on pourrait appeler des aimants actifs et inactifs, car les aimants statiques que vous pouvez tenir dans votre main, et qui ne sont pas connectés à une source de courant électrique, ont une fonction complètement différente de ceux qui sont actifs et connectés. Voici encore un autre avertissement : la guérison par le magnétisme est une science à utiliser avec modération. Autrement dit, comme pour toutes les autres formes de guérison, ce n'est pas une chose que l'on est censé utiliser 24 heures par jour. Servez-vous-en à des fins thérapeutiques pour vous rééquilibrer, puis cessez de l'utiliser. Ce n'est pas une chose que vous devriez conserver près de vous en permanence pour la guérison, pas plus que vous ne vous promèneriez avec les aiguilles posées dans votre corps par l'acupuncteur. Vous devez considérer de la même façon l'usage du magnétisme, car il est puissant! On peut également en devenir dépendant, mais nous reviendrons plus en détails sur ce sujet une autre fois. (Note de l'auteur : ne confondez pas les aimants que Kryeon avertit de ne pas porter constamment sur vous avec les dispositifs servant d'écrans anti-magnétiques. Certains d'entre eux sont très efficaces.)

Remèdes à base d'essence vivante

Le cinquième attribut de la guérison du Nouvel âge est l'usage de remèdes à base d'essence vivante. Nous ne parlons pas de choses qui étaient vivantes auparavant, mais qui sont vivantes maintenant — certaines d'entre elles provenant directement du corps humain, qui sont améliorées et que l'on vous redonne. Quelques-unes sont anciennes, et vous sont redonnées. La recommandation que nous vous faisons à nouveau à l'égard de ces remèdes à base d'essence vivante est que vous devez les accueillir, leur parler et leur donner la permission d'entrer dans votre corps. Or pourquoi, direz-vous, devriez-vous prendre de ces remèdes à base d'essence vivante à ce moment-ci, étant de la nouvelle énergie? Voici ce qu'il y a de spécial à leur sujet. Mes chers, l'énergie du cosmos est différente à présent comparativement à l'époque où j'avais établi les réseaux magnétiques de cette planète. Elle est plus faible maintenant, car il y a un équilibre soigneusement maintenu avec l'énergie du cosmos. Chaque fois qu'une nouvelle région de l'univers est créée, l'énergie cosmique globale diminue légèrement, car c'est là que va l'énergie créatrice. Ceux parmi vous faisant de la gestion d'énergie comprendront ceci.

L'énergie du cosmos est constante et uniforme, et lorsqu'elle est utilisée dans un autre endroit, elle diminue dans la zone d'où elle a été puisée. Il s'ensuit que, bien que vous disposiez sur la planète en ce moment d'une biologie qui est conçue pour se rajeunir complètement d'elle-même, elle ne peut le faire à 100% sur une longue période de temps. La raison en est que la faiblesse de l'énergie cosmique ne le permet pas. Votre corps a été conçu à l'origine pour se régénérer complètement de lui-même. Ce n'est pas une erreur de l'Esprit si cette baisse de l'énergie existe car, mes chers, cela rend possible l'interruption de la vie et le changement. Du fait de cette situation, vous avez pu ainsi, vie après vie, travailler à épurer votre karma et connaître des changements vibratoires. Mais nous vous disons maintenant que ces choses sont en voie de changer et, comme nous l'avons channelé auparavant, c'est l'Esprit et Kryeon qui disent que nous souhaitons maintenant que vous restiez. Nous désirons que vous demeuriez là. Nous voudrions que vous soyez libérés de vos leçons karmiques et que vous puissiez maintenant vous consacrer à ce pour quoi vous êtes venus — ce pour quoi vous avez fait la queue. Il n'y a aucune guérison qui soit trop difficile pour l'Esprit! Les remèdes à base d'essence vivante sont ceux qui **rajoutent de l'énergie dans votre corps pour réaliser l'équilibre à 100%**. Ils doivent être vivants, car leur vie est de l'énergie. Les remèdes faits d'essence vivante dont nous parlons se concentrent directement dans le thymus. Ils vont permettre que cette glande fonctionne aussi parfaitement qu'à votre naissance. C'est véritablement du rajeunissement de la biologie humaine dont il s'agit ici. À 100%... pouvez-vous imaginer une telle chose? Soyez à l'affût de ces remèdes à base d'essence vivante.

À présent, nous aimerions revenir aux sept questions et y répondre dans l'ordre où elles ont été posées. Et la première est celle-ci : « **Comment puis-je savoir si je suis censé être un guérisseur?** »

Cela vous surprendra peut-être, mes chers, de savoir que les personnes posant ces questions ce soir font partie de deux groupes distincts. Le premier groupe est composé des gens qui viennent tout juste de prendre conscience du but de leur existence. Ah, comme nous vous honorons! Car vous êtes venus précisément dans le but de faire ce changement intérieur au cours de cette vie. Avez-vous la moindre idée de ce que ressentent vos guides lorsque cela se produit? Ils sont transportés d'amour et éprouvent un profond respect pour vous! Même ceux qui partent et qui rencontrent les nouveaux ont peine à attendre pour vous parler. C'est le temps de vous dire que nous vous aimons tendrement pour ce que vous avez fait, car ce changement est d'une importance cruciale pour toute votre vie. Vous pouvez donc vous demander : « Peut-être dois-je devenir un guérisseur? » Les autres personnes posant cette question, croyez-le ou non, sont des guérisseurs depuis toujours. Mais voyez-vous, les choses changent pour ces gens. Ils se sentent mal à l'aise. Les humains qui viennent les voir pour être guéris peuvent ne pas obtenir les mêmes résultats et repartent sans se sentir aussi bien qu'avant. Ils se posent donc des questions et se demandent s'ils devraient même continuer à exercer le métier de guérisseur.

Nous disons à ces deux groupes : quelle est votre passion? Car la passion qui vous anime et le résidu karmique que vous amenez dans cette vie pour guérir les autres sont réels. Tel est bien votre but dans l'existence. Oui, vous êtes censés être guérisseurs si ce métier vous passionne. Si vous n'éprouvez pas une telle passion et que vous vous contentez passivement d'y réfléchir, alors non, vous ne l'êtes pas. Nous vous disons donc une fois de plus **de suivre votre passion, car tel est votre contrat de vie**; c'est votre intuition qui doit vous guider. Pour ceux parmi vous qui se demandent s'ils doivent continuer à faire ce qu'ils font déjà, nous disons : « Rien n'a changé dans votre contrat. » Apprenez les nouvelles façons de procéder. Comprenez le nouveau savoir. Habituez-vous à la nouvelle énergie et faites les changements qui s'imposent. En d'autres termes, les anciennes méthodes ne fonctionnent plus. Alors faites un arrêt momentané, puis relancez votre pratique thérapeutique sur la base de l'intuition qui vous guidait combinée au nouveau savoir.

La seconde question était la suivante : « **Quels sont les mécanismes de guérison? Que se passe-t-il réellement lorsque quelqu'un s'assied devant moi et que je lui transmets de l'énergie, ou lorsqu'un humain est couché sur la table et que je le touche et fais un travail avec l'énergie? Que se produit-il alors?** » Vous vous dites peut-être : « Je sais ce qu'on m'a dit à ce sujet. Je sais ce qui est censé se produire au plan physiologique, mais que se passe-t-il réellement au niveau spirituel? »

Pour certains des humains ici présents ce soir, ce qui suit pourrait être une révélation, mais les autres diront : « Oui, je sais tout cela. »

Même si on vous appelle un guérisseur, ça prend deux personnes pour qu'une guérison survienne. Car votre rôle comme guérisseur se résume essentiellement à créer un équilibre neutre servant de "catalyseur de guérison". Imaginez-vous une route avec de gros rochers bloquant le passage. Un humain s'y trouve en train de dire : « Je dois continuer ma route. Si je ne peux plus avancer, je ne trouverai pas à manger. Si je ne trouve rien à manger, je vais sûrement mourir. S'il vous plaît, aidez-moi à continuer en enlevant les rochers de sur ma voie. » Vous avez donc recours à vos méthodes de guérison pour enlever les pierres et dégager le chemin. Vous quittez la scène pour n'y revenir qu'une semaine plus tard et y revoir le même humain, au même endroit, en train de dire : « Il y a encore des rochers. Aidez-moi s'il vous plaît. » Vous n'avez alors qu'une seule envie et c'est de dire avec fermeté à votre patient : « Lorsque les pierres ont été dégagées la première fois, pourquoi ne t'es-tu pas levé pour continuer ton chemin? » Avez-vous pris sur vous la responsabilité d'une "non-guérison"?... ou bien avez-vous comme il se doit attribué la responsabilité de l'échec à votre patient?

Ah, mes chers, de votre point de vue, les processus de guérison ne représentent réellement que la moitié du problème. Aucun d'entre vous, même ceux qui prescrivent des plantes médicinales et qui en connaissent parfaitement les effets sur l'organisme, ne parviendront à obtenir une guérison mesurable si la personne demandant à être guérie se refuse à donner la permission qu'il en soit ainsi. Le processus, aussi intéressant puisse-t-il être, est que tous les guérisseurs sont des "neutralisateurs".

Alors la prochaine question logique serait la troisième question, et c'est la suivante : « **En ce cas, que peut faire l'humain désireux d'être guéri pour coopérer avec ce que je fais comme guérisseur?** » La réponse devrait être évidente. Il doit coopérer afin de permettre à la guérison de se faire! Or il s'agit là d'une chose complexe, mes chers, car cela concerne le contrat de vie et le karma de cette personne, ce qui n'est pas le problème du guérisseur. Cela a un rapport avec ce qu'elle désire faire au cours de cette vie, et avec sa volonté de bien vouloir le faire. Peut-être vous assoirez-vous alors devant cette personne, et vous dégagerez les rochers, mais elle n'a pas la moindre idée de ce qu'elle est censé faire. Peut-être est-il alors temps de lui demander de coopérer?

Il y a de nombreuses choses qu'elle peut faire pour se préparer, mais la principale est la suivante : Avant même de se rendre vous rencontrer, elle pourrait verbaliser à haute voix à l'intention de l'Esprit son désir de se donner la permission d'une transformation dans cette nouvelle énergie — non pas pour une guérison, mais pour une transformation. Exprimer le désir d'une transformation, c'est demander à aller de l'avant dans la nouvelle énergie. C'est un puissant catalyseur d'auto-guérison! Cette personne ne peut s'en remettre entièrement à vous et vous demander de tout faire. Elle doit se rendre compte qu'il lui faut changer, et donner à son corps la permission de recevoir l'influx d'énergie. Elle doit permettre que la plante médicinale produise son effet. Telle est la tâche de l'humain qui vient vous rendre visite pour être guéri. Il faut être deux pour que ça marche.

La quatrième question posée est celle-ci : « **Comment puis-je évaluer la réussite de mon traitement?** » À présent, certains d'entre vous pensent que la réponse devrait être évidente. Combien de guérisons avez-vous effectuées? Combien de personnes sont reparties guéries? Mais ce n'est pas la réponse.

Pour faire suite aux deux dernières questions, mes chers, la réponse est que **le guérisseur dont le travail est couronné de succès est celui qui est en paix avec lui-même.** Car il comprend parfaitement le processus en jeu au plan spirituel. Lorsque la personne qui est censée être guérie se relève de la table et s'en va, le guérisseur a pleinement joué son rôle et là se limite sa responsabilité à l'égard de la personne qui vient tout juste de quitter son cabinet. La réponse est donc : la paix, la paix qui vient de la sagesse et du savoir, la paix qui jaillit de la compréhension de la façon dont les choses fonctionnent dans le parfait amour.

Nous nous adressons à celles et ceux d'entre vous ce soir qui se posent peut-être la question : « Devrais-je réellement être un guérisseur, car je vois tellement de souffrance autour de moi? » Nous disons que vous n'êtes pas responsables de cette souffrance. Votre responsabilité réside dans votre passion et votre science. Nous vous disons de vous en servir à 100%. Découvrez ce qu'est la fusion et servez-vous en à 100 %. Laissez le soin aux humains qui viennent à vous de faire le reste, et ensuite soyez en paix face à ce que vous avez fait. Aimez-les pleinement, mais ne prenez pas la responsabilité de ce qu'il leur revient de faire. Cette paix aura pour effet d'accroître votre pouvoir. Un guérisseur ne peut à la fois travailler à 100% de ses capacités et être troublé intérieurement.

Certains demandent : « **Kryeon, dois-je être célibataire pour être guérisseur?** » Une question amusante, pourrait-on penser, et pourtant lorsque vous jetez un coup d'œil autour de vous, regardez combien parmi vous sont effectivement célibataires! (Rires)

Vous vous demandez peut-être pourquoi c'est ainsi? Cet attribut est un reliquat de l'ancienne énergie, mes chers. Ce que je vais maintenant vous dire sera rempli d'amour, et plein d'un profond respect pour vous. Nous vous disons que l'énergie qui remplit votre esprit et vos mains lorsque vous facilitez la guérison d'une personne et faites avancer les choses vers le Nouvel âge, est la même énergie dont disposent les chamans sur la planète! C'est un sacerdoce que vous célébrez! Et nous vous disons que dans l'ancienne énergie les chamans et les prêtres étaient toujours célibataires. C'est donc là un reliquat ou un résidu du passé. C'est une affectation de la conscience qui peut maintenant changer. Car au niveau cellulaire, il y a une partie de votre corps qui dit : « Je ne peux disposer d'un tel pouvoir et en même temps être avec un(e) partenaire. » À présent, nous disons que cela est faux.

Accordez-vous la permission d'avoir un(e) partenaire. Annoncez-vous verbalement que la règle de l'ancienne énergie ne s'applique plus. Dites : « Je cocrée au nom de l'Esprit le ou la partenaire qui me convient dans ma vie. » Puis n'y repensez plus. Surtout n'allez pas dire à l'Esprit qui cette personne devrait être! (Rires)

La sixième question est : « **Kryeon, comment puis-je savoir quelle est ma voie?** Il y a tant d'options qui s'offrent à moi que je ne sais plus quelle voie suivre. Je sais que je suis appelé à être guérisseur, mais je ne sais pas où je dois aller ni avec qui je dois être. Que devrais-je faire? »

Mes chers, nous ne vous demandons pas de devenir tout à coup des magiciens dans ce Nouvel âge, car voilà justement le genre de questions que se poserait un magicien. Ce que nous disons, c'est tout simplement de demander à ce que votre voie vous soit montrée. Avez-vous la moindre idée du pouvoir de vos verbalisations et de vos demandes? Dites : « *Esprit, je demande et je cocrée une vision claire de ce que ma voie devrait être. Fais-moi voir les poteaux indicateurs afin qu'il n'y ait aucune erreur possible.* » Puis n'y repensez plus. Ne dites pas à l'Esprit où vous voulez aller. C'est simple? Oui. Trop simple? Non. Car certains d'entre vous réalisent et comprennent déjà le pouvoir de cette communication. Totalement — complètement — puissant.

Soyez sensibles au changement et alertes aux nouvelles choses qui se présentent à vous. Si vous cocréez ceci et foncez aveuglément dans la vie, en n'étant pas conscients des nouvelles opportunités subtiles qui s'offrent à vous, alors vous demeurerez dans l'ignorance tout comme dans le cas de l'humain qui ne savait pas quand se lever et avancer une fois les rochers enlevés. Lorsque vous cocréez une telle chose, soyez extrêmement vigilants pour discerner les signes! Ces signes sont ordinairement les suivants : (1) De nouvelles occasions favorables que vous n'auriez pas pensé vous être destinées auparavant. (2) De nouveaux humains vous contactant que vous ne connaissiez pas du tout auparavant. (3) Un événement apparemment négatif dans votre vie qui vous force en réalité à changer quelque chose d'important. Ce sont toutes des **réponses**. Prenez l'habitude de les considérer comme telles et d'explorer où elles vous mènent.

La septième question est : « **Kryeon, quelle est la clé pour devenir un formidable guérisseur?** » Et nous vous disons que c'est étonnamment simple. La réponse à cette question sera sous la forme d'une histoire. Kryeon vous a déjà raconté cette parabole, mais elle est à nouveau de circonstance ce soir.

Jean le guérisseur

Jean le guérisseur était un homme doué d'une grande conscience spirituelle. Il exerçait merveilleusement bien son métier et comprenait bien sa science. Beaucoup venaient à lui et ils étaient guéris; cependant, il y en avait toujours quelques-uns qui ne l'étaient pas. Et Jean commençait à en éprouver un certain malaise; car voyez-vous, la nouvelle énergie agissait sur lui et il savait que le Nouvel âge était arrivé. Jean avait de nombreux motifs de se sentir mal à l'aise. Le principal tenait au fait qu'à ses yeux son travail de guérison ne donnait plus d'aussi bons résultats qu'auparavant. En d'autres termes, il n'était pas en paix. Il y avait de moins en moins de guérisons qui se produisaient sur sa table. Cela amena Jean à se demander s'il devait même continuer à soigner les gens!

Nous voyons Jean s'asseoir pour méditer, car Jean avait une grande expérience de la méditation. Elle guidait sa vie, car il comprenait la communication qu'il avait avec l'Esprit, et il écoutait avec une vive attention ce que l'Esprit lui disait. Cela avait toujours bien fonctionné auparavant, et il savait que ça marcherait encore. À présent, nous allons vous permettre de suivre la conversation entre Jean, ses guides et son moi supérieur. Cela sera très révélateur pour vous.

Aussitôt assis, ses guides dirent : « Oh! Jean, bonjour! Comment vas-tu? » (C'étaient des guides très familiers et amicaux... et tous le sont d'ailleurs.) Jean les ignora et commença son rituel de respiration (ne les écoutant pas). Quelques instants plus tard, Jean était donc préparé. Ses pieds étaient dans la bonne position. Il faisait face au nord. Ses mains étaient élevées à la verticale. Sa tête était dans la bonne position. « Ô! Esprit, » commença Jean, et ses guides l'interrompirent : Bonjour Jean, comment vas-tu? »

Jean dit : « J'ai besoin d'aide. Plus rien ne fonctionne. » Et il énuméra par leur nom les humains qui étaient venus sur sa table de guérison. Il dit : « Que s'est-il passé avec celui-là? J'ai consacré beaucoup de temps et d'efforts à son dos, mais rien ne se produit! » Il dit : « Je prie pour recevoir de l'aide. Guérissez cette personne. Faites que ça se passe...donnez-moi cette... faites ces choses. » Il avait de la difficulté à bien formuler ce qu'il voulait, et il avait tant de requêtes à faire. Et l'Esprit répondit : « Ah, Jean, NOUS T'AIMONS! Tout le pouvoir dont tu as besoin est là, et nous sommes à ta disposition. » Puis ils l'inondèrent de tellement d'amour qu'il sut qu'il était bien en présence de l'Esprit.

Jean sentit qu'il avait obtenu les réponses qu'il recherchait, et que les choses allaient changer. Mais la fois suivante où il vit l'humain souffrant de maux de dos, il se rendit compte que cela avait empiré. Jean fit tout ce qu'il avait appris à faire, mais il n'y eut pas de guérison. Il se remit donc à méditer avec les mêmes résultats. Il demeurait longtemps assis jusqu'à ce qu'il sente avoir trouvé la bonne position, et l'Esprit manifestait Sa présence et il sentait tout l'amour de ses guides et de son moi supérieur. Ils lui disaient : « Oh! Jean, nous t'aimons vraiment. Tu es si puissant. » Et il suppliait l'Esprit : « Oh! s'il vous plaît, montrez-moi quoi faire dans ma salle de guérison. » Et la vie se poursuivit ainsi pour Jean.

Or, Jean avait une sœur. C'était presque ajouter l'insulte à l'injure puisque sa sœur éprouvait elle aussi des problèmes de santé, et il semblait incapable de lui apporter le moindre soulagement. Il s'assit donc avec elle et pria, et il lui envoya aussi de l'énergie. Il employa toute sa science, toutes les choses qui marchaient normalement, mais la santé de sa sœur ne s'améliora pas. Elle semblait tout le temps si préoccupée.

Finalement, après lui avoir consacré beaucoup de temps, Jean en eut ras le bol. Fou de colère, il entra comme un ouragan dans sa pièce de méditation, s'assit sur le divan et lança : « J'en ai assez!

Où êtes-vous? » Et ses guides dirent : « Salut Jean, comment vas-tu? » Jean fut tellement stupéfait qu'il en tomba presque de son siège. « Comment pouvez-vous être là si rapidement? Je ne suis pas prêt. » « Nous avons toujours été là », répondirent ses guides. « Nous sommes avec toi Jean, même dans la pièce de guérison. »

« Vous m'avez dit que j'étais puissant », reprit Jean. « Vous m'avez donné d'incroyables réponses. Je les ai senties dans l'amour que vous m'avez envoyé. Et pourtant rien ne se produit! Je ne sais plus à quel saint me vouer. Que puis-je faire? » Les guides de Jean lui répondirent posément : « Oh! Jean, nous sommes si heureux que tu sois venu. Écoute, Jean... Il importe peu que le poêle soit bon; la nourriture ne cuira jamais tant que les brûleurs ne seront pas chauds. »

Jean, qui n'était pas un imbécile, leur dit : « Les brûleurs — c'est moi ça? » Et ils dirent : « Oui. » « Que puis-je faire? », demanda Jean, et son Esprit et ses guides demandèrent : « Que choisis-tu de faire? » Sur quoi, Jean répondit : « **Je veux être dans mon contrat!** » Oh! l'élan de bonheur qui frémit dans l'air lorsqu'il dit cela! Car c'est tout ce qu'il leur fallait entendre. Cette fois Jean n'eut pas à spécifier quel dos devait être guéri. Il ne précisa pas explicitement ce qu'il voulait, ni d'où le pouvoir devait venir, ni quel jour il devait se sentir mieux. Jean dit finalement : « Je veux la guérison pour moi-même. Je veux être dans mon contrat. Je veux satisfaire ma passion. Je veux faire ce pourquoi je suis venu ici. » L'Esprit lui dit : « Jean, il t'a fallu si longtemps pour enfin le demander. Ta demande sera exaucée! Elle l'est déjà dès l'instant où tu l'as exprimée. »

Lorsque Jean sortit ce soir-là de sa méditation, il se rendit compte que les choses avaient changé, car une paix nouvelle l'habitait. Avant même de retourner dans la salle de guérison, il savait que les choses seraient différentes. L'Esprit lui avait dit que tout ce qu'il avait à faire c'était de prendre soin de lui-même, et tout le reste lui viendrait de surcroît. Lorsque Jean entra dans la salle de guérison, des choses étonnantes commencèrent à se produire, car un nouveau savoir lui avait été transmis. « Je vais placer mes mains ici aujourd'hui », se dit-il en lui-même. « C'est différent. Personne ne me l'a dit, mais je sais que ce sera la bonne chose à faire. » Les résultats furent instantanés. Jean savait que l'Esprit se trouvait à ses côtés, lui lançant un clin d'œil en disant : « Oh! oui, c'est bien. À présent, essaie ceci. » Jean se mit à obtenir des résultats comme jamais auparavant. Il dit aux personnes venant le consulter de se préparer à être guéries. Il fit une brève cérémonie avant même de les toucher. Les gens pensaient qu'il était devenu fou — jusqu'à ce qu'ils soient guéris. Puis encore plus de choses commencèrent à lui arriver... Jean le puissant guérisseur.

Et c'est ainsi que Jean se rendit voir sa sœur. Jean entra littéralement en dansant dans sa chambre, tout rayonnant, sachant que la guérison était imminente. Il vit le visage de sa sœur s'illuminer. Envolée sa mauvaise humeur, et pourtant il ne l'avait même pas encore touchée. Elle dit à son frère : « Jean, que s'est-il passé? Je me faisais tellement de souci pour toi! » Tout s'arrêta. Jean prit alors conscience que son propre tourment avait rejailli sur les personnes mêmes qu'il tentait de traiter. « L'Esprit m'a dit que tu vas être guérie », annonça tendrement Jean. Il fit une cérémonie avec sa sœur, et elle fut effectivement guérie, parce que Jean avait pris soin de lui en premier — et son pouvoir et sa sagesse s'en étaient trouvés grandement accrus.

La réponse à la septième question, « Quelle est la clé pour devenir un puissant guérisseur? » est donc de retrouver d'abord votre propre équilibre intérieur! Demandez à ce que votre contrat soit rempli. Cet équilibre crée un nouveau savoir, de nouveaux outils et la capacité de voir si la polarité est inversée. Tous ces nouveaux dons de guérison sont à votre disposition, mais vous ne pourrez en profiter tant que vous ne prendrez pas d'abord soin de vous. Cela peut vous sembler étrange que nous disions : « Lorsque vous méditez seul, il n'est pas nécessaire de donner de l'énergie à ceux que vous allez guérir; et c'est pourtant la vérité, car votre science est votre guérison. Ce que vous faites en méditation devrait être pour VOUS. » Votre contrat comme guérisseur est ce qui crée le pouvoir. Plus vous accomplirez votre contrat de vie, plus vous serez puissant comme guérisseur. Cocréez le mariage total de votre contrat, et regardez bien ce qui se produit!

Ah, mes chers, nous nous sommes assis devant vous ce soir et, que vous l'ayez perçu ou non, nous vous avons voué un profond respect. Le sentiment qui envahit mon partenaire chaque fois que cela se produit est ce grand respect. Que vous ayez accepté de votre plein gré de descendre ici-bas pour un tel scénario!... pour être dans une biologie affaiblie et ne pas même savoir qui vous êtes réellement... que l'on vous dissimule le fait même que vous êtes des parcelles de Dieu tandis que vous êtes incarnés ici! Consentir à vieillir, à mourir et à revenir! Ah, quelle tâche vous avez accepté de faire là avec votre amour!

Nous vous avons dit que nous savons qui vous êtes. Nous étions là lors de la cérémonie de remise de vos couleurs. Il n'y en a pas un ici ce soir qui ne connaît pas Kryeon, car j'étais là rayonnant de toutes mes couleurs, debout dans la file tandis que vous receviez les vôtres, et nous nous sommes mutuellement aimés auparavant. Nous vous invitions donc au cours de ce bref moment où nous avons été ensemble à sentir la présence du bercail, à savoir qu'il y a un but à la vie et que vous n'êtes pas seuls. Sachez que la nouvelle énergie n'est pas là pour mettre fin à votre vie sur cette planète et que nous voulons que vous demeuriez en bonne santé parce que nous vous aimons tant.

Il est vrai que le travail à faire est entièrement de votre ressort, et que c'est la raison pour laquelle nous ne vous donnons pas d'information à l'avance sur vos leçons. Car ce travail ne serait plus le même si nous vous révélions à l'avance tout ce qui doit se passer. Mais les dons sont stupéfiants, et c'est en tout amour que nous vous disons que vous les avez mérités!

C'est avec une bouffée d'émotion que mon partenaire vous communique maintenant l'imminence de notre départ. Il y a un autre fait. Ce soir les pères et les fils, les mères et les filles se croiseront à la sortie, et jamais ils ne sauront qu'ils furent apparentés! Ah, quel amour vous faut-il pour faire cela! Faut-il se surprendre que l'univers vous aime ainsi? Oh! cette Terre est vraiment un lieu spécial. Il n'y en a pas deux comme ça.

Certains d'entre vous vont partir d'ici et continuer à vibrer pendant plusieurs jours suite à l'énergie reçue. Nous invitons cela. Vous êtes en parfait équilibre. Vous avez simplement ressenti l'amour de l'Esprit ce soir.

Et il en est ainsi.

Kryeon

Lettre d'une lectrice

Cher Lee

La Bible nous avertit dans l'Apocalypse de nous méfier des faux prophètes qui feront des choses étonnantes et nous séduiront à l'approche de la fin des temps. Cela a-t-il rapport avec le titre de votre premier livre qui s'appelle "La fin des temps" (The End Times — titre original anglais)... et comment pouvons-nous savoir que vous n'êtes pas l'un de ces faux prophètes?

Pourriez-vous nous éclairer au sujet de cet avertissement? Quel en était le sens et qui sont les faux prophètes? Comment les reconnaîtrons-nous? (Si vous en êtes un, vous répondrez à ceci par un mensonge, et nous serons donc dupés de toute façon.)

Merci

Diane Steen
Seattle, Washington

> *Vous êtes un maillon de la chaîne de lumière composant l'univers, un maillon qui représente l'émanation d'une source d'amour si infinie que son étendue vous laisserait pantois. Vous êtes donc bien une parcelle de Dieu!*
> *Et vous vous demandez pourquoi vous êtes si tendrement aimés!*

CINQ

Faux prophètes

Un mot de l'auteur...

Voici une séance publique de channeling faite dans un des plus beaux endroits de la Terre! Ce fut une soirée remplie d'amour et d'honneur sur l'île de Kauai, une soirée durant laquelle Kryeon a parlé explicitement des sentiments qu'éprouvent les gens vivant sur cette petite île paradisiaque.

J'ai inclus cette transcription dans ce livre afin de vous permettre de savoir ce que Kryeon a dit au sujet de l'île de Kauai et de ses habitants, et j'ai placé ce channeling d'Hawaii dans le chapitre sur les "Faux prophètes" parce que ce sujet fut abordé au cours de cette séance, relativement à la lettre de la page 114. Selon son habitude, Kryeon traite également des thèmes qui ont déjà été abordés dans ce livre... mais plusieurs d'entre eux ne peuvent être répétés trop souvent!

Je mentionne aussi à l'intention des nouveaux lecteurs la présence des professeurs humains Barbara et Michael à nos côtés. Dans le premier livre de Kryeon, ce sont les deux personnes qui ont fourni la salle où s'est déroulée la première séance publique de channeling de Kryeon à Del Mar, dans le cadre de leur "groupe du temple", un groupe de 14 métaphysiciens qui ont pu ainsi entendre pour la première fois le message de Kryeon. Barbara et Michael étaient à Kauai pour leurs propres activités, travaillant avec des groupes et des clients, mais ils ont fait de la place dans leur emploi du temps pour venir nous honorer, Jan et moi, de leur présence ce soir-là.

Messages pour une île

Séance de channeling
Lihue, île de Kauai à Hawaii

La transcription de cette séance de channeling devant public a été modifiée par l'ajout de mots et de pensées afin d'en clarifier le sens et de permettre une meilleure compréhension de ce qui a été dit.

Salutations à vous, amis très chers. Je suis Kryeon du service magnétique. Ah, qu'il est doux, mon partenaire, d'être au bon endroit, au bon moment, n'est-ce pas? Car c'est à dessein que tu es ici, tout comme le sont les gens assis devant toi, et ceux lisant la transcription de ces paroles. Et je te promets ce soir, mon partenaire, de ne pas transmettre plus rapidement que ce que tu peux recevoir, car il y a beaucoup de choses à dire. Mais nous disons tout d'abord à celles et ceux qui sont assemblés en cet endroit que chacun d'entre vous est connu de l'Esprit. Il n'y a pas une seule personne parmi vous dont le nom nous soit inconnu. La raison de votre présence ici est simple. Croyez-le ou non, mais vous êtes ici pour que l'Esprit puisse vous baigner les pieds! Car nous aimons chacun d'entre vous; et à celles et ceux qui ont mis l'Esprit sur un piédestal, nous disons qu'il est temps de l'en redescendre. Car vous êtes celles et ceux que nous aspirons à servir en ce moment. Et c'est donc avec honneur et joie que nous remplissons cette salle des guides, des énergies et des entités qui sont tous venus ici pour le bref moment que nous allons passer ensemble.

De nombreuses choses se sont produites sur cette planète ces dernières années; nous avons channelé de l'information au cours des mois passés et donné tous les détails à leur sujet. Mais en résumé, nous disons que la Convergence harmonique qui a eu lieu il n'y a pas si longtemps a permis de prendre la mesure par laquelle la Terre fut jugée prête pour le Nouvel âge. Et oui, les choses auraient pu tourner tout autrement, mais tel ne fut pas le cas... et cela en a surpris beaucoup. Mais à la surprise succéda la joie et l'honneur, des mots auxquels nous recourons souvent en ce qui concerne les humains. Il y a tellement de mots et de formes dans le langage astral qui ont le sens d'honneur, mais un seul mot dans le vôtre. Nous allons donc le répéter à maintes et maintes reprises jusqu'à ce que le message passe!

Vous êtes honorés pour le fait d'avoir élevé les vibrations de cette planète bien au-delà de nos attentes. Et la poussée soudaine d'activité au cours des dernières années a eu pour but la préparation de la nouvelle énergie et du Nouvel âge, et visait à accélérer l'éveil des êtres humains partout sur la planète qui désiraient accepter ce cadeau et "voir" qui ils sont. Ceci est un message personnel de Kryeon et de l'Esprit! Kryeon ne s'assied pas devant des groupes de personnes, car c'est à toi que je parle, mon cher, ma chère. Je sais qui tu es. Et je te dis que tu es en un endroit ce soir, occupant un siège et entouré(e) par tes guides, avec les maîtres dans la rangée du fond qui disent : « Écoutez ce qui est dit. Savez-vous qui vous êtes? Car vous seuls pouvez élever la vibration de cette planète si vous le choisissez. Vous nous avez démontré en être capables, et vous êtes maintenant en position de vous permettre d'évoluer à un degré jamais vu auparavant. » Et c'est pourquoi nous sommes ici, afin que vous en sachiez plus à ce sujet.

Tel que channelé auparavant, il y a eu en 1994 un événement stupéfiant qui n'a pu se produire que suite à celui de 1992. En 1992, le code fut envoyé aux chaînes magnétiques entourant les chaînes biologiques de votre ADN. Ce fut ce code qui disait : « Permission accordée pour les changements à venir », et sans l'envoi de ce code, rien de tout cela ne se serait produit. Et vous avez donc été préparés pour 1994, car durant votre année 1994, à partir du mois d'avril, la passation du flambeau a débuté. Cela est d'une grande portée pour la planète mais, mes chers amis, c'est d'une importance extraordinaire pour l'île où vous êtes en ce moment.

La passation du flambeau marqua le début du départ de cette Terre des entités qui maintenaient l'équilibre et qui vous transféraient alors leur responsabilité. C'est ainsi : il y a eu depuis le tout début un équilibre de l'énergie de la planète qui devait être constant et dont la somme devait demeurer la même. Les humains ne pouvaient préserver seuls cet équilibre; il y avait donc sur la planète des entités qui s'en chargeaient : les êtres magiques, le petit peuple, les dévas, ceux qui habitaient les rochers et les autres qui résidaient dans le ciel. Oui, ils étaient réels, même si beaucoup n'étaient pas dans votre dimension. Et tandis qu'augmentait le nombre d'humains sur la planète, un certain nombre de ces êtres ont quitté afin que l'énergie demeure la même. À présent, ne confondez pas l'équilibre énergétique avec le niveau vibratoire, car l'énergie doit demeurer constante. C'est la vibration qui peut changer avec votre travail, et c'est la vibration qui est mesurée par l'Esprit.

Et c'est ainsi que la passation du flambeau débuta en ce mois d'avril, jusqu'à son achèvement résultant dans l'expérience du 12:12. Et c'est ce sur quoi portait en réalité le 12:12. Ce fut le moment où devaient commencer à partir les dernières entités, et tandis qu'elles quittaient la planète, elles se retournaient pour regarder et disaient : « C'est une chose merveilleuse que les humains aient pu élever la vibration au point où ils sont parvenus à contenir eux-mêmes toute l'énergie. »

Et c'est ainsi que débuta l'exode de ces êtres magiques et cet exode sera terminé dans peu de temps. Et c'est ainsi également que nous nous adressons à vous en vous disant : « Nous avons besoin que 144 000 personnes parmi vous deviennent immédiate-ment des maîtres ascendés partout sur la planète, car cela est nécessaire pour maintenir l'énergie à un niveau constant. » Cela n'est pas pour tout le monde, car évidemment le nombre est relativement petit. Vous saurez si cela vous concerne, car cela exige un grand sacrifice. Il s'agit d'un événement extraordinaire, vous en conviendrez, que ces entités quittent la planète après avoir été là depuis des temps immémoriaux, vous laissant le soin de tenir la balle, pour ainsi dire, qu'est la planète Terre (humour cosmique)!

À présent, il y a trois attributs qui influencent l'endroit où vous vivez, et je parle maintenant des gens qui résident sur ce portail d'énergie, ici sur cette île... un endroit réellement magnifique de la planète, l'île que vous appelez Kauai. Et en raison de ces trois attributs, vous avez ressenti un changement ici. Et toujours en raison de ces trois choses, il y a des contrats de vie qui prennent fin ici, vous permettant d'aller de l'avant, et de rester ou partir selon votre choix, alors qu'auparavant cela aurait été difficile.

Vous avez immensément senti le premier attribut et vous le ressentez même en cet instant, car il s'agit effectivement d'un lieu magique. Il y avait une abondance d'êtres magiques dans les coins et recoins de vos magnifique vallées. Car il s'agit d'un centre énergétique, d'un portail et d'un endroit qui émet un signal vers les autres dans l'univers en disant : « Nous sommes prêts pour vous. » C'est un lieu protégé. C'est un endroit cher à l'Esprit encore plus que bien d'autres lieux, et il doit être régulièrement nettoyé. Et aussi, mes chers amis, la magie est partie des êtres qui étaient ici et elle réside maintenant en vous... et vous le sentez! Car il y a un vide là où auparavant il y avait les dévas, et il y aura un déséquilibre pendant un certain temps. D'autres viendront qui sembleront combler le vide avec une conscience dont vous ne voudriez pas, mais cela s'arrangera au cours des prochains mois. Et c'est avant tout la raison pour laquelle vous sentez qu'il y a un changement en cet endroit. Bien que le reste des gens sur Terre le sentent aussi, vous le ressentez plus intensément encore, car il y avait vraiment beaucoup de magie ici. Mais la magie, mes chers amis, ne s'est pas évanouie. Elle se trouve simplement en un lieu différent. Il vous suffit maintenant d'apprendre à vous en servir pour vous-mêmes. Dorénavant, ce don vous appartient et cela a été rendu possible grâce au transfert du code.

La deuxième chose qui se passe ici est mon travail. Car les lignes du réseau magnétique sur la planète changent réellement et les lignes d'énergie tellurique qui se trouvaient autrefois ici, qui traversaient cet endroit à une certaine fréquence vibratoire pour qu'un certain niveau de conscience puisse exister, sont en train de changer de place. Et celles auxquelles vous êtes plus particulièrement habitués se déplacent légèrement, à un certain nombre de milles au nord-est. Elles sont en train de se centrer au-dessus de ce que nous appelons le grand amplificateur. Certains parmi vous sauront de quoi je parle, mais cela demeurera un mystère pour les autres. Il en est néanmoins ainsi.

Ainsi non seulement les dévas sont-ils partis, et la responsabilité repose désormais sur vos épaules, mais je vous dis que la ligne du réseau s'est également déplacée. Et si vous vous en souvenez, je vous ai dit dans le passé que votre conscience même et votre illumination sont modifiées par l'énergie du réseau. Il n'est pas étonnant que vous vous sentiez ainsi; ce n'est vraiment pas étonnant. Quelques-uns d'entre vous ont eu l'impression que les nouvelles sensations résidaient en eux et en eux seuls. Mais nous aimerions vous dire que tel n'est pas le cas. Car tous sans exception vous sentirez les changements comme un groupe. Et si vous vous réunissez et que vous comparez comment vous vous sentez, il y aura une similitude, démontrant ainsi que vous n'avez pas affaire à un problème personnel.

Le troisième attribut, et le plus visible, est celui qui est survenu il y a deux ans; nous parlons ici des grands vents qui ont soufflé. Or, il y a eu de nombreuses raisons pour ceci. D'abord il y avait la nécessité d'une purification de l'île et d'un élagage de l'énergie. Toutes ces choses étaient appropriées, car l'**Esprit a tendance à**

polir même sa plus belle argenterie! Mais l'autre motif que Kryeon vous apporte ce soir en est un auquel vous n'avez peut-être pas songé, car ce fut effectivement une épreuve de peur pour vous. Vous en avez parlé entre vous et Kryeon vous a mentionné le fantôme de la peur auparavant. Ah, ce fut tout un fantôme qui s'est présenté à vous de cette façon tandis que vous étiez nombreux à vous blottir dans vos maisons, priant Dieu que vous soyez épargnés! Priant aussi pour que vos maisons soient épargnées. Ce fut le moment le plus sombre de cette expérience, et c'est de cette peur que vous avez ressentie dont Kryeon parle lorsqu'il parle de l'épreuve. Beaucoup d'entre vous savent de quoi je parle, car c'était vraiment une expérience de peur. Et l'épreuve s'avéra un succès, car beaucoup d'entre vous ont prié durant ces moments avec une attitude d'abandon complet. Un abandon à votre moi supérieur, et pas seulement à une puissance supérieure. Et vous avez réellement cocréé le moyen de vous en sortir! Voilà quel était le but de l'épreuve lorsque les vents soufflèrent ce jour-là.

Nous disons donc une fois de plus à celles et ceux parmi vous qui résident ici en ce magnifique endroit, que si vous vous sentez mal à l'aise, vous n'êtes pas les seuls. Nous vous disons qu'il y a une raison à cela. Et en tout honneur, nous vous remercions de bien vouloir l'endurer cette fois. Car vous serez de nouveau à l'aise si vous choisissez de demeurer ici. Et nous vous honorons pour les difficultés que vous subissez.

Et c'est ainsi que beaucoup de celles et ceux lisant ceci en ce moment (encore de l'humour cosmique relativement à la relativité du "moment présent") subiront également cette épreuve dans les zones et les portails qui vont aussi changer là où vous vivez. Vous serez peut-être fâchés à l'avenir contre l'Esprit de vous mettre au beau milieu de quelque chose qui crée autant de peur. Vous direz peut-être : « Je pensais que j'étais censé me trouver à l'endroit parfait! ... mon bon endroit au bon moment! » Et l'Esprit dira à votre moi supérieur :

« Vous êtes effectivement à l'endroit parfait! Sentez le potentiel de peur humaine et transcendez-la totalement. **Sachez que vous êtes à l'abri de tout danger et sentez votre responsabilité d'être là où vous êtes.** Regardez autour de vous et voyez comment vous pouvez instantanément influencer les autres qui sont paralysés par la présence du fantôme de la peur autour d'eux. Vous n'êtes pas dupes et vous pouvez cheminer sans crainte au milieu de la peur de l'incertitude et des changements terrestres. Partagez votre paix et laissez briller votre lumière pour qu'ils la voient durant les moments les plus sombres! Entourez-les de l'amour de l'Esprit et regardez-les bien s'en remettre en toute confiance au Dieu supérieur présent en eux-mêmes. C'est au cours d'une telle période que votre travail pour la planète est le plus efficace. Comment pouvez-vous douter du fait que vous êtes à l'endroit parfait lorsque cela se produit? Vous imaginez-vous que votre "endroit parfait" n'a aucune leçon à vous apprendre ou ne vous offre aucune occasion de vous faire voir qui vous êtes? Si tel est le cas, alors vous n'avez pas vraiment compris le message du Nouvel âge. »

La mort d'un grand guerrier — L'expérience d'une vie antérieure

Et maintenant nous aimerions faire quelque chose que nous n'avons pas fait depuis quelque temps. Nous allons vous faire vivre un court voyage vers l'une des vies passées d'une personne qui est assise dans cette salle. En fait, il s'agit d'une mort passée. En toute justesse, nous vous racontons ceci avec amour et respect afin que vous puissiez comprendre qui vous êtes. Et puisque ceci ne s'adresse qu'à vous, les autres peuvent écouter et apprécier qui vous êtes et ce que vous avez dû subir; mais cela peut également les informer de la façon dont l'Esprit fonctionne. Nous vous amenons pas tellement loin d'ici, à une époque remontant à environ 900 ans. Vous étiez alors un grand guerrier, un sous-chef au service d'un roi dont la dynastie comporta en tout cinq rois. C'était alors ce qu'on appelait la Guerre de dix ans.

Vous êtes au plus sombre d'une nuit obscure tandis que vous glissez lentement et en silence sur les eaux chaudes de l'océan du sud en direction de cette même île où nous sommes. Car vous êtes venu d'un autre endroit et vous approchez du rivage sur des bateaux, en compagnie d'une bande de guerriers. Votre objectif est de débarquer sur les plages par le sud et de vous emparer d'une position tenue par d'autres guerriers défendant l'île. Car il s'agit d'un point de résistance. Toutes les autres îles sauf celle-ci se sont jointes au royaume, et leur résistance a entraîné des années d'épreuves et de batailles.

Ce sera un important combat ce soir, vous le sentez. Tandis que vous approchez de l'île, vous faites partie d'un groupe d'embarcations transportant en tout 80 hommes. Vos embarcations sont faites de deux canoës reliés par une travée centrale entre les deux attachée à chaque canoë. Vos armes, vos provisions et votre voile se trouvent sur cette travée centrale. Mais c'est maintenant le temps d'abaisser votre voile, car vous savez que même durant une nuit obscure il y a des guetteurs sur la plage qui peuvent repérer le profil d'une voile s'approchant. Et vous lancez donc à voix basse la consigne aux autres embarcations de passer le mot aux autres de baisser leurs voiles. Et l'une après l'autre, toutes les voiles sont abaissées.

Puis vous commencez à sentir monter la peur qui vous étreint avant chaque bataille, conscient que vous allez bientôt débarquer sur la rive et faire face à l'ennemi. Le sud de l'île a été choisi parce que le ressac des vagues y est faible. Maintenant vous sortez vos pagaies et vous commencez à pagayer lentement vers l'île. Vous avancez en silence, et au bout d'environ une heure vous commencez à entendre le déferlement des vagues, et vous savez que vous êtes près de réussir à atteindre votre objectif d'une attaque surprise.

Or voilà qu'on dirait que ceux que vous veniez attaquer avaient déjà pris la mer sur leurs bateaux sachant que vous arriviez, et ils vous attaquent en émergeant de l'obscurité par le flanc gauche. Vous avez compris la situation dès que vous avez entendu les premiers cris derrière vous, mais presque aussitôt vous avez senti une lance vous transpercer la poitrine et, sans le vouloir, vous êtes tombé à l'eau. Conscient d'avoir reçu une blessure mortelle, bien des choses vous passèrent alors en un éclair devant les yeux. Mais tout ce que vous avez pu faire avant de vous enfoncer dans l'océan calme, c'est de hurler le nom de votre roi tandis que les eaux chaudes vous submergeaient. Tout fut terminé en un instant, mais vous portez toujours en vous aujourd'hui le souvenir de cet événement dramatique.

Ce fut là, cher ami, une vie importante pour vous. Et il se peut que vous vous disiez : « Peut-être devrais-je maintenant avoir peur de me noyer, ou peut-être devrais-je avoir peur d'être attaqué par la gauche. » Pas du tout. Car vous avez eu de nombreuses vies subséquentes pour vous permettre d'éliminer de tels attributs karmiques. Le résidu karmique que vous conservez maintenant de cet événement n'est pas une peur, mais une appréhension. Il s'agit d'un sentiment profondément ancré en vous, mon cher, d'une affaire inachevée, car c'est ainsi que l'Esprit travaille avec vous. Et je vous le dis ce soir que vous n'êtes pas seul dans ce cas! Car il y en a d'autres ici en cet endroit même, et sur cette île, qui étaient avec vous et qui faisaient partie de l'expédition de 80 guerriers qui ne parvinrent pas jusqu'à la rive pour leur roi.

Et il y a donc un sentiment d'une chose inachevée qui ne cesse de vous faire revenir ici. Et lorsque vous quittez cette île, il vous arrive souvent d'être inquiet... un sentiment qui vous dit : « Je dois revenir... Je dois revenir. » Vous pouvez maintenant vous libérer de ce sentiment résiduel et c'est ce soir même, lorsque vous vous lèverez de votre chaise, qu'il se dissipera par votre intention qu'il en soit ainsi, car vous avez maintenant le pouvoir de faire disparaître ces choses de votre vie. Et si vous choisissez de quitter cette île, elle ne vous attirera plus de la même façon qu'auparavant. Vous en êtes désormais libéré... pour la première fois depuis des siècles. Tel est le cadeau du Nouvel âge.

C'est le pouvoir que chacun d'entre vous possède comme cocréateurs dans la nouvelle énergie. L'Esprit vous honore pour ce processus d'allées et de venues, une incarnation après l'autre, et pour le karma et les peurs que vous affrontez. Car il n'y en a pas un seul d'entre nous présentement à votre service qui doive subir ce genre d'épreuve. Nous continuons donc à nous sentir honorés d'être assis devant vous. Voilà ce mot encore!

Et parlant de cela, nous aimerions honorer deux personnes qui sont ici ce soir. Car nous avons avec nous ici ce soir les professeurs Barbara et Michael. Nous nous adressons à eux maintenant, et nous nous adressons aussi à vous tous pour dire qu'ils sont grandement honorés. Car c'est à cause d'eux que Kryeon fut capable de venir s'exprimer à travers mon partenaire qui vous parle en ce moment. Ils ne sont peut-être pas conscients de la possibilité qui a surgi durant l'année où ils se sont fait offrir les premiers écrits de Kryeon. Car ils avaient travaillé dans ce domaine depuis des années et il leur aurait été facile de dire à mon partenaire lorsqu'il leur apporta les écrits : « Ces notes sont bonnes, mais retourne chez toi et essaie de nouveau. Après tout, nous avons fait cela depuis des années et pas toi. » Mais ce n'est pas ce qu'ils ont dit, car ils ont reconnu l'amour de l'Esprit et mis leur ego de côté. Et ils ont vu la vérité et dit à mon partenaire : « Ceci est véridique, alors continue. » Car s'ils n'avaient pas dit cela, il n'y aurait pas de rencontre ce soir, et vous n'auriez pas de livre à lire... et Kryeon aurait plutôt utilisé une autre personne qui avait également un contrat d'établi pour remplir ce rôle de channel. Voyez-vous comment vous avez le contrôle de votre propre avenir? Voyez-vous pourquoi personne ne peut s'asseoir devant vous et vous dire ce qui va se passer? Vous le créez jour après jour! Et c'est ainsi que nous sommes ici, mon partenaire et moi, grâce à ces chers amis, et l'Esprit les honore pour cela.

Et nous leur disons donc à tous les deux ce soir (Michael et Barbara), que votre lignage est grand. Il vous arrive parfois de ne pas avoir conscience de qui vous êtes (et étiez), car vous êtes absorbés par votre travail. Ainsi, lorsque nous disons "frères de Lévi", ceci vous donnera une indication de la façon dont vous avez travaillé ensemble dans le passé, et de votre véritable lignage sur cette planète. Et ma chère Barbara, lorsque nous t'appelons "fille d'Orion", tu auras ainsi une idée de ton origine. Et nous te disons aussi que tu es l'une des rares personnes sur la planète qui reconnaît que l'alignement de Kryeon est un réalignement à quelque chose qui existait autrefois, et non pas quelque chose de totalement nouveau. Votre cadeau ce soir, et par la suite, sera donc une plus grande clarté dans votre travail, et ce dès cet instant même. Soyez-y attentifs. C'est avec reconnaissance que vous êtes honorés. Il y a des dizaines de milliers de personnes qui recevront l'information de Kryeon dans cette nouvelle énergie parce que vous avez fait ce que demandait votre contrat lorsque l'occasion s'est présentée!

Faux prophètes

Et maintenant nous en arrivons à une partie de cette séance de channeling où il est demandé à mon partenaire d'être très clair, parce qu'il peut y avoir de la confusion une fois ma pensée traduite dans ses mots. Nous avons attendu jusqu'à ce moment pour être dans cette énergie et dans la netteté de cette île, afin de permettre à l'intégrité de jaillir pour répondre à une question à laquelle une réponse n'aurait peut-être pu être apportée en d'autres lieux énergétiques. Cette question est pleine d'une énergie puissante qui a de profondes ramifications planétaires. Il s'agit toutefois d'une question simple et nous vous demandons d'être patients tandis qu'elle est expliquée. Car les paroles exprimées ici seront traduites et publiées, et la question est trop importante pour qu'il n'en soit pas ainsi.

Voici donc cette question : « Kryeon, il nous a été dit qu'il y aurait de faux prophètes à la fin des temps. Nous voici arrivés à la fin des temps tel que témoigné par votre information sur la graduation des temps. Êtes-vous par conséquent un faux prophète? En outre, les autres prophètes venus plus tôt nous ont dit que si

l'on demandait à un faux prophète s'il en était un, il mentirait.
Comment pouvons-nous savoir que vous ne mentez pas lorsque
vous dites être un authentique prophète?... et qu'est-ce que cela
signifie pour les croyants des nombreuses religions et voies
spirituelles différentes?

Le début de la réponse à cette question nécessite que nous
fassions appel à une ancienne devinette de la Terre, une énigme
déjà connue des gens présentant des exercices de logique, car la
logique joue effectivement un rôle important dans la réponse à
votre question (ainsi qu'il doit en être). Nous vous prions d'être
patients alors que nous vous guidons à travers cette énigme pour
l'esprit, car cela a un rapport direct avec l'ensemble de la réponse.
Imaginez-vous en train de marcher seul sur un sentier. Debout
devant vous se trouvent deux saints hommes pleins de sagesse.
Afin de pouvoir poursuivre votre route, ainsi va l'énigme, il vous
faut savoir quels sont les attributs de ces deux hommes. Car voyez-
vous, l'un d'eux dit la vérité et doit toujours dire la vérité. L'autre
est fourbe et vous trompera toujours peu importe ce que vous lui
demanderez. Or, comme le veut la devinette, vous devez poser à
l'un ou l'autre des deux une question à laquelle il ne pourra
répondre que par un "oui" ou un "non". Et, ce faisant, la réponse
donnée révélera les attributs de chacun d'eux.

Or, métaphoriquement beaucoup parmi vous se trouvent
réellement face à une situation semblable dans leur vie. En tout
amour et innocence de l'esprit, vous faites face à plusieurs saints
hommes et leur demandez s'ils possèdent la vérité. Cette énigme
n'est donc pas tellement éloignée de ce que vous vivez. Il s'agit
d'une énigme difficile à résoudre au plan logique pour beaucoup
d'entre vous, car si vous demandez simplement à celui qui dit
toujours la vérité : « Êtes-vous celui qui dit la vérité? » il vous
répondra « Oui. » Si vous posez cette question à celui qui ment
toujours, il mentira bien sûr et dira lui aussi « Oui. » Vous n'avez
rien obtenu avec cette question. La question doit donc être conçue
de telle façon que vous vous attendiez à l'avance à un "oui" ou un
"non" ce qui révélera les attributs de celui à qui vous vous adressez.

Je vais maintenant vous indiquer quelle question il s'agit
simplement de poser. Tandis que vous vous approchez de l'un des
saints hommes, dites-lui ce qui suit : « Cher monsieur, si je demande
à l'autre saint homme qui est à vos côtés si c'est vous le menteur,
répondra-t-il "Oui"? » Et d'après la réponse donnée par l'un ou
l'autre de ces hommes, vous saurez avec certitude par le "oui" ou

le "non" lequel des deux se trouve alors devant vous". Du fait des attributs de chacun, l'un devra obligatoirement répondre "oui" à cette question et l'autre "non". Réfléchissez-y pour voir comment cela fonctionne. Mettez-vous dans la position de chaque homme pour comprendre ce qu'un "oui" signifie et ce qu'un "non" signifie relativement aux attributs de chacun.

Si vous être devant celui qui dit toujours la vérité, il répondra "oui" car il doit vous dire la vérité sur ce qui en est réellement. Si vous êtes devant celui qui ment toujours, il dira "non" car il doit forcément mentir au sujet de ce que l'autre saint homme dirait.

Alors qu'est-ce que cette énigme nous apprend relativement à l'authenticité ou à la fausseté des dires de Kryeon? C'est un paradigme qu'il vous faut considérer et qui vous aidera même à poser la question. Examinons brièvement en quoi consiste cette énigme car vous devez d'abord vous engager seul sur votre sentier à la recherche de la vérité. Cela veut dire que si vous avez déjà un saint homme dans votre poche, vous n'êtes pas objectif. Si vous croyez en une certaine vérité et si vous avez un préjugé, peu importe ce que vous demandez à qui que ce soit, vous douterez toujours de ce qu'on vous dit. Votre premier attribut consiste à être dans une position de clarté et à vouloir chercher la vérité, et à ne pas croire que vous connaissez déjà toute la vérité. Un véritable chercheur sera neutre et ne croira pas en un autre saint homme. Ceci éliminera immédiatement beaucoup de ceux qui seraient capables même de poser la question.

Ensuite, parlons de la manière dont la question est posée. Vous rendez-vous compte de l'importance du fait que ces deux personnes sont des saints hommes? Car même si l'un d'eux est un fourbe personnage, L'Esprit l'appelle un saint homme. Voilà une chose qu'il vous faut considérer. Qu'est-ce que cette énigme vous a appris? L'énigme dit que vous devez non seulement examiner les attributs de chaque saint homme, mais qu'il vous faut poser votre question à l'un au sujet de l'autre! Et vous êtes donc maintenant assis en face de Kryeon. Vous n'êtes pas assis en avant des autres. Kryeon ne peut donc répondre pour les autres, mais il le peut en ce qui le concerne. Permettez-moi donc de vous présenter quelques-uns des attributs de l'énergie de Kryeon et de la façon dont certaines des réponses pourraient être formulées si Kryeon était l'un de ces saints hommes devant vous. Observez attentivement les attributs du travail de Kryeon, car c'est en cela que réside la réponse à l'ensemble de votre question. Car nous apportons ce soir de l'information pour votre cœur. Nous ne vous demandons pas de vous joindre à quelque organisation que ce soit. Cela ne veut pas dire que le fait de se joindre à des organisations soit considéré comme étant une mauvaise chose. Nous disons seulement que Kryeon ne vous apporte que de l'information et non pas un système auquel il vous faut adhérer.

Kryeon n'érige pas d'Églises. Kryeon ne vous demande pas d'assister à des rencontres contre votre volonté. Les rencontres sont intentionnellement organisées en des endroits étranges et à des moments inhabituels afin que vous puissiez y venir ou non si tel est votre choix. Il n'y a donc aucun calendrier de rencontre régulier. Kryeon ne prône aucune doctrine vous obligeant à croire en certaines choses. Il se contente de vous communiquer l'information du Nouvel âge et vous invite à sentir l'énergie d'amour et à découvrir qui vous êtes.

Kryeon ne vous demande pas de donner le dixième de vos richesses. Toutefois, cela ne veut pas dire que ceux qui vous demandent de le faire agissent mal. Ce n'est là qu'un attribut de celui se trouvant devant vous à qui vous posez des questions. Kryeon ne vous demande pas de lui donner le dixième de vos richesses et pour la première fois nous vous disons ceci, à savoir que l'**Esprit vous demande de vous donner à vous-même votre abondance**. Et pour la première fois nous vous disons qu'il conviendrait pour vous dans la nouvelle énergie de mettre de côté une partie de vos revenus pour vous offrir à chaque mois un petit extra! Faites plaisir à cet enfant intérieur en vous, celui avec qui vous avez le souvenir d'avoir grandi, celui qui aime jouer. Rappelez-vous le plaisir que vous éprouviez étant enfant lorsqu'on vous gâtait un peu, et faites-vous une joie à l'idée de vous gâter vous-même. Car cela est parfaitement convenable afin de pouvoir servir le *Dieu intérieur*. Et nous vous disons donc à ce moment-ci que, si vous commencez à faire cela, vous vous sentirez mieux que si vous ne le faisiez pas. Ceci a également à voir avec la nécessité pour beaucoup d'entre vous d'apprendre à recevoir. Il est approprié de vous donner des choses à vous-même. C'est ainsi!

Voici une question demandée à Kryeon dans le cadre de la question qui est posée au sujet des faux prophètes. « Dites-moi, Kryeon, j'aime bien mon système de croyances. Je prends plaisir à aimer un maître que j'honore et respecte. Il en est de même pour l'ensemble de ma famille. Nous avons beaucoup aimé depuis des années cette relation avec notre maître et nous sommes à l'aise avec cela. Puis-je croire les choses que vous me dites dans la nouvelle énergie et en même temps conserver cet autre système de croyances? »

Quelle question! Car la réponse, en tout amour mes chers amis, est oui, puisque Kryeon ne fait que vous communiquer de l'information! Il ne vous demande pas d'approuver une doctrine, et il dit que **vous avez le pouvoir et la liberté de croire ce que vous choisissez de croire.** Mon conseil pour vous en cette matière est que si vous choisissez d'accepter l'information du Nouvel âge, et que vous fonctionnez dans le cadre d'un autre système qui vous est utile, vous pourriez décider d'être discret à ce sujet. Et pour illustrer ce conseil, j'utilise l'exemple du fruit. Supposons qu'il y a un leader assis à une table en train de déguster son fruit préféré, ce fruit étant la papaye. Et dans la nouvelle énergie, si vous veniez à sa table avec le fruit que vous aimez le plus, ce fruit étant la mangue, il pourrait vous dire : « Tu sais, la papaye est drôlement bonne elle aussi. Mais je comprends que tu aimes la mangue. Alors je t'en prie, viens et régale-toi avec moi. Assieds-toi à ma table, et même si je n'aime pas ta mangue et que tu n'aimes pas ma papaye, nous pouvons tout de même partager ce que nous avons en commun dans l'amour. »

Dans l'ancienne énergie, il y aurait un leader qui s'assoirait à sa table pour déguster sa papaye, mais quand vous viendriez à sa table avec votre mangue, il vous dirait : « Qu'apportes-tu ici? Ce fruit médiocre! » Et il ajouterait : « Donne-moi cela! » Il mettrait la mangue en lambeaux devant vous et dirait : « Assieds-toi. » Et il vous couperait un morceau de sa papaye, même si vous n'aimez pas la papaye, et il vous le donnerait en ajoutant : « Je comprends que tu ne l'aimes pas, mais avec le temps tu arriveras à l'aimer. » Et nous avons donc des gens qui vous diraient comment penser, mes chers amis, et nous vous donnons le conseil de rester loin de ces gens.

Comme preuve, tandis que vous regardez votre culture autour de vous sur votre planète, je vous demande ceci : « Quels sont les gens qui vivent le plus en paix? Quels sont ceux, mes chers amis, qui n'ont pas eu de guerre dans leur pays depuis de nombreuses années? Quels sont ceux qui éduquent leur famille sans vivre dans la peur, qui profitent de la plus grande abondance, qui ne s'inquiètent pas de savoir d'où leur viendra leur nourriture et à qui un toit est garanti? » Et la réponse est presque exclusivement les gens qui sont libres de penser par eux-mêmes et qui sont libres de choisir ce qu'ils veulent faire. Réfléchissez-y.

Finalement, la nature même de la question au sujet des faux prophètes recèle une grande part d'ironie. Car mes chers amis, alors que je suis assis devant vous ce soir, vous êtes en train d'entendre la traduction en mots terrestres de la voix du grand soleil central. C'est cette voix qui parla à Moïse du sein du buisson ardent. C'est cette voix qui parla à Abraham, alors que celui-ci se tenait prêt à enfoncer son poignard dans la poitrine de son fils Isaac, en disant : « Arrête! Tu es honoré. » C'est donc cette même voix qui s'exprima aussi pour dire : « À la fin des temps, il y aura des faux prophètes; méfiez-vous en. » C'est donc l'auteur de ce même message que vous mettez maintenant en doute. Tandis que vous vous approchez du saint homme appelé Kryeon et lui posez la question : « Kryeon, si je demande à l'autre saint homme si vous êtes celui qui ment toujours, dira-t-il "Oui"? La réponse de Kryeon sera "Oui".

Mes chers amis, vous vous trouvez assis dans la nouvelle énergie ce soir. Vous êtes également assis à côté de vos guides et ils vous tiennent la main durant ce temps. Ils vous aiment durant ce temps. Et c'est beaucoup demander à certains d'entre vous que de croire cela; pourtant c'est vrai, et nous vous honorons pour la dualité que vous subissez. Avant que vous ne quittiez cet endroit, sachez que vous avez été assis en présence de l'Esprit ce soir. Vous avez été assis dans l'énergie d'amour du grand soleil central. Et peu importe la voie que vous suivez, toutes ces paroles vous étaient destinées. Car une fois de plus nous vous disons que vous êtes ici à dessein et dans un but précis. Nous connaissons votre nom! Nous espérons que vous prenez la responsabilité ce soir pour cette partie supérieure de vous qui veut se manifester pour créer une vie que vous n'avez jamais connue auparavant, une vie qui vous confère le pouvoir de cocréer votre propre réalité.

Et à ceux qui ont été rattachés à cet endroit par le lignage de leur roi, nous vous donnons maintenant la permission de quitter cet endroit sans plus avoir l'impression de ne pas être libres de partir. Nous vous honorons pour la vie que vous avez vécue il y a neuf cents ans et pour le rôle que celle-ci a joué dans cette réunion ce soir! Qui aurait pu penser qu'une telle chose se produise?

Et il en est ainsi!

Kryeon

Un mot de l'auteur...

Nous ne parlons pas souvent dans ce livre des séminaires de Kryeon d'où proviennent bon nombre de ces channelings dont vous prenez connaissance. Les séminaires sont toujours remplis d'une merveilleuse énergie d'amour, de musique et parfois d'une guérison ou deux. Jan et moi les offrons toujours ensemble et nous tentons de faire preuve au cours de ces séminaires de la plus grande intégrité possible.

Février 1995

Chers Jan et Lee,

Mille fois merci! Je vous remercie du fond de mon cœur. Toutes — littéralement — toutes les questions que je me posais ont reçu réponse! Ce fut un merveilleux séminaire! Merci!

Je tiens à vous dire que nous avons eu le bonheur de voir l'énergie de Kryeon dans la salle lorsque nous sommes entrés, et nous avons vu l'énergie autour de vous et à travers vous pendant que vous parliez. Mais Lee, ce que je tiens le plus à vous dire c'est qu'avant même de prendre l'avion pour me rendre à Seattle, j'ai rêvé que j'étais guérie; j'ai vu et senti Kryeon me parler et m'expliquer que j'avais le pouvoir de prendre en mains cette chose. À présent que je me suis appliqué le message de Jan, et que j'ai fait le travail de l'enfant intérieur, il n'a pas fallu beaucoup d'efforts pour faire remonter la vérité!

Kryeon était si aimable et l'énergie que j'ai sentie était comme un feu blanc dans mes articulations. Il m'a dit qu'il me fallait tout de même trouver la bonne sorte d'exercices à faire pour accroître ma masse osseuse et que le cartilage allait commencer à se refaire, mais que c'était à moi qu'incombait la responsabilité de prendre l'initiative de chercher et d'employer le bon genre de processus pour effectuer les changements. Il lança le flux d'énergie avant même que je quitte la maison! Le soir du channeling à Seattle, aussitôt qu'il commença à parler, le feu blanc d'énergie débuta dans mes articulations et c'est à peine si je réussis à maintenir ma concentration pour écouter ce qui se disait. Je recevais un incroyable flux d'énergie de guérison!!! Je vous suis si reconnaissante d'être un canal si clair et si lumineux!

Le même soir après être allée au lit, j'ai eu des visions et fait des rêves durant une période d'environ une heure, et puis je me suis réveillée. Je sentais le besoin de me coucher sur le dos. Je n'avais pas été capable de me coucher sur le dos depuis mon opération au genou survenue deux ans plus tôt, car j'avais alors chaque fois de terribles crampes dans les jambes. Je le fis de toute façon et me rendormis immédiatement. Je m'éveillai une heure et demie plus tard toujours couchée sur le dos et sans la moindre crampe aux jambes. Les muscles et les tendons se faisaient étirer. Je demeurai là étendue pendant environ trois heures et je parlai à mes guides, au Christ, à Kryeon; je me sentais si merveilleusement bien! J'ai dormi encore deux heures de plus avant de me lever et d'aller prendre l'avion pour retourner à la maison!

Ce fut une grande leçon pour moi. Le fait de ne pas pouvoir marcher m'avait profondément déprimée et ceci me démontrait que je ne pouvais me permettre de perdre du temps à être déprimée; il me fallait travailler sur moi-même. Si l'énergie qui circule à travers moi peut guérir les autres, alors je peux en fait autant (à travers Dieu et Kryeon) pour moi-même. Je sais maintenant que je le peux et que je suis!

Jan, votre harmonisation était magnifique. J'ai également acheté votre cassette audio — très bonne! Lorsque nous nous sommes tous harmonisés ensemble, je ne pus m'empêcher de m'émerveiller en voyant la Lumière et l'énergie. Je suis une guérisseuse par la vibration et le son, et les harmoniques que je fais ne pouvaient que se marier à celles des autres. Vous êtes tous deux si admirablement guidés!

Soyez tous deux bénis pour votre magnifique travail. Je n'ai jamais eu auparavant une telle expérience de Lumière à travers moi, sauf lorsque le Christ vient à travers moi pour répondre aux lettres et questions des autres! La vérité brille avec tant de force!

Je vous aime tous!

Brenda Montgomery
Tollhouse, Californie

Autre lettre reçue

Cher M. Carroll,

Savez-vous que dans la communauté métaphysique de l'ensemble du pays vos livres ont de plus en plus la réputation d'être une contre-attaque générale des forces des ténèbres contre la <u>véritable</u> information d'amour et de lumière et de pouvoir qui est dispensée d'en haut?

Formulé en une prose admirablement écrite, faisant appel à la bonne terminologie spirituelle et aux bons concepts, ce genre de chose est leur façon "d'accrocher" les gens pour les amener à réellement faire l'exercice. Si le nuage NOIR ne suffisait pas déjà comme indice, alors la disparition de nos guides — et un sentiment de dépression suicidaire pendant 90 jours — devraient avoir suffi. Avez-vous une idée de tout le <u>tort</u> que cela va faire parmi le public innocent et les chercheurs bien intentionnés mais naïfs? Ce qu'il nous faut aujourd'hui c'est nous débarrasser des implants karmiques, pas demander d'en avoir un AUTRE.

Je vous conseille vivement de considérer le tort irréparable que vous allez faire avec ces écrits extrêmement dangereux et vous exhorte d'arrêter. Ceci n'est pas un lettre d'injures. J'enseigne moi-même sur ces sujets et les Frères de l'espace mettent les gens en garde contre vous, tout particulièrement à travers leurs channels humains à Salt Lake City et à San Pedro en Californie. Ceci est le summum de la duperie par les **Forces des ténèbres**.

Un ancien lecteur.

À propos de la page précédente...

Quelle réponse donner à une telle lettre? Si la personne avait indiqué son adresse, j'aurais invité les milliers de personnes parmi vous qui ont eu un magnifique changement dans leur vie ou une guérison physique à écrire à cet individu anonyme.

Une attaque subséquente survenue en 1996 contre l'ensemble du travail de Kryeon a pu être reliée à cette femme et à ses dévots partisans. Le terme "nuage noir" est habituellement utilisé en métaphysique pour désigner le voile. La perte de ses guides est aussi un défi qui arrive à tout le monde avant tout changement de vibration, selon ce qui est rapporté en maintes religions. C'est même arrivé à Jésus sur la croix. C'est le type de chose qui arrive couramment d'après ce qu'on peut lire à ce sujet. Cette tentative montée de toutes pièces de créer quelque chose de noir et de mauvais autour de cet enseignement de Kryeon ne semble pas issue d'une juste motivation. D'ailleurs, plusieurs revues et publications métaphysiques d'Amérique du Nord sont parvenues à la même conclusion. Kryeon apporte que le don de l'implant est une <u>libération</u> de karma, et non quelque chose qui s'ajoute au plan karmique. Par conséquent, l'auteur de la lettre a raison lorsqu'elle dit que nous devrions effectivement nous débarrasser de notre karma en ce moment. C'est exactement le sens du message de Kryeon. Kryeon nous supplie de découvrir la <u>lumière</u> en chacun de nous.

Je vous présente maintenant les règles que l'Esprit m'a personnellement données à suivre en tant que channel pour Kryeon. Lors de chaque atelier, je récite ces règles. Jugez par vous-même si ces règles donnent l'impression d'être les attributs d'une force opposée à la vérité.

Règles relatives au travail de Kryeon :

- Ne pas fonder d'Église ou de grosse organisation
- Ne pas inciter les gens à devenir des disciples de Kryeon
- Ne pas faire d'évangélisation avec le travail de Kryeon
- Ne pas faire de channeling dans les mass-médias!*
- Laisser l'amour de l'Esprit te guider sur ta voie

---

* *Ce que cela veut dire, c'est que je ne peux aller "en ondes" et faire un channeling* en direct. *Si des programmes audio et vidéo sont offerts, ils doivent être sous forme d'enregistrements afin que les individus puissent choisir intentionnellement de les faire jouer ou de les voir personnellement. Aucun channeling de Kryeon ne doit jamais être diffusé sur les ondes. Les humains doivent toujours démontrer une intention personnelle de "vouloir connaître" avant de faire l'expérience de l'énergie de Kryeon.*

Kryeon parle de la "Lumière"

Mes chers amis, vous vous servez du mot "lumière" pour désigner tellement de choses différentes, et pourtant elles sont toutes reliées à la vérité absolue. Examinons le sujet à partir de l'extérieur vers l'intérieur.

Je viens du grand soleil central, la force d'amour créatrice qui représente la lumière. Tout ce qui existe au sein de l'univers est symbolisé par la lumière qui émane de cette source. C'est la véritable semence en chacun de vous qui représente votre sentiment d'être à votre lieu d'origine. C'est la source de votre joie et c'est là que vous puisez la force nécessaire pour soulager votre peur dans les moments d'épreuve. Elle est substance et peut être mesurée. C'est la partie de vous qui est toujours reliée à la grande source centrale d'amour de l'ensemble du plan de la création.

La lumière afflue vers vous à partir de votre propre soleil. Vous ne la considérez peut-être pas comme ayant une très grande importance au plan spirituel, sauf si je vous rappelle que votre propre soleil est le moteur du système de réseau magnétique de votre planète, et que je suis là pour ajuster ce système de réseau en réponse à votre nature <u>spirituelle</u>! Par conséquent, même la lumière provenant de votre propre soleil mérite d'être honorée, spirituellement parlant, lorsqu'on donne une définition générale de la lumière.

La lumière est la source de toute vie et de toute création dans l'univers. Elle possède à la fois une dimension physique et spirituelle, car elle représente l'attribut fondamental de l'amour. Ce n'est pas le fruit du hasard si la lumière vous permet de voir, car les principes sont scientifiques et les attributs sont spirituels.

La lumière est votre source d'illumination et de reconnaissance du fait que vous êtes un être spirituel vivant sur Terre dans un corps physique, fermement connecté à la lumière de la grande source centrale. Il s'agit, métaphoriquement parlant, d'une libération de l'obscurité, qui est la peur même. Un humain illuminé travaille donc dans la lumière et représente une conscience de l'intensification de la vibration planétaire... le but de tous les humains illuminés.

La lumière est présente dans votre enveloppe biologique au niveau de l'infiniment petit et elle est le moteur même de votre rajeunissement. Si vous étiez un voyageur explorant les plus petits espaces d'obscurité de votre fonctionnement cellulaire intérieur, vous verriez réellement la lumière émanant de certaines des parties non encore découvertes! La lumière est donc non seulement responsable de la création de votre vie, mais également de sa préservation.

Finalement, la lumière revient au point de départ, car elle représente l'étincelle en vous qui fait partie du tout. L'ensemble de la création est fait de lumière, de l'infiniment grand à l'infiniment petit. L'entité d'amour issue de la grande source créatrice que vous portez en vous est une lumière si puissante que vous pouvez éclipser toute une galaxie de soleils, et pourtant elle est si délicate qu'une cellule individuelle peut s'en servir pour se rajeunir.

Vous êtes un maillon de la chaîne de lumière qui est l'univers même, un maillon représentant le fonctionnement d'une source d'amour si grande que sa dimension vous stupéfierait. Vous êtes en fait une partie de Dieu!

Et vous vous demandez pourquoi vous êtes si tendrement aimés!

Kryeon

Chers amis Jan & Lee,

J'ai créé un corps me donnant beaucoup de difficultés pour cette vie. Dès le début de la vingtaine, j'ai commencé à avoir le lupus et j'ai souffert pendant 20 ans avec un corps perclus de douleurs. Finalement, il y a deux ans, mon lupus s'est aggravé au point où mes reins ne fonctionnaient plus. J'ai été hospitalisée et placée sur dialyse. Durant ce séjour, on m'a donné une dose excessive d'antibiotiques et je me suis réveillée complètement sourde le lendemain. La perte de l'ouïe fut pour moi un incroyable défi. Il m'est impossible de même tenter de décrire le désespoir et le sentiment d'impuissance que je ressentais. Pourquoi y avait-il autant de souffrances dans ma vie? Pourquoi une telle dualité? Pourquoi nous sommes-nous autant perdus si l'amour est la base de l'énergie de Dieu?

Puis j'ai lu le deuxième livre des écrits de Kryeon. Ce fut comme un moment d'épiphanie pour moi. Je compris alors pourquoi tout cela était nécessaire et je pleurai. Je me sentais si libre. Enfin, tout prenait un sens. Je pouvais maintenant passer à autre chose et être réellement utile. Je pourrais m'étendre longtemps pour vous dire à quel point je voyais tout maintenant d'un œil différent. Il m'est difficile de ne pas me promener tout le temps en affichant un sourire béat. Je peux sentir intuitivement comment se présentent vraiment les choses en ce monde, et je suis remplie d'une profonde admiration pour ma vie et le monde.

Avec amour,

Janice Justice, DC
Tigard, Oregon

SIX

Karma

Un mot de l'auteur...

Il y a tant à dire au sujet du karma! Kryeon l'appelle le "moteur des leçons de vie", et il nous dit que c'est ce qui fait réellement marcher tout le processus de nos actions ici sur Terre! Une question fréquemment demandée qui n'est pas traitée dans la séance de channeling des pages suivantes est celle-ci : « Pouvons-nous créer du nouveau karma pendant que nous sommes sur la planète? » Une autre question également demandée : « Pouvons-nous créer du nouveau karma même après avoir reçu l'implant? » La réponse à ces deux questions est : oui. Un lourd karma est créé lorsque vous vous détournez volontairement de votre contrat de vie. À vrai dire, du karma normal peut même être créé en remplissant votre contrat! Si vous devez, d'après votre contrat, devenir un merveilleux guérisseur, vous établissez alors les attributs karmiques d'un grand guérisseur! Ces attributs se créent au niveau cellulaire et vous les ramenez avec vous au niveau cellulaire à l'incarnation suivante.

Bien que l'on conçoive généralement le karma comme étant des leçons, il représente aussi des expériences résiduelles (ainsi que Kryeon en parle ci-après). Par conséquent, même une fois le karma entièrement effacé, vous continuez à produire de nouveaux attributs karmiques. Le genre de karma qui est éliminé par l'implant est celui qui s'est profondément enraciné depuis de nombreuses vies. Il serait très difficile de créer à nouveau ce genre de karma après avoir reçu l'implant.

Une autre question demandée est celle-ci : « Lorsque je reçois l'implant, éliminera-t-il aussi mon bon karma? » Une parfaite compréhension de ce qu'est le karma vous aidera à réaliser que cette question est sans intérêt pratique. Du bon ou du mauvais karma, ça n'existe tout simplement pas (du point de vue de Kryeon). L'implant vous fait repartir à neuf en ce qui concerne les leçons. Il ne vous enlève aucune connaissance acquise ni aucune chose utile que vous auriez pu avoir amené avec vous du passé. Le simple bon sens devrait nous faire voir que ce que l'Esprit nous offre dans ce Nouvel âge, c'est une AIDE BIENVEILLANTE. Il y a néanmoins des gens qui tentent d'analyser ce qui se passe comme si l'Esprit n'était rien de plus qu'une série de règles mécaniques et statiques plutôt qu'une énergie consciente et pleine d'amour. Nous devrions tous commencer à prendre conscience que tout ce qui nous touche est basé sur l'amour... même les choses qui semblent négatives. Écoutez ce que Kryeon a à dire sur le karma.

. . . .

Karma

Séance de channeling
Sandpoint, Idaho

La transcription de cette séance de channeling devant public a été modifiée par l'ajout de mots et de pensées afin d'en clarifier le sens et de permettre une meilleure compréhension de ce qui a été dit.

Salutations à vous, amis très chers. Je suis Kryeon du service magnétique. Oh! certains d'entre vous ont attendu ce moment avec impatience, pour être enfin en présence de l'énergie de l'Esprit. Eh bien! mes chers amis, vous ne serez pas déçus ce soir. Car vous devez comprendre, tandis que cette salle est en train d'être remplie par le groupe de Kryeon et que l'énergie s'intensifie, que c'est par amour pour vous que nous venons ce soir. Car chacun de vous assis sur le siège que vous occupez, avait rendez-vous ici. Ce n'est pas par hasard si vous vous retrouvez ici en train d'écouter la voix de mon partenaire alors qu'il interprète les groupes de pensée de l'Esprit en amour avec votre planète. Nous vous demandons cette fois d'ouvrir votre cœur et votre esprit. Les gens qui lisent ces mots dans "l'instant présent" et ceux qui entendent ceci maintenant feront la même chose. Sachez que ce n'est pas le fruit du hasard si vous êtes là en train de lire ces mots ou d'écouter cette voix.

Certains d'entre vous ici ce soir vont bientôt perdre la notion de ce qui se passe et n'entendront que très peu des enseignements qui seront donnés. Car l'Esprit est en train de travailler sur vous en guise de cadeau du fait de notre amour pour vous. C'est la raison de votre présence ici. Tout ce qui s'est passé auparavant culmine maintenant pour vous dans ce moment. Plusieurs parmi vous sont venus avec le désir d'en apprendre plus, avec une mission qui n'est pas réalisée, avec des questions sur ce qui les attend dans un avenir immédiat. Nous souhaitons vous donner ces réponses, mais nous désirons vous les donner de telle façon que vous pourrez plus tard découvrir par vous-mêmes vos réponses personnelles. Nous vous les donnons donc sous une forme astrale, mais nous devons vous emmener, seulement pour un court moment avec votre coopération. Alors, si vous vous éveillez à la fin de cette séance de channeling et que vous vous dites : « Je n'ai pas conscience d'avoir entendu quoi que ce soit », vous saurez alors pourquoi.

Ah, ressentez l'amour que l'Esprit a pour vous, mes chers amis! Car c'est à titre de simple "mécanicien" que Kryeon vient à vous ce soir. Et tandis que nous sommes assis devant vous, Kryeon a pour habitude de répéter que c'est vous qui faites le travail. Il est vrai que la voix qui vous parle maintenant et les interprétations sont les mêmes que celles qui s'adressaient jadis à vous à partir du buisson ardent! Car nous représentons la force créatrice, le grand soleil central. Nous venons à vous en tant qu'Esprit, mais les enseignements, l'amour et l'énergie viennent du même endroit. Nous vous demandons de sentir ceci à mesure que la soirée avancera. Même les gens qui lisent ceci dans "l'instant présent" peuvent faire l'expérience de ces choses. Car notre amour pour vous, chers lecteurs, est tout aussi grand que celui que nous avons pour les personnes assises devant Kryeon ce soir.

Et il en est ainsi pour vous, mes chers amis, si vous souhaitez accepter les cadeaux qui seront distribués durant ce court moment. Ce dont il est avant tout question ici, c'est d'énergie. Vous êtes à la bonne place et au bon moment sur cette planète. Et nous honorons grandement ceux parmi vous qui sont en cet endroit par choix. Nous vous disons qu'il y a du travail pour vous ici. Car il y aurait des forces qui aimeraient interrompre cette énergie, mais ce sont des forces humaines. Par conséquent, vous avez le pouvoir complet et total de garder cela propre, car c'est important à l'échelle planétaire. Tout sera révélé en son temps.

Nous allons prendre quelques moments de plus pour attendre que la salle se stabilise au niveau désiré avant de commencer à donner l'enseignement. Et durant ce temps, nous vous répétons une fois de plus que nous sommes ici pour vous baigner les pieds et circuler parmi vous dans les allées en pur amour. Voyez-vous, nous savons qui vous êtes! Nous savons ce que vous devez endurer. Nous connaissons vos désirs intérieurs les plus profonds. Nous connaissons votre contrat. Et nous sommes ici ce soir dans l'amour pour coopérer avec toutes ces choses.

Nous désirons utiliser ce temps pour vous donner un enseignement et vous expliquer, grâce à un exemple, une chose qui est commune à toute l'humanité mais qui est souvent mal comprise. Ce soir nous parlerons du karma d'une façon plus explicite que nous ne l'avons jamais fait auparavant. Or, certains d'entre vous croient que le karma peut être positif et négatif. Autrement dit, si un être humain vit un moment difficile sur la planète, il doit alors forcément subir un karma négatif. Ou quelque chose de merveilleux est peut-être en train d'arriver à un humain et vous vous dites qu'il est en train de faire l'expérience d'un karma positif. Et voilà pourquoi certains d'entre vous ont dit que ce qui est observé est peut-être une récompense ou une punition pour quelque chose qui est survenu dans une incarnation passée de cet humain. Ce n'est pas le cas, et nous souhaitons vous montrer la perspective selon laquelle l'Esprit voit le karma et la place que vous y occupez. Puis, nous aimerions vous donner quelques exemples de vies humaines qui vous le démontreront clairement.

Le karma est effectivement le **moteur de la réalisation planétaire pour la Terre**. Ce que cela veut dire, c'est que vous cheminez à travers vos leçons karmiques, vous devenez illuminés, et la planète se transforme. Car au fur et à mesure que chaque leçon est apprise, vous progressez vers l'illumination. À mesure que votre conscience s'éveille en tant que groupe sur la planète, la Terre, la matière même de la Terre doit répondre. Car la Terre en tant qu'objet matériel doit réagir à vos changements de conscience! Voilà comment vous élevez la vibration de votre planète. Alors, à mesure que vous cheminez à travers votre karma, vous transformez réellement la Terre. Et le karma individuel est la chose la plus importante dont vous disposez; il donne les meilleurs résultats pour toute l'humanité.

Or, il peut vous sembler étrange que la Terre réagisse à votre conscience humaine; néanmoins, c'est ainsi que les choses se passent. C'est pourquoi Kryeon est ici en ce moment, en train de réajuster le système du réseau magnétique de la planète. C'est en raison de ce que vous avez personnellement fait dans vos propres vies. Les choses ne seraient pas ainsi si vous n'aviez pas changé en tant que groupe. Vous devriez donc comprendre que la planète se transforme au plan physique en réaction à ce que vous faites au plan spirituel. Voilà donc la raison de l'importance du karma. C'est aussi la raison pour laquelle votre avenir n'est pas déterminé et qu'il se transformera à la mesure même de votre transformation.

Permettez-moi de vous donner un exemple. Imaginez-vous en train de participer à une réunion de planification avant votre naissance. Comme "fragments de Dieu" et entités de l'univers, vous avez été choisis et vous vous êtes effectivement portés volontaires pour faire partie du plan de la Terre. Vous participez donc de votre plein gré à une session de planification durant laquelle vous planifiez avec ces entités bien-aimées qui vous entourent ce que seront vos leçons. Et le choix des leçons est décidé sur la base de ce que vous estimez pouvoir apprendre à partir de ce que vous avez déjà appris dans le passé. Il vous faut comprendre que la planification se fait toujours sur un niveau où une chose mène à une autre. Par conséquent, les leçons que vous avez apprises dans le passé ne seront pas répétées. Les expériences des vies passées qui ont été karmiquement accomplies ne vont donc pas nécessairement se présenter à nouveau à vous, car ces leçons ont déjà été apprises.

Il s'agit d'une complexe séance de planification, car non seulement vous impliquez ceux autour de vous qui ne sont pas sur la planète, mais nous vous répétons que cette séance de planification implique aussi la partie supérieure de ceux d'entre vous qui sont déjà sur Terre. Ce que cela signifie, mes chers amis, c'est qu'il y a en ce moment même des séances de planification consacrées à la réalisation des possibilités qui se présentent à vous. Elles se poursuivent encore maintenant, même si vous êtes incarnés ici. En réalité, les séances de planification ne cessent donc jamais. Cela donne l'impression que ces choses sont complexes, mais cela peut aider à répondre aux questions que vous avez quant à savoir comment vous pouvez cocréer! Car les possibilités s'offrant à vous s'ajustent à mesure que change votre conscience. Ceci veut également dire que votre "contrat" changera à mesure que vous élèverez votre vibration. Encore une fois, ce que nous vous disons c'est que vous êtes en interaction avec votre avenir sur la planète.

À mesure que vous changez, votre contrat et le choix de possibilités changent aussi, et la planète change également. Lorsque nous vous demandons de prendre conscience de la nature de votre contrat, nous voulons dire qu'il vous faut prendre conscience de l'instant présent. Pour clarifier ce point, nous parlons toujours de l'instant présent quel que soit le moment où nous communiquons avec vous.

Imaginez-vous maintenant que vous vous retrouvez durant cette séance de planification avant de venir sur Terre. Vous avez pris les arrangements nécessaires pour les diverses leçons que vous souhaitez apprendre et vous êtes maintenant prêt. Alors, dès que les circonstances s'y prêtent parfaitement, vous entreprenez votre voyage vers la planète. Et le premier endroit que vous visitez est la caverne de la création. Nous en avons déjà parlé auparavant. Il s'agit d'un endroit qui existe réellement sur la Terre et où se trouve une gemme d'énergie qui conserve votre moi supérieur. Il y a un nom d'inscrit sur la gemme qui est votre nom astral, et le reste de votre énergie se transfère alors dans la forme incarnée à la naissance biologique. Cette caverne de la création est aussi l'endroit où sont conservés les registres de toutes les entités qui sont un jour venues ici ainsi que les leçons qui ont été apprises. C'est donc également là que se fait la prise en compte des faits et gestes de chaque vie. C'est le but réel de la caverne de la création.

Une fois dans votre forme biologique, vous avez ensuite l'occasion de réaliser vos leçons, bien que cela vous soit caché. Il n'y a pas de leçons négatives et il n'y a pas de leçons positives. Elles sont toutes simplement des leçons, chacune d'une importance égale. Et même si certaines d'entre elles peuvent vous sembler négatives ou positives, elles ne le sont pas, car la façon dont Dieu les perçoit est bien différente de celle des humains. Et lorsque vous n'étiez pas incarnés ici, vous possédiez la sagesse du tout et compreniez parfaitement les implications de ce que vous planifiez... tout particulièrement lorsque vous vous donniez un défi en apparence difficile à relever.

Ah, ce qui compte avant tout c'est la joie de relever ces défis! Mais on doit vous laisser le faire seul, et c'est là le soi-disant "voile" en ce qui concerne tout ce que vous vivez. Il n'y a pas de prédestination. Le choix que chaque humain exerce est celui de décider de ce qu'il fait avec sa propre leçon. Et c'est ce choix qui change l'équilibre. Car, même sans une illumination naturelle et une pleine connaissance de qui vous êtes réellement, si vous êtes tout de même capable de voir et de faire des choix qui vous incitent à aller vers la vraie vérité, la vibration de la planète s'élève alors tout de même. Et ensuite lorsque vous avez terminé, mes chers amis, vous repassez par la caverne de la création pour reprendre votre essence et votre nom. Ce que vous avez accompli est enregistré pour votre bénéfice, et puis vous vous rendez au hall des célébrations, un endroit ne se trouvant pas sur Terre où vous accueillent tous ceux qui vous ont aidés à préparer votre incarnation. C'est aussi à cet endroit où vous en verrez d'autres comme moi, mes chers amis. Souvenez-vous... Je connais votre nom. Les êtres en service comme moi sont toujours présents dans le hall d'honneur; nous ne quittons jamais cet endroit. Je suis là en ce moment même, tout comme je suis également avec vous.

Et ainsi à la fin de tout cela, un cycle a été accompli et vous vous retrouvez à nouveau en séance de planification si tel est votre choix. Puisque c'est un fait qu'il y a de plus en plus d'humains en même temps sur Terre à mesure que passe votre temps terrestre, il devrait également être évident pour vous que vous n'avez pas tous été ici auparavant. Cela signifie qu'il y a toujours de nouveaux humains qui viennent s'incarner. Mais nous vous dirons qu'il y a une relation entre les gens présents dans cette salle à l'égard du nombre de vies qu'ils ont passées sur la planète. Car les gens dans cette salle ont tous eu de multiples vies. Il n'y en a pas un seul ici que l'on pourrait qualifier de nouveau venu. Car ceux ayant eu de multiples incarnations et qui ont réglé de multiples karmas, sont ceux parmi les gens actuellement sur cette planète qui sont le plus intéressés en ce moment même à recevoir l'illumination. Ce sont les premiers à répondre à la nouvelle énergie. Et c'est donc à vous qui êtes ici que revient la responsabilité de remettre le flambeau à ceux qui viennent pour la première fois. Mais ils vous reconnaîtront et seront attirés vers vous.

Tout cela fait partie de votre karma et de votre mission en tant qu'entités ayant un "passé riche en vies". Comme nous l'avons mentionné précédemment, la vie ici peut réellement se comparer à un théâtre terrestre. Et lorsque la pièce est terminée, peu importe ce qui s'est produit durant la pièce, même celui qui s'est retrouvé avec le couteau planté dans la poitrine se relève. Les héroïnes serrent la main des scélérats. Ils s'étreignent et puis ils s'en vont tous faire la fête. Vous pouvez donc voir que le tableau d'ensemble peut être quelque peu différent de ce que vous aviez imaginé. Mais c'est néanmoins ainsi que les choses se passent.

Ceux parmi vous qui se sont interrogés au sujet du karma de

groupe ont considéré là une question fort complexe, car tous ne font pas partie d'un groupe. Le karma de groupe est une chose appropriée car cela contribue grandement à faciliter le karma individuel. Si vous continuez à vous incarner comme groupe, vous avez alors des leçons interactives dont le déroulement peut se poursuivre parce que vous vous retrouvez constamment avec les mêmes individus. Les groupes favorisent donc mieux l'apprentissage des leçons individuelles que lorsqu'une entité évolue seule. Or je vous dis que pendant que vous êtes ici ce soir et lorsque vous quitterez cette salle, vous côtoierez des mères et des pères, des fils et des filles qui sont à vous... et vous ne les reconnaîtrez pas! Les visages que vous voyez mais que vous ne reconnaissez pas seront ceux de vos propres enfants. Tel est le niveau d'interaction du karma de groupe dans cette région. Certains d'entre vous ont appartenu à de très anciennes tribus de cette région depuis belle lurette. Et je donne à mon partenaire le nom de "Nespars", les grands éleveurs de chevaux de l'ancien temps sur le sol même que vous foulez en ce moment. Car vous avez un grand lignage dans cette région.

Dans notre étude du karma de groupe, il nous faut vous dire qu'il y a un autre attribut qui concerne un "calcul de l'énergie" dont nous n'avons jamais parlé avant. C'est seulement pour votre intérêt que vous devriez savoir ceci, mais cela peut s'avérer une révélation pour les autres lisant ces lignes. Car il y a un certain nombre de personnes sur cette planète qui doivent toujours demeurer dans le même groupe et il est probable qu'elles n'en changeront jamais. Il s'agit en quelque sorte d'un standard de référence pour le karma de groupe, un point d'ancrage ou une base de départ pour que le système de groupes fonctionne. Nous les appelons donc les "pur-sang au plan astral" de la planète. En d'autres termes, ces âmes s'incarnent uniquement au sein du même groupe; et celui-ci est suffisamment nombreux pour que ceci puisse se faire sur toute la planète. Il est possible pour ces âmes de choisir de se retirer de ce groupe, mais ils n'auront plus alors la possibilité de s'y réincarner à nouveau. L es nouveaux venus entrant dans ce groupe savent tout ceci à l'avance. Certains d'entre vous ont déjà deviné de quel groupe il s'agit. Car il est arrivé si souvent à Kryeon de vous rappeler le lignage des Juifs. Ce groupe possède un attribut sur Terre qui ne ressemble à aucun autre. Mon partenaire ne cesse d'être rempli de respect et d'admiration pour leur lignage, et à présent il sait que telle en est la raison. Car ce sont eux les "pur-sang au plan astral". Ce sont également eux qui ont eu un rôle si important à jouer dans toute l'histoire humaine. Le fait d'être un pur-sang au plan astral comporte les attributs d'une arme à deux tranchants. Être perpétuellement dans le même groupe a pour effet d'augmenter la compréhension du fonctionnement des choses. À mesure que vous faites l'apprentissage de vos leçons, vous amenez avec vous la connaissance cellulaire de vos réalisations passées. Cela crée de la cohérence, de la sagesse et ce qui semble être un avantage injuste par rapport à ceux qui changent souvent de groupes. Afin de compenser pour ce fait, les pur-sang au plan astral ont accepté d'assumer le karma le plus lourd de la planète.

Or, l'Esprit ne crée pas une hiérarchie de favoris. Les pur-sang au plan astral sont aimés tout autant que n'importe qui, et ils ne sont pas considérés comme les élus de Dieu, sauf en ce qui concerne le fait qu'ils sont différents des autres humains en raison de la pureté de leur karma. Nous vous invitons à noter un intéressant attribut biologique : les Juifs ne sont pas reconnus du point de vue biologique comme une race distincte par votre science humaine, néanmoins ils font comme si tel était le cas, puisque du point de vue karmique ils le sont. De fait, c'est là leur grand lignage, car ils ont aidé à fonder la planète et furent ici dès le tout début. Il y a beaucoup à raconter à ce sujet. On a vu dans l'histoire la réaction des autres groupes à l'égard de ce groupe karmique pur, et les événements qui ont contribué à leur créer maintes leçons difficiles, toutes planifiées par ceux qui ont décidé qu'ils voulaient être les pur-sang au plan astral sur la planète Terre. Nous allons maintenant laisser ce sujet de côté, car il ne s'agit que d'un point d'intérêt secondaire parmi ceux que nous voulons aborder ce soir.

Nous désirons vous donner différents aperçus sur la vie de certains individus, afin que vous puissiez voir le fonctionnement interne du karma. Cela est donné à chacun de vous ce soir afin de vous permettre de comprendre pourquoi vous êtes ici, et ce que vous pourriez faire à l'égard de certains sentiments que vous éprouvez. Avant de commencer, nous souhaitons faire un autre moment d'arrêt et vous demander de sentir l'énergie, car elle a changé depuis que nous avons commencé. Et, mes chers amis, savez-vous pourquoi ce changement s'est produit? C'est parce que vous l'avez demandé. Vous avez l'ultime contrôle sur ce qui se produit dans cette salle ce soir.

Marie la Stérile

Nous allons maintenant parler de Marie la Stérile. Lorsque Marie était enfant, elle savait intuitivement qu'elle était née pour être une mère. Lorsque les autres petites filles de son âge jouaient avec des poupées, elles ne jouaient qu'avec une seule poupée; Marie, elle, jouait avec six poupées. Voyez-vous, Marie savait tout au sujet des enfants. Elle savait ce qui les rendait heureux et comment les éduquer. Elle savait parfaitement comment s'y prendre, voyez-vous, puisque Marie avait déjà été une mère auparavant. À chacune de ses vies successives, elle avait élevé des enfants. Elle avait parfois eu jusqu'à onze enfants. Marie était née pour être une mère.

Plus tard durant sa vie, elle se trouva un partenaire, un homme qui disait : « Je veux avoir une grosse famille.» Marie se disait : « Celui-là, il est pour moi. » Ensemble, ils ont fait des plans et réussi à obtenir une très grande maison en prévision des nombreux enfants qu'ils auraient. Hélas, les années passaient et Marie n'avait pas d'enfants, car à sa grande stupéfaction elle s'avéra être stérile. Et toutes les connaissances qu'elle avait en ce qui concerne les enfants semblaient ne lui servir à rien. Elle était affligée et égarée. Elle était fâchée contre Dieu et pensait au vilain tour qu'on lui avait joué : venir sur cette planète avec une telle connaissance des enfants, et ensuite en être privée! Quant à son époux... il ne demeura même pas une année avec elle. Car voyez-vous, il voulait avoir ses propres enfants biologiques tout autant que Marie. Il voulait voir leurs mains et leurs doigts et savoir qu'ils étaient tout comme les siens, et que sa biologie était leur biologie. Marie se retrouva seule.

Marie surmonta sa colère à l'égard de Dieu, car elle était consciente spirituellement et elle le savait. Une possibilité se présenta à elle d'en apprendre un peu plus sur les sentiments qu'elle éprouvait. Il ne lui semblait pas logique que Dieu veuille lui jouer un tour aussi méchant, et elle chercha donc à obtenir des réponses. Elle oublia sa colère et se mit à la recherche de l'Esprit et se découvrit elle-même en compagnie d'autres personnes qui lui apportaient de l'information.

La principale chose que Marie fit sur-le-champ, et qui fit toute la différence, fut d'assumer la responsabilité de ce qui lui était arrivé. Elle comprit grâce à l'étude qu'elle avait effectivement planifié ce qui lui était arrivé. Elle ne comprit pas pourquoi et il lui arrivait encore de pleurer au milieu de la nuit pour les enfants qu'elle ne pouvait avoir, mais elle en assuma la responsabilité. Peu de temps après, Marie eut une vision et elle sut alors ce qu'était sa mission. Car la vision lui montra d'autres mères à travers le monde qui lisaient ses paroles et sa sagesse. Voyez-vous, Marie était censée publier de l'information sur l'éducation des enfants et c'est ce qu'elle fit. Et lorsque vint le temps pour Marie de repasser par la caverne de la création, et ensuite au grand hall des célébrations, elle avait écrit en tout sept livres. Ces livres furent diffusés sur toute la planète. Des dizaines de milliers de mères bénéficièrent de l'œuvre de Marie, de sa sagesse et de son expérience. Rétrospectivement, une fois parvenue de l'autre côté, Marie comprit ce qui s'était passé. Oh! oui, elle s'était incarnée avec la connaissance, le "résidu" de nombreuses vies passées, mais elles les avait mal interprétées. Elle n'était pas censée avoir des enfants, car ils auraient été une entrave à sa véritable mission! Il fallait qu'elle prenne conscience de sa responsabilité à l'égard de qui elle était et face aux problèmes qu'elle éprouvait, pour qu'elle en arrive à changer d'avis et à voir quoi faire avec sa sagesse. Gardez cette leçon à l'esprit, car nous avons d'autres histoires à vous raconter.

Jean le Riche

Parlons maintenant de Jean le Riche. Chacun de vous connaît ce Jean. Jean était né sur cette planète avec une aptitude innée à créer de la richesse. Tout ce que Jean touchait le rendait riche, et cela faisait effectivement partie de son karma. Et beaucoup le regardaient et disaient : « Il doit avoir été une bonne personne dans une vie passée pour avoir ce karma positif. » Mais ils ne comprenaient pas du tout en quoi consistait sa leçon. Même lorsqu'il n'était qu'un jeune garçon, Jean recueillait de l'argent des autres enfants pour ceci et pour cela... un service ici, une action là. Cela continua dès lors ainsi, car il recueillit et amassa une fortune. Jean possédait une telle fortune qu'il lui était impossible à lui seul de la dépenser entièrement durant son existence. Néanmoins, Jean consacra tout son temps à accroître sa fortune et il devint malheureux. Puis il devint furieux. Car Jean n'avait pas une vision claire de sa mission. Il lui était trop facile de créer de l'abondance. Et Jean devint donc une personne irritable et se mit à se plaindre sans arrêt. Des gens cessèrent même de vouloir être en sa compagnie tant il était furieux contre tout. Par conséquent, les seules personnes qui demeuraient avec lui étaient celles qu'il payait pour lui tenir compagnie... ce qui constituait leur propre karma. Et c'est ainsi qu'à sa mort Jean était devenu un homme malheureux. Ce ne fut que lorsqu'il arriva de l'autre côté qu'il réalisa ce que sa leçon avait été. Il avait choisi l'une des plus difficiles leçons de toutes, une leçon qu'il était incapable d'apprendre.

Mes chers amis, on parle de cela dans les Saintes Écritures, et nous désirons vous parler ce soir de ce que cela signifie et de ce que cela ne signifie pas. Car les paroles sont traduites pour dire ceci : « Il sera presque impossible pour un homme riche de voir les portes du paradis. » Permettez à l'Esprit de vous dire ce que cela signifie : il est extrêmement difficile pour quiconque possède une grande abondance de devenir illuminé, et rien d'autre n'est ajouté à cette déclaration. Telle fut la leçon de Jean. Lui était-il possible de descendre sur la planète, faire l'expérience de ce genre d'attribut et parvenir tout de même à l'illumination? Car les possibilités qui s'offraient à lui d'y parvenir se sont rapidement évaporées et il ne leur avait accordé aucune attention. La recherche de son abondance l'avait totalement absorbé.

Or, certains ont extrapolé à partir de ce texte sacré toute une série de règles mal pensées au sujet de l'abondance. « Ce que l'Esprit voulait dire », disent-ils, « c'est que vous ne pouvez devenir riche et avoir l'illumination! Et si vous êtes riche, » toujours selon leur logique boiteuse, « vous n'êtes donc pas illuminé. Qui plus est, pour trouver Dieu, » pensait-on enfin, « il vous faut donner toutes vos richesses » (en général à une organisation dont le but est de les recevoir pour vous aider à vous débarrasser de ce fardeau spirituel). « Ce n'est qu'alors que vous pourrez avoir l'illumination. » Pire encore! Ces mêmes individus ont également assimilé le fait d'être pauvre avec celui d'être illuminé. Croyez-moi, mes chers amis, ce n'est pas le cas. Nous vous demandons de faire appel au bon sens. Nous vous avons dit auparavant que nous souhaitions que vous puissiez vivre dans l'abondance. Lors d'autres séances de channeling, nous vous avons amenés en des voyages où vous avez ouvert la porte de vos salles de vie spirituelle intérieure et l'une d'entre elles était remplie jusqu'au plafond de magnifiques choses... d'or et de richesses. Or, quelle raison aurions-nous de vous montrer ces choses, de vous inviter à cocréer votre propre réalité, puis de postuler comme principe que vous ne pouvez à la fois être illuminés et avoir l'abondance? **En voici la raison. Vous pouvez être totalement illuminés et posséder des richesses illimitées.** La partie difficile de cet attribut tient simplement au fait qu'une personne née sur la planète avec l'aptitude à créer aisément l'abondance possède un karma extrêmement lourd. S'arrêtera-t-elle ou non pour regarder son côté spirituel et devenir illuminée? En d'autres termes, la distraction est quasi insurmontable. Telle est l'ampleur de la difficulté. Vous êtes tous invités à avoir l'abondance, sans aucune exception. L'écrit sacré ne fait que souligner la difficulté et vous enjoindre à en être conscients. Avoir l'illumination et des richesses terrestres exige un grand équilibre et une véritable sublimation de l'ego. Ces attributs ne coexistent que très rarement. Lorsque c'est le cas, vous savez alors que vous êtes devant une très vieille âme. Béni soit celui qui connaît Dieu et possède l'abondance!

Philippe le Pêcheur

Nous désirons maintenant vous parler de Philippe le Pêcheur. Or, Philippe ne vivait pas sur ce continent, mais il s'agit bien d'une histoire réelle d'un véritable humain. Tout ce que Philippe avait toujours voulu faire depuis qu'il était enfant c'était de pêcher. Car voyez-vous, Philippe amenait avec lui dans cette existence le résidu de fort nombreuses vies de pêcheur. Il n'avait cessé d'être un pêcheur et d'être en relation avec des groupes de pêcheurs autour de lui, et il le savait. Lorsqu'il était enfant, tout ce qu'il voulait faire c'était d'aller au bord de la mer et se mêler aux adultes qui pêchaient. Il apprit ainsi à faire tous les nœuds de pêcheur et il excellait en cet art. Il connaissait intuitivement les saisons de pêche. Il savait intuitivement quoi faire et quand c'était le temps d'y aller pour attraper beaucoup de poissons. Mais voyez-vous, son père possédait une belle fortune et il avait aussi une formation légale. Il ne voulait pas que Philippe soit un pêcheur, car ce que les deux ignoraient c'était que son père avait fait une entente avec Philippe de l'autre côté, et tout cela faisait partie du karma de son père que de remplir cette mission. Le père était troublé que Philippe ne pense qu'à être un pêcheur, car il avait de plus grands projets pour lui.

Il éloigna Philippe du bord de la mer et l'envoya loin à l'intérieur où il l'inscrivit à une école de droit. Ce fut ainsi que Philippe devint un expert en droit juridique, une profession dans laquelle il excella. En fait, en grandissant, il en vint à aimer cela. Il pensa bien sûr à la vie de pêcheur, mais il transforma plutôt l'expérience de la pêche en un passe-temps favori. Il se rendait au bord de la mer chaque fois qu'il le pouvait pour faire du bateau avec un navire qu'il s'était acheté avec son propre argent et, pendant une journée ou deux, il sentait alors ce que sentent tous les pêcheurs.

Plus tard au cours de sa vie, Philippe fut promu à un poste important à la cour de son pays et, à nouveau, il excella. Car voyez-vous, il était intègre. Il avait passé du temps avec les pêcheurs! Il avait une affinité avec la nature et les créatures de la nature, et avec la Terre elle-même. Philippe transposait cette sagesse acquise dans son travail et il devint un grand leader dans son pays, parvenant jusqu'à la position de chef suprême. Les gens de son pays l'aimaient. Ils ne savaient pas pourquoi, mais Philippe leur rappelait un pêcheur ordinaire et ils pouvaient s'identifier à une telle personnalité.

Alors vous comprenez que le résidu des vies passées que portait Philippe en lui aurait très bien pu le retenir au bord de la mer et faire de lui un pêcheur, si ce n'eut été de son père. Car son père avait pour mission d'éduquer Philippe pour qu'il devienne un sage leader, et c'est ce qu'il avait fait. La mission de Philippe était de se servir des attributs d'un pêcheur et de les appliquer au gouvernement de son peuple. Philippe et son père avaient ensemble un plan astral; c'est ce qu'on appelle du "karma", et les deux humains l'avaient accompli à la perfection.

Elisabeth la Royale

Permettez-moi de vous parler d'Élisabeth la Royale. Voyez-vous, même dès sa naissance, Elisabeth tenait sa tête haute. Vous savez pour la plupart qu'il s'agit là d'une chose inhabituelle. Les muscles d'un enfant sont faibles et il ne peut tenir sa tête droite. Mais Elisabeth y parvenait. Ah, évidemment qu'Élisabeth faisait partie de la royauté, et elle le savait. Le seul problème, mes chers amis, était que les parents d'Élisabeth n'en faisaient pas partie.

Elisabeth était venue au monde dans un groupe de pauvres; peu à peu, au fil des ans, ce fait la mit en colère, car elle savait qu'elle était spéciale. Elle était une princesse promise à devenir un reine, mais rien dans son entourage ne permettait visiblement d'ajouter foi à ce sentiment. Et c'est ainsi qu'elle irrita les autres enfants avec son air de petite reine, et plus tard elle irrita aussi les autres adultes, car elle voulait qu'on fasse les choses d'une certaine manière. Elle affichait un air de reine au sein d'une famille pauvre.

Et tout comme pour la première histoire de Marie la Stérile que nous vous avons racontée, les possibilités s'ouvrant à Elisabeth se réalisèrent. Une de ses amies la prit à part un jour et lui expliqua comment l'Esprit opérait. Et Elisabeth, considérant sa propre existence, dit : « J'assume résolument la responsabilité de la façon dont je me sens... soit d'être née avec le tempérament d'une princesse, sans être dans une famille royale. Alors, quelle est ma mission? » se dit-elle. Puis elle réalisa : « Peut-être n'était-il pas nécessaire d'avoir eu une famille royale pour que je sois une reine. »

C'est ainsi qu'Élisabeth décida d'elle-même de créer sa propre position. Et tout ce qu'elle tenta fonctionna! Les occasions ne cessèrent de se présenter à Elisabeth à mesure qu'elle chemina vers le rôle de leader de son groupe et elle cocréa sa propre réalité. Et parvenue à l'âge de quarante-trois ans, Elisabeth en arriva à être respectée et admirée de tous. En raison de ses talents et de qui elle était, elle était effectivement parvenue à créer sa propre royauté. Ainsi, une fois de plus, le résidu de ses vies passées lui avait été utile, mais pas de la façon dont elle pensait qu'il lui servirait. L'alchimie entrant en jeu est facile à voir dans cette histoire. Car Elisabeth avait pris une situation potentiellement décevante et, à force de compréhension et d'illumination, l'avait transformée en une situation honorable et fort convenable. Elisabeth la Royale mérita bien son nom.

À présent, mes chers amis, considérant ces quatre histoires, vous vous demandez peut-être : « Comment puis-je faire la différence entre un résidu d'une vie passée et un contrat de vie ou une mission? Car les deux se ressemblent. » Marie la Stérile pensait qu'elle allait être une mère. Philippe le Pêcheur croyait être né pour pêcher, et Elisabeth pensait qu'elle aurait dû être une reine! Jean avait la conviction absolue d'être né pour être riche.

Mes chers amis, il est très facile de comprendre, et voici d'importants attributs. Toutes les séances de planification de karma, celles qui se tiennent en ce moment pour vous, tournent autour des possibilités qui s'offrent à vous au plan individuel. Autrement dit, elles sont planifiées dans l'amour pour favoriser votre illumination et ces possibilités se présentent à vous carrément à des moments cruciaux. Certains choix sont placés sur votre route afin de vous montrer ce que vous n'êtes pas censés faire. D'autre part, il y a des activités que vous essayez et qui fonctionnent bien pour vous, qui font de toute évidence partie de vos missions à réaliser. Si vous ne savez faire la différence entre un sentiment intuitif de niveau cellulaire et une mission, nous vous invitons à relever sans hésiter le défi de le découvrir en le vivant. Certains d'entre vous ont senti qu'ils devraient être ceci ou être cela. Peut-être devriez-vous aller ici ou aller là, mais vous n'êtes pas certains. Beaucoup d'entre vous devront accepter de prendre des risques pour découvrir la différence entre un contrat karmique et une mission, car la ligne de démarcation entre les deux est souvent floue. C'est cette ligne de démarcation imprécise qui vous invite à l'exploration pour découvrir la différence. Ne craignez pas de perdre du temps ou de gaspiller des ressources sur quelque chose qui semble avoir échoué, car cela peut vous avoir apporté la vérité! C'est précisément cette action ou cette intention de vous aventurer dans le nouveau qui signale à l'Esprit que vous avez décidé d'entreprendre ce que vous avez planifié! Voyez-vous l'ironie qu'il y a dans tout cela? Si vous tombez assis comme une masse, rongés par l'inquiétude et la crainte face à ce que vous êtes censés faire, alors rien ne se produira. Ce n'est que lorsque vous surmontez votre peur et passez à l'action pour découvrir de quoi il en retourne que le "moteur" de votre leçon se met à fonctionner.

Quelquefois votre action peut sembler mener à un échec, mais la vérité est que vous avez en fait découvert si le sentiment éprouvé provient d'un résidu ou s'il indique la voie de votre mission. C'est l'humain qui s'évertue à essayer la voie du résidu qui est idiot. Ça ne marchera tout simplement jamais.

Si Philippe avait donc essayé d'être un pêcheur, cela n'aurait pas fonctionné pour lui. Il y avait quelque chose de dissimulé dans sa biologie que Philippe n'a jamais découvert. Il aurait été continuellement malade s'il avait donné suite à son désir de consacrer sa vie à la pêche. C'est là une autre façon dont l'Esprit l'a honoré pour l'aider à trouver sa mission. Cela n'aurait pas fonctionné pour lui; et si ce n'eut été de son père, il aurait eu une chance de voir clairement ce fait. Au lieu de cela, Philippe a réussi à se consacrer rapidement à sa mission en raison de l'intervention d'un autre humain à ses côtés qui était venu s'incarner précisément dans ce but. Voyez-vous quel rôle important peuvent fort bien jouer certains humains autour de vous pour accélérer votre mission?

L'Esprit ne porte pas de jugement quant à savoir si vous avez ou non passé à travers votre karma lorsque vous arrivez de l'autre côté après avoir apparemment échoué dans une épreuve de la vie. Comme dans le cas de Jean le Riche, aucun jugement ne fut porté, pas même par Jean. Au lieu de cela, Jean fut accueilli en héros dans le grand hall d'honneur tout comme les autres. C'est à cause de l'incarnation que l'on vous rend honneur. Jamais l'Esprit ne juge si la leçon a été accomplie ou non. L'honneur se rattache au fait d'avoir marché sur la route et non à la direction que vous y avez prise.

David le Bien-aimé

Nous désirons maintenant vous raconter en terminant l'histoire d'une personne venue sur Terre sans aucun karma, mais seulement avec une mission, celle de David le Bien-aimé. David vint au monde avec certaines parties de son cerveau en moins. Il était un enfant intelligent. Il disposait de toutes ses facultés conscientes, mais les parties manquantes étaient celles qui contrôlaient la croissance. Et c'est ainsi que les médecins surent qu'il ne vivrait pas très longtemps, car cela s'avérait absolument impossible étant donné les parties manquantes. Le but même de l'existence de David était une mission. Même si elle n'était pas encore évidente, elle allait bientôt le devenir. David avait de jeunes parents qui l'aimaient tendrement, et il s'entoura d'autres personnes qui elles aussi l'aimaient tendrement.

C'est ainsi que David eut une vie extraordinaire pendant les quelques années où il fut sur la planète. Des gens l'emmenèrent à des endroits que jamais une jeune personne n'avait la chance de voir. Il fut comblé d'amour et eut toutes les occasions possibles d'apprendre. Et pourtant il mourut dans sa douzième année. **Car la mission de David sur Terre était de faire un don à ses parents**. Oh! si vous aviez dit à ses parents que c'était un cadeau, ils auraient été insultés! Il n'y eut pas de pire moment dans leur vie en raison du chagrin que leur causa sa mort. Connaître la nature de la mission de David n'aurait pas suffi à soulager la douleur de leur cœur. C'est tout comme pour vous, mes chers amis, lorsque vous apprenez la nouvelle de la mort de quelqu'un, cela ne vous aide pas sur le moment de savoir que c'est approprié. Car, sur le moment, la souffrance est très présente et aucune dose de sagesse astrale ne pourrait alors remplacer la montée de l'émotion.

Le jeune David leur manqua donc cruellement. Et c'est ainsi que ses parents pleurèrent sa perte comme il se doit en de telles circonstances. Mais voyez-vous, David avait pris une entente avec ces parents et ces jeunes parents s'étaient également entendus avec David. La mort de David ouvrit aux deux jeunes parents une possibilité, alors même qu'ils avaient le moral très bas, pour découvrir une voie rapide vers l'illumination, soit une démarche qu'ils entreprirent alors dans leur recherche de paix, ce qu'ils n'auraient jamais fait si ce n'eut été du don de David. Et c'est ainsi que ces parents vécurent tous deux une vie pleine de lumière et devinrent des guérisseurs dispensant leurs soins à bien des gens au fil des ans. Leur peine fut transmutée en joie et en guérison. Ils parvinrent donc à l'illumination totale. Et c'est ainsi que leur karma put se réaliser, grâce au don de David le Bien-aimé.

Car la mission de David était essentiellement de permettre l'illumination et la guérison de centaines d'humains dans un avenir que David ne devait jamais connaître. Cet amour fut son cadeau à ses jeunes parents, et leur amour fut leur capacité de voir le cadeau qu'il leur faisait et d'en comprendre le sens. Le sacrifice apparent de l'un engendra donc la joie de beaucoup d'autres. La beauté spirituelle de ceci est que David est éternel, et que les douze années qu'il a passées à transmettre son don ne représentaient qu'un très court moment dans la séquence de temps d'un événement beaucoup plus grand... l'élévation de la planète Terre.

Nous sommes assis ici, rayonnant d'amour pour chacun de vous, et nous vous disons qu'il y en a parmi vous qui ont l'occasion de pouvoir changer leur vie en raison de votre affectation ici. Vous êtes-vous jamais demandé quelle pouvait être votre mission? Pourquoi avez-vous les antécédents que vous possédez? Quel lien y a-t-il entre votre formation et votre mission? Si vous vous heurtez à un mur de briques, comme le dit mon partenaire, en ce qui concerne votre vie, et que vous ne comprenez pas pourquoi, peut-être est-il alors temps de réexaminer pourquoi vous avez les connaissances que vous possédez. Je m'adresse maintenant de manière individuelle à au moins huit d'entre vous ayant affaire à une telle situation dans leur vie. C'est le temps de vous asseoir et de jouir de l'énergie de l'Esprit. Il y en aura deux ce soir qui partiront d'ici guéris. C'est une des premières fois où nous disons cela, mais l'intention a déjà été donnée ces quelques derniers instants et l'action est déjà implantée. Vous l'avez fait vous-même! Nous invitons chacune des personnes ici présentes à assumer la pleine et entière responsabilité de la situation où elles se trouvent en ce moment. Ce n'est qu'après cela que votre mission vous sera dévoilée. Et même s'il vous faut procéder par tâtonnements pour découvrir ce qui vous convient le mieux, dirigez-vous vers la voie dont les portes sont ouvertes. Même les portes qui semblent les plus menaçantes et celles qui semblent si hermétiquement fermées peuvent s'ouvrir toutes grandes lorsque vous y frappez. C'est alors que vous saurez quelle est votre mission.

C'est avec un grand amour que nous venons à vous ce soir, afin de vous donner ces vies humaines en exemple et vous parler de l'expérience humaine du karma. Car voyez-vous, l'entité de Kryeon n'a pas l'honneur qui vous revient de choisir une telle voie. Par conséquent, vous pouvez voir l'admiration et le respect que j'ai pour vous lorsque je dis que JE VOUS AIME TENDREMENT! Vous êtes en train de faire un travail universel et toutes vos difficultés sont honorées. Pourtant, nous vous disons que nous savons tout ce que vous devez endurer, et nous accordons un honneur tout spécial ce soir à celles et ceux ayant le cœur blessé. Nous avons des messages spécifiques à votre intention vous demandant de vous rappeler que la vie est éternelle. Le passage d'un humain de ce plan à un autre n'est rien d'autre qu'un **changement d'énergie!** Celui qui est décédé dispose de trois jours dans la caverne de la création et, durant ce temps, il est clairement avec vous. Même après que ce moment soit terminé, il conserve la capacité de vous visiter. Vous devez donc savoir qu'il n'est pas du tout parti; il a simplement changé de forme.

Et c'est ce qui a permis aux parents de David le Bien-aimé de poursuivre sereinement leur existence. Car lorsqu'ils ont pris conscience du don qu'il leur avait fait, ils se sont également rendu compte que la communication avec ce petit être n'avait jamais cessé. Et c'est ainsi que nous espérons que vous réaliserez vous aussi, mes chers amis, que la communication avec l'Esprit ne cessera jamais. Et s'il vous arrive pour une quelconque raison d'avoir l'impression que l'Esprit de Dieu s'est éloigné de vous, n'en croyez rien. Car nous vous promettons que, si vous le demandez, nous serons là. Si vous en exprimez l'intention, nous serons là. Alors que cette séance de channeling tire maintenant à sa fin, nous vous demandons de demeurer en silence car nous allons demander à notre partenaire (Lee) de vous raconter son karma pour cette vie et ce qui lui est arrivé. Nous lui demandons ceci afin que vous puissiez comprendre comment la voix de Kryeon en est venue à se manifester et comment elle aurait pu facilement être négligée si mon partenaire avait choisi plutôt de suivre la voie de son résidu.

Et il en est ainsi!

(Lee Carroll prend alors la parole)

Kryeon me demande de vous parler du fait que, lorsque j'étais enfant, je voulais faire mon service militaire... et c'est bien Lee qui vous parle en ce moment. Jan (qui est à côté de moi) vous le confirmera que, même aujourd'hui, chaque fois que je vois des hommes et des femmes en uniforme, je sens que je devrais être avec eux. On m'a placé dans une école militaire lorsque j'avais huit ans et j'y ai passé trois années tout seul comme pensionnaire. Je savais ce que c'était que d'être dans les forces armées, et pourtant je n'en avais jamais fait partie. Lorsque je suis monté sur le pont d'un navire militaire à San Diego, j'ai reconnu le siège où j'avais l'habitude de m'asseoir, et je sus que j'appartenais à la Marine américaine. J'avais la ferme impression d'avoir trouvé ma vocation, et j'ai donc suivi la formation militaire durant mes études secondaires (mon lycée), et projeté de suivre une autre formation plus avancée quelques années plus tard... dans le seul but de faire carrière dans la Marine. Mais il s'agissait d'un résidu d'une vie passée, voyez-vous. Et l'Esprit dut faire des choses incroyables pour m'empêcher de joindre la Marine!

La première chose fut que j'eus des allergies. Je fus appelé au cours de mes études durant la guerre du Vietnam pour aller passer un examen médical et je ne l'ai pas réussi. On m'a alors dit : « Vous ne pouvez être dans les forces armées parce que vous avez des allergies. » À présent, je sais pourquoi l'Esprit me donna des allergies. Puis je découvris plus tard que j'ai le mal de mer! (Pouvez-vous vous imaginer le grand officier de la Marine penché par-dessus le bastingage au beau milieu d'une bataille?... c'est une blague cosmique!) Puis l'an dernier (à l'âge de 50 ans), j'ai découvert que je suis venu au monde avec un seul rein. Je n'aurais jamais réussi un examen médical complet pour le recrutement militaire. Il m'aurait été tout simplement impossible d'être admis dans les forces armées de ce pays, et pourtant c'était mon seul désir dans la vie!

J'ai fait partie des forces armées durant de nombreuses vies successives. C'était tout naturel pour moi et je cherchai à nouveau à en faire partie lorsque je m'incarnai dans cette époque. Naître parmi mon groupe karmique dans la ville navale de San Diego constitua un véritable défi pour un gars qui avait un résidu karmique d'association à la Marine, mais une mission spirituelle. L'Esprit mit donc des obstacles sur mon chemin pour me montrer la différence entre un résidu d'une vie passée et un contrat de vie. Et il me fallut attendre jusqu'à la quarantaine avancée avant de découvrir ma mission... me demandant toujours si j'aurais dû être un officier de la Marine américaine. Et l'être humain avec qui j'ai passé une entente est ici à côté de moi. Jan Tober, mon épouse, a été ma protectrice et ma gardienne, et c'est grâce à elle si je suis ici... tout comme dans le cas du père de Philippe. Alors vous comprenez peut-être maintenant un peu plus ce que je mentionnais plus tôt à propos de la participation de Jan au travail de Kryeon. Ce fut profond. C'est le fait d'un contrat karmique. C'est une mission, et je suis content que l'Esprit m'ait honoré avec les obstacles qui m'ont empêché de suivre une mauvaise voie. De la façon dont je comprends le message de ce soir, il s'agit là d'une chose courante et l'Esprit nous honorera tous de la même manière.

Merci à tous pour votre bienveillant accueil ce soir aux messages de Kryeon.

Kryeon

L'ascension invite chaque être humain à évoluer graduellement vers les dimensions subséquentes en employant les techniques d'apprentissage et d'éveil *tout en demeurant sur la planète*. Elle exige une importante transformation vibratoire.

Tiré du magazine "Kryon Quarterly", #4

SEPT

Ascension et responsabilité

Un mot de l'auteur...

Même si Kryeon parle ici d'ascension, je me demandai longuement si cette séance de channeling n'aurait pas dû être placée ailleurs dans ce livre puisque près de la moitié de l'information porte sur la responsabilité liée au processus de l'implant. Une partie de cette information est similaire au channeling de Hawaii intitulé "Devenir un humain du Nouvel âge". Une autre partie est semblable aussi aux commentaires de Kryeon sur l'enfant intérieur, mais le message est vraiment unique en soi si vous tenez compte de l'histoire à la fin.

Le deuxième livre de Kryeon, *Aller au-delà de l'humain*, nous faisait connaître un individu appelé Wo. Cette parabole nous présentait Wo sur une île tentant de créer sa propre réalité et ses leçons relativement à ce qui lui *était* arrivé.

Kryeon veut nous faire comprendre que demander à recevoir l'implant, c'est comme demander à avoir un nouveau coffre à outils. Cette information avait d'abord été donnée par Kryeon dans sa courte réponse à la lettre de Laura Grimshaw. Le channel élabore sur la question en disant que si nous prenons la boîte et que nous nous assoyons simplement dessus, nous avons le cadeau, mais il n'y a aucune action qui en résulte. Si nous en sortons les outils et commençons à apprendre comment les utiliser, il y aura alors de merveilleuses actions et de grands résultats. Dans le cours même du processus d'apprentissage, cependant, il y a encore là des leçons à apprendre. Ce qui suit est une combinaison de deux séances de channeling faites à deux endroits différents. Je les ai combinées en raison de leur grande similarité. Cela ne se produit pas souvent, mais parfois Kryeon me donne le même message avec des paroles légèrement différentes à deux groupes de personnes qu'une très grande distance sépare. Ce fut le cas ici.

Ascension et responsabilité

Séances de channeling
Carlsbad, Californie et Vancouver, Canada

La transcription de cette séance de channeling devant public a été modifiée par l'ajout de mots et de pensées afin d'en clarifier le sens et de permettre une meilleure compréhension de ce qui a été dit.

Mes salutations, amis très chers, je suis Kryeon du service magnétique. Oh! vous seriez étonnés si vous pouviez voir l'énergie présente dans cette salle, car il y a une profusion de couleurs qui vont bien au-delà de ce que vous pouvez voir tandis que chacun d'entre vous se familiarise avec la voix de mon partenaire traduisant dans ses mots ce message d'amour qui vous est destiné. Nous allons prendre un moment pour convier d'autres entités à remplir cette salle afin de vous soutenir. Tandis que leur nombre s'accroît, nous vous disons que vous êtes tendrement aimés et que nous venons ici dans cette disposition d'amour pour vous baigner les pieds. Chacun de vous ce soir a rendez-vous ici avec l'Esprit. Voyez-vous, plusieurs d'entre vous ont été amenés à dessein à venir ici pour participer à l'énergie d'un événement capable de changer votre vie. Si vous vous trouvez dans une situation inhabituelle, vous êtes effectivement un candidat pour cette condition.

L'énergie transmise ce soir (dans le troisième langage) pour votre Merkabah est l'énergie dont vous avez besoin pour continuer votre travail, votre vie et votre contrat à un niveau beaucoup plus élevé qu'auparavant. Et sachez, mes chers amis, que l'âge atteint par votre biologie importe peu, car certains d'entre vous semblent être au début de leur vie et certains semblent arrivés au crépuscule de leur vie. Il s'agit là d'une illusion, je vous assure. Chacun de vous est éternel! Certains d'entre vous sont profondément conscients du nombre considérable d'entités biologiques qu'ils ont successivement été, et d'autres n'en sont absolument pas conscients.

L'Esprit remplit cette salle d'une intensité encore plus grande que la dernière fois où des humains se sont regroupés autour de Kryeon. Certains d'entre vous vont connaître des transformations physiques, car voyez-vous, c'est précisément la raison de votre présence ici. Nous savons qui vous êtes et nous connaissons chacun de vous par son nom même si vous n'en êtes pas conscients. Car c'est vous qui avez choisi de venir ici et de vous incarner sur cette planète pour subir certaines épreuves et blessures, et connaître certaines joies. Ah, mes chers amis, pas même Kryeon n'a fait cela. Faut-il s'étonner que nous vous aimions autant?

Car tels sont les cadeaux, et ce soir ils seront distribués. Nous invitons donc celles et ceux parmi vous qui sont sur le seuil de la guérison à aller de l'avant et à vous en donner la permission. Nous invitons celles et ceux parmi vous qui s'apprêtent à tenter quelque chose de nouveau, de différent et d'audacieux à aller de l'avant et à vous en donner la permission. Voyez-vous, les outils sont devant vous et le Nouvel âge vous soutient dans cette démarche — et vous pouvez compter sur l'Amour de l'Esprit. Il vous est acquis, car vous êtes Un avec nous! Chaque être humain qui entend ou lit ces paroles en ce moment est Un avec nous — peu importe le moment où il en prend connaissance, c'est toujours dans l'instant présent. Car ce message vous est destiné — c'est pour votre paire d'oreilles (et d'yeux) — et pour votre cœur tandis que vous êtes assis là. Oh! croyez-moi, nous savons qui vous êtes et nous savons pourquoi vous êtes ici. Nous sommes prêts à vous étreindre dans nos bras et à vous dire : « N'est-ce pas une chose extraordinaire que vous vous retrouviez dans ce Nouvel âge? » Vous *saviez* que vous seriez ici. Vous avez fait la file pour être ici! Vous avez conclu une entente, et c'est donc un moment magnifique pour chacun de vous.

Ascension

Nous désirons ce soir parler de quelque chose dont nous n'avons pas beaucoup parlé dans le passé. Cette information vous est communiquée en tout amour, car elle concerne une chose dont vous avez entendu parler qui est émouvante et qui est publiée. Il y a des gens spécialisés dans ce domaine. Nous parlons maintenant de l'ascension.

Pour que vous puissiez parfaitement comprendre ce que signifie le nouveau paradigme de l'ascension, nous devons une fois encore parler brièvement des outils utilisés par l'Esprit en réponse à ce que vous avez fait sur cette planète. Or, certains d'entre vous étaient totalement conscients de ce que vous avez appelé l'événement du 11:11 et de sa signification. Mais pour récapituler brièvement, ce fut le moment où le code vous fut transmis à vous ainsi qu'à votre biologie — au niveau même des cellules — lequel code disait : « La permission vous est accordée en tant qu'humains d'être en pleine possession de toute la vibration de votre entité et d'entamer les étapes en ce sens. » Et le code transmis en fut un de nature magnétique, et il a alors été remis simultanément à toute l'humanité. C'est ainsi que l'Esprit traite cette planète en tant que planète de l'honneur! Car vous êtes tous considérés avec le même amour.

Puis, une chose étonnante s'est produite lors du 12:12. Ainsi que nous l'avons mentionné précédemment, certains d'entre vous étaient là pour entendre mes paroles. Nous avons parlé du fait que la permission fut donnée durant le 12:12 aux entités qui préservaient l'équilibre énergétique de la planète de partir d'ici. Et c'est ainsi que débuta le processus par lequel la planète fut véritablement confiée aux soins de l'humanité. À présent, permettez-moi d'expliquer ceci. L'équilibre énergétique de la planète est toujours demeuré le même, mais tel ne fut pas le cas du niveau vibratoire. Ce sont là deux choses différentes et totalement indépendantes. Mais le niveau d'énergie doit demeurer le même pour que le réseau magnétique puisse fonctionner. C'est pourquoi il y avait des entités qui se chargeaient de préserver cette énergie au fur et à mesure que le nombre d'humains augmentait.

Mais même avec cinq milliards d'humains sur la planète, ces grands êtres, gardiens de la vibration depuis la formation de la planète, devaient toujours être là. Car ils ont dû demeurer ici pour maintenir le bon niveau d'énergie. Le 12:12 fut un moment fort important, car c'est alors que ces entités reçurent la permission de partir et de confier à l'humanité la responsabilité de préserver l'équilibre énergétique. Il était temps, voyez-vous, pour les humains de recevoir ce "flambeau". Le 11:11 leur donna la permission de maintenir l'énergie et c'est ce qu'ils firent. C'est ainsi également que, lors de la remise de ce flambeau et durant les mois qui ont suivi le 12:12, nous avons demandé qu'au moins 144 000 êtres humains se préparent à l'ascension. Or, cette préparation à l'ascension est la permission accordée à un être humain de conserver **toute** l'énergie de sa vibration durant son incarnation avec le corps dont il dispose. Il s'agit là d'une chose très difficile à faire et comme la plupart d'entre vous sur votre continent n'étiez pas préparés à faire cela, vous ne serez peut-être pas surpris d'apprendre que la plupart des 144 000 personnes qui ont accepté de relever ce défi ne vivent pas sur votre continent. Cela ne signifie absolument rien de particulier en ce qui concerne votre illumination pas plus que ça ne constitue un quelconque jugement. Il s'agit simplement d'un fait. Car les humains qui l'ont fait avaient été formés et savaient comment faire. Ils en comprenaient le mécanisme et ils étaient donc prêts.

Mais alors en quoi consiste ce que vous appelez la préparation à l'ascension? La permission a été donnée, mais qu'est-ce que cela signifie? Voici la réponse : en simplifiant grandement, nous disons que bien que le mot ascension ait pu signifier dans le passé "quelqu'un qui meurt et qui s'élève dans les cieux", il signifie maintenant quelque chose de totalement différent. Il s'agit d'une mesure de la vibration d'illumination grâce à laquelle un humain incarné est capable d'être en pleine possession de toute la vibration et toute l'énergie de son entité!

Or, une telle chose ne peut se produire tout d'un coup et ne convient pas à tout le monde. C'est avec une grande circonspection que nous vous en parlons. Nous disons : « Celles et ceux parmi vous qui choisissent de faire cela doivent être prêts. » Il s'agit d'une voie difficile. C'est un chemin que l'on parcourt souvent seul, et qui comporte de nombreuses étapes échelonnées sur de longues périodes, et nous ne demandons pas à tous de le faire. Bien au contraire! Mais nous aimerions que vous en soyez tous informés, car il s'agit d'un merveilleux présent.

Les étapes menant à l'ascension ont été tracées et étudiées et sont là pour vous. Les spécialistes qui ont channelé cette information l'on mise à votre disposition même à cette époque afin que vous puissiez en prendre connaissance. Le processus est complexe et chacun de vous peut choisir de le faire si vous le désirez. Il se peut qu'un jour vous ne vous retrouviez que parvenus à la troisième ou à la quatrième étape — incapables de continuer. Mais nous vous disons qu'aucun jugement ne s'y rattache. Il n'y a pas de notion d'échec non plus. Nous vous invitons à entreprendre la démarche y menant et à voir jusqu'où vous aimeriez vous rendre. Car chaque étape élève votre vibration et élève la vibration de la planète. Il s'agit d'un merveilleux cheminement à commencer et vous trouverez votre propre niveau. Si vous ne vous rendez qu'au troisième niveau, restez calmes, car c'est celui qui vous convient. Si certains d'entre vous choisissent de se rendre jusqu'au bout, nous vous assurons qu'il s'agit d'un grand et beau voyage!

Quels sont les attributs, demanderez-vous peut-être, d'un être ascendé? Ah, permettez-moi de vous le dire. Vous n'aurez aucun problème à identifier une personne prête à l'ascension. Certains d'entre vous connaissent déjà l'Avatar qui n'est pas de ce continent. Voilà un exemple d'une personne prête à l'ascension. Cela vous surprend? Êtes-vous personnellement prêts à cela? Voilà l'essentiel : la permission d'être en possession de toute votre entité. Or, si vous deviez tenter de faire une telle chose maintenant, vous brûleriez tout simplement, car le niveau vibratoire de votre biologie est très, très inférieur à ce qui est requis pour ce nouvel état d'être. C'est pourquoi l'étude est nécessaire, tout autant que les différentes étapes, le temps et le dévouement qu'il faut pour y parvenir. Car toutes ces choses font appel aux mécanismes de votre corps cellulaire, utilisant les outils qui vous ont été donnés lors du 11:11 — la permission de rajeunir et de croître.

Si vous voulez connaître le genre d'exercice qu'il est sain de faire pour votre corps, nous vous disons qu'il y a un domaine dont vous n'avez pas tenu compte. Il s'agit de l'organe situé derrière le sternum que vous appelez le thymus. C'est le siège du processus de rajeunissement. Cocréez la santé en puisant dans le thymus. Ne soyez pas bouleversés s'il grossit, car c'est là une partie du secret de l'ascension. Votre biologie doit entièrement coopérer avec ce processus. Or, certains d'entre vous ont entendu parler de la Merkabah. Et vous vous dites peut-être : « Quelle est cette chose que nous appelons la Merkabah? » Ce serait là vos paroles et non les nôtres. Mais qu'il suffise de dire que ce dont nous parlons ici est "l'énergie de la coquille". C'est ce qui maintient la cohésion de l'ensemble de votre énergie. C'est comme la peau de votre entité, mais c'est aussi beaucoup plus!

Vous n'avez vu la Merkabah qu'à quelques reprises durant toute l'histoire. Vous commencez à mieux la voir maintenant et vous la confondez avec des vaisseaux de l'espace. Car c'est Élie qui a réclamé sa Merkabah dans le champ; elle a rougeoyé et vous avez vu les roues à l'intérieur des roues. Vous avez vu les couleurs et la magnificence lorsqu'il s'est élevé au ciel. C'est la Merkabah qu'on a alors vue. Chacun de vous, lorsque vous n'êtes pas ici, a une glorieuse apparence, avec des couleurs et des vibrations, des sonorités et des formes toutes entrelacées dans la Merkabah, des choses qu'il vous est impossible de voir ou d'entendre avec vos organes sensoriels actuels. Car la Merkabah possède tellement de dimensions qu'il m'est impossible de vous décrire tout ce qu'elle renferme. Or, nous vous avons dit dans le passé que la Merkabah contient vos bandes de couleurs, ces choses qui disent aux autres entités de l'univers, lorsqu'elles vous rencontrent, où vous êtes allés et ce que vous avez fait. Et nous vous avons parlé de la grande salle des honneurs où vous recevez les nouvelles couleurs pour le fait d'avoir été un humain sur la planète Terre. Car c'est un magnifique voyage que vous avez entrepris. Toutes les personnes assises ici ce soir (et lisant ceci) possèdent de nombreuses bandes pour avoir été si souvent sur la Terre. Et la grande ironie est que, même s'il ne vous est donné qu'une seule fois de venir dans cette salle et de voir les visages de celles et ceux que vous prétendez ne pas connaître, à une certaine époque ces personnes étaient toutes membres de votre famille! Elles faisaient partie de votre groupe karmique - des frères, sœurs, mères ou pères. Tant de choses se sont produites entre vous, et pourtant vous les considérez comme de purs étrangers lorsque vous les croisez. C'est un si merveilleux témoignage de l'efficacité du voile qui vous empêche de voir la vérité, car avoir une pleine et véritable connaissance de ces choses vous occasionnerait de partir.

Ah, mes chers amis, nous vous honorons pour cela! Vous incarner sur la planète pour y apprendre votre leçon avec ce voile par lequel vous ignorez qui vous êtes... Tandis que nous vous regardons et disons à ceux qui nous entourent : « Ils se sont portés volontaires pour ceci », nous vous aimons tendrement pour cela. Et c'est ainsi que la Merkabah clame qui vous êtes à toutes les entités qui entendent, voient et ressentent. Votre Merkabah n'est donc pas seulement votre coquille, amis très chers; elle est également votre langage. La Merkabah est l'énergie qui vous permet de vous déplacer d'un endroit à l'autre. Lorsque vous passez d'un point de l'univers à un autre, cela se fait presque instantanément, mais votre Merkabah change de forme pour le faire. Et même si nous n'allons pas entrer dans tous les détails scientifiques s'y rapportant, nous vous disons que cela a été channelé auparavant. Portez-y attention, car votre Merkabah est donc une transformatrice de formes! Les formes présentes dans la Merkabah sont de la science pure. Et ceci, mes chers amis, est d'une grande ironie pleine d'humour : que votre société ait choisi de séparer le spirituel du physique et de ceux qui travaillent sur vos mathématiques, ainsi que de ceux qui travaillent sur votre géométrie et votre physique.

Si vous pouviez voir la Merkabah, vous comprendriez entièrement que la relation est complète et coïncide parfaitement, car la Merkabah est faite de géométrie, et elle vous clame votre système à base de 12. Elle dit que toutes les formes sont mathématiquement divisibles par six, qu'il y a une raison à cela - et pourtant vous ne l'avez toujours pas vue. Nous vous parlons donc de la Merkabah comme étant quelque chose de grand et de glorieux. Elle vous appartient et chacun de vous en a une. Mais elle n'apparaîtra pas sur cette planète, car cela pulvériserait votre biologie. L'énergie est tout simplement trop grande. Et ainsi à défaut de vous approprier la Merkabah, vous pouvez toujours travailler sur elle, car elle existe tout de même dans le plan astral. Une partie des étapes requises pour l'ascension nécessite de travailler sur elle et de l'intégrer à votre biologie.

Nous vous en avons donc dit suffisamment pour le moment, sauf pour redire que vous n'êtes pas tous appelés à entreprendre ces étapes. Vous êtes honorés pour tous vos processus et, quel que soit le stade où vous êtes parvenus, il s'agit de celui où vous devez être. Certains d'entre vous se demandent peut-être : « Comment puis-je savoir si je devrais le faire? » Et nous vous disons que vous devriez éliminer toute pensée relative à ce que l'Esprit attend de vous, et la remplacer par les pensées de ce que **vous** allez faire pour vous. Voyez-vous, vous êtes un fragment de Dieu, et votre contrat est présent devant vous; les mots écrits par votre propre stylo disent : « Voilà pourquoi je suis ici. » Cherchez à retrouver ce contrat. Cocréez votre contrat et demandez à ce qu'il vous soit apporté. Nous aurons bientôt plus d'information à ce sujet. « Voici pourquoi je suis ici. » Recherchez ce contrat. Cocréez votre contrat et demandez à ce qu'il vous soit présenté. C'est tellement intuitif, vous saurez ce que c'est. Nous reparlerons bientôt plus en détails de ceci.

Ah, la guérison se fait en ce moment même ce soir, et certains d'entre vous en ressentent l'action. Et nous vous disons : « Ne craignez pas ce qui se passe », car c'est d'amour et de lumière dont il s'agit. Est-ce que nous vous avions dit que, en ce qui concerne la lumière, la Merkabah dégage sa propre lumière? Quel que soit l'endroit où se trouve la Merkabah, la lumière s'y trouve également. Cela fait de vous des créatures de lumière! Acceptez-le. Si vous en ressentez l'action ici maintenant, ne la craignez pas, car c'est l'amour de Dieu qui s'exprime en votre corps.

Responsabilité

Et maintenant nous passons au sujet de la responsabilité qui vous revient en tant qu'êtres humains lorsque vous prenez l'implant. Nous avons désiré à maintes reprises vous parler de ces choses, mais à présent la vibration s'y prête bien pour le faire. Mon partenaire vous a expliqué la nature de l'implant dans ces séances de channeling et ces écrits, et elle est telle qu'il vous l'a décrite. Toutes les choses qui ont été mentionnées sont exactes. Mais vous devez prendre conscience de ceci : une fois de plus, nous vous disons que l'implant est votre "trousse d'outils". Celles et ceux parmi vous qui ont choisi de recevoir les dons de l'Esprit ont accepté l'implant. Celles et ceux parmi vous qui ont dit : « Je ne sais pas ce qui va se produire désormais, mais peu importe ce qui m'attend, mon Dieu, je l'accepte », tous ont reçu l'implant. Car vous avez demandé à recevoir ce cadeau, et il est devant vous. À présent vous devez l'utiliser.

Dressons la liste de ce que vos actions devraient être. Prendre l'implant et ensuite attendre passivement que l'Esprit agisse n'est pas la chose à faire, car rien ne se produira dans votre vie. Vous resterez là sans rien faire avec les outils dans le tiroir, et le tiroir demeurera fermé. Il est temps de l'ouvrir! Servez-vous des outils et faites les choses suivantes.

1. Tout d'abord, nous parlerons encore de votre biologie. Nous avons décrit l'état de préparation à l'ascension et le fait que la vibration de votre biologie doit être élevée pour correspondre à celle de votre conscience. Voyez-vous, cela ne se passe pas automatiquement. La première chose à faire est donc la suivante : commencez à fusionner votre biologie avec votre esprit. Or, vos perceptions sensorielles sont toutes situées dans votre tête. C'est là que vous voyez et entendez. C'est là que vous communiquez, sentez et goûtez. C'est là que tous les centres de bien-être et de plaisir sont situés. Vos centres spirituels semblent donc également s'y trouver, mes chers amis. Et même si nous avons fréquemment parlé du cœur, c'est votre tête et votre cerveau qui sentent cette conscience que vous appelez illumination.

Vous êtes nombreux à regarder votre corps et toutes ses différentes parties et à dire des choses comme : « J'ai mal aux mains; j'espère que la douleur va s'en aller. J'ai ceci ou cela à la jambe. »

Or, c'est là une chose que j'ai déjà fait subir à mon partenaire, et il en parle en connaissance de cause à travers l'interprétation qu'il fait des paroles de Kryeon. Car il est temps pour vous d'intégrer votre biologie à votre illumination! Lorsque vous parlez de votre corps, parlez-en comme d'un "NOUS". Car la biologie de votre orteil ainsi que les cellules de cet orteil doivent connaître les décisions de votre conscience illuminée.

Nous vous répétons aussi que, dans ce Nouvel âge, il vous faut accueillir consciemment les choses que vous ingérez ou le travail d'énergie que vous faites avant que ces choses n'entrent dans votre biologie. Ce que cela signifie, mes chers amis, c'est que vous devez faire un rituel à l'égard de ces choses, même s'il ne s'agit que d'une courte cérémonie. Cela peut vous sembler étrange, mais c'est la vérité. Car les choses que vous faites entrer à votre niveau cellulaire, et dans la conscience du "nous" de votre biologie, doivent être accueillies. Il vous faut en donner la permission à votre biologie pour que ces choses fonctionnent! Car si vous demandez à être guéris de quelque chose et que vous utilisez des substances et de l'énergie dans ce but, les substances et l'énergie n'ont aucune idée de l'endroit où elles doivent aller et de ce qu'elles sont censées faire. Si vous les accueillez à l'avance en vous, vous leur parlerez alors. Il y aura un mariage, une poignée de main et une entente dans l'amour. Ah, ces choses peuvent sembler fort étranges à certains d'entre vous, mais c'est ainsi habituellement que la vérité se fait accepter par la suite, lorsque les résultats annoncés sont perçus comme étant exacts. La première étape consiste donc à fusionner votre biologie avec votre esprit, et à considérer votre biologie comme faisant partie de votre esprit. Voyez toutes ces parties comme étant une seule et même chose, car c'est la seule façon d'augmenter les vibrations pour les ajuster aux outils de l'implant.

2. La seconde chose, peut-être une des plus importantes, est ce que vous pourriez appeler la psyché, mais c'est ce que nous appelons votre "attitude de paix". Laissez-moi vous expliquer. Il y en a tant parmi vous qui ont dit : « J'ai pris l'implant, et je vous ai entendu parler de la paix qu'il peut m'apporter et des changements dans la façon dont ma vie se déroule. Il y a ces choses autour de moi qui me causent un malaise. Il y a des choses autour de moi qui me poussent et m'aiguillonnent, et elles provoquent une réaction. Mais je ne me sens pas en paix. » Et nous vous disons que c'est justement là ce que vous devez changer : la paix est une chose qui survient tout naturellement avec l'implant, et cette paix est ce que votre biologie va finir par interpréter comme étant de la santé. À présent, comment fait-on pour revendiquer cette paix? Nous vous disons que la clef de la paix est votre souvenir de l'enfant. Oh! mes chers amis, il y a tant à dire à ce sujet!

Lorsque vous étiez enfant, vous vous rappelez peut-être le fait que vous aviez très peu de soucis. Ce n'est qu'au jour le jour que les choses captaient votre attention. Vous vous intéressiez à ce qui allait se produire durant la prochaine heure et aux choses que vous espériez voir se produire bientôt. Vous souvenez-vous de la satisfaction que vous aviez de savoir qu'il n'y avait pas de problèmes trop grands qui ne pouvaient être résolus par votre mère? Car votre mère pouvait tout faire; elle s'occupait de tout. Jamais la question de savoir où vous alliez dormir ou ce que vous alliez manger ne se posait, et vous avez été très nombreux sur ce continent à grandir dans ce genre d'environnement paisible. Nous vous disons donc que c'est la conscience et l'attitude de l'enfant qui sont la clef de la paix. C'est la découverte de l'enfant intérieur en chacun de vous qui est la clef de votre véritable paix.

Vous vous dites peut-être : « Voilà une bonne information, mais comment fait-on pour l'avoir? » Nous vous disons que vous la cocréez! Si vous voulez être en contact avec l'enfant intérieur, vous pouvez le faire instantanément, mais pour celles et ceux parmi vous qui ne savent pas encore comment faire, nous vous disons qu'il y a des facilitateurs présents sur cette planète qui sont venus précisément dans le but de vous aider. Car ils sont ici par amour afin de vous montrer la voie menant à l'enfant intérieur - pour vous aider à venir à bout de ces colères, de ces peurs et de ces frustrations afin d'y parvenir rapidement. Nous soutenons donc ces êtres qui sont venus à cette époque sur cette planète pour se dévouer à cette cause. Avez-vous pris conscience que ce n'est pas le fruit du hasard s'ils sont si nombreux à être venus faciliter cela en ce moment? Ils font partie de la "première vague", selon l'expression de mon partenaire, venue pour aider l'humanité. Cherchez à découvrir l'enfant intérieur et observez bien la paix s'installer dans votre vie. Car la véritable paix est un état d'être qui vous habite grâce auquel les choses qui vous inquiétaient auparavant ne vous dérangent plus maintenant. Les personnes qui étaient liées à vous par du karma et qui étaient capables de toucher vos points sensibles et de susciter une réaction ne parviendront plus dorénavant à le faire! Et tout comme pour la parabole de la fosse de goudron qui vous a été channelée auparavant (dans le deuxième livre de Kryeon), vous allez vous rendre compte que les gens de votre entourage vont commencer à changer selon votre propre niveau de paix intérieure. Car lorsque le karma n'est plus lié aux gens qui vous entourent, ils cessent alors simplement d'essayer d'engager une relation avec vous. Beaucoup d'entre eux vont disparaître de votre vie et vous vous demanderez comment cela peut-il être possible. Nous vous disons une fois de plus que c'est à cause du changement individuel qui a un effet sur beaucoup de gens. S'il y avait donc une quelconque approche évangélique à ce Nouvel âge, ce serait au niveau de se changer soi-même... Cocréer pour soi-même. Permettre à celles et ceux qui vous entourent de vous observer et de changer en conséquence.

3. L'attribut d'action suivant est bien sûr celui de la cocréation. Et nous vous disons que c'est votre devoir de cocréer. Vous êtes tenu selon votre contrat avec vous-même de commencer à cocréer ce dont vous avez besoin dans votre vie. Il y en a tant parmi vous qui se diront : « Qu'est-ce que c'est? Je n'ai aucune idée de ce que je suis censé faire. » Nous disons que ce que vous êtes censés faire, c'est ce que vous avez convenu de faire. C'est votre passion! C'est votre contrat. C'est votre intuition. Vous le savez déjà, mais vous dites : « Je n'en suis pas conscient. » Nous disons, d'accord, vous avez le pouvoir de cocréer, alors faites ce qui suit. Exprimez à chaque jour ceci : « Au nom de l'Esprit, je cocrée la capacité de suivre la voie tracée par mon contrat, peu importe où cela me mène. Je cocrée, au nom de l'Esprit, afin de découvrir le lieu parfait pour moi qui est l'endroit sur cette planète où j'ai accepté d'être. » Voilà le meilleur commencement possible.

À présent, mes chers amis, nous vous avons dit dans le passé que la façon dont les choses fonctionnent dans le Nouvel âge est différente de ce qu'elle était auparavant. Il y en a tant parmi vous qui ont l'habitude de tracer des plans pour le futur. Il y en a tant parmi vous qui disent : « Je sais que c'est la voie que je dois suivre, mais je sais aussi qu'il y aura un embranchement sur la route. Et lorsque j'arriverai à cet embranchement, je veux savoir quel chemin emprunter. » Alors certains d'entre vous verront aujourd'hui qu'ils approchent de cet embranchement et, au lieu de se diriger jusqu'à cet embranchement pour y lire les panneaux indicateurs que l'Esprit a placés à votre intention, vous vous arrêtez! Vous vous assoyez et vous dites : « Je n'irai pas plus loin tant que je ne saurai pas ce que disent les panneaux... afin de pouvoir planifier mon trajet. » C'est à ce moment-là qu'il faut s'en remettre à la foi, n'est-ce pas? Et nous vous disons donc qu'il vous faut vous rendre en toute confiance jusqu'à l'embranchement, cocréant tout le long afin d'avoir la certitude intérieure qu'il y aura bien des panneaux indicateurs lorsque vous y serez arrivés. Puis les panneaux diront : « Nous savons qui vous êtes! Prenez à droite ici », et le bon chemin sera littéralement illuminé pour vous afin que vous ne le manquiez pas. C'est la cocréation qui donne l'énergie aux panneaux indicateurs! Servez-vous de ce don!

4. L'attribut suivant tient au fait que nous vous invitons à découvrir le nouveau savoir. Or, il se peut que le nouveau savoir ne vienne pas à vous par la voie d'un médium ou d'un livre; il se peut qu'il émerge en apparence de votre esprit. À celles et ceux d'entre vous dont le rôle consiste à faciliter la guérison des humains, nous disons : « Vous êtes prêts à recevoir ces nouvelles connaissances dans vos nouvelles méthodes de guérison. » Mais vous vous direz peut-être : « Eh bien! Quelles sont-elles? » Nous disons : « Vous le saurez lorsque vous les recevrez. » Peu importe votre champ de pratique particulier, mes chers amis, nous vous disons qu'il y a de nouvelles méthodes qui vont vous donner de bien meilleurs résultats. Essayez-les. Peu importe si elles peuvent vous sembler bizarres, essayez-les.

Car vous vous rendrez compte que même certains des plus grands maîtres qui ont enseigné pendant des centaines d'années ne disposaient pas de ces connaissances. Puis, lorsque vous recevrez ces méthodes et que vous aurez la preuve des résultats qu'elles donnent, nous vous invitons à en parler aux autres et à ne pas les gardez pour vous seuls. Il ne s'agit pas de quelque chose qui vous soit exclusivement destiné. Vous vous incarnez peut-être à cette époque dans le seul but de posséder ce nouveau savoir dans un domaine précis et de le faire connaître à toute l'humanité! On ne sait jamais.

Nous vous demandons et vous invitons donc à réclamer ce nouveau savoir. Comment fait-on cela? C'est simple. « Je cocrée au nom de l'Esprit pour que le nouveau savoir me soit donné afin que je puisse l'avoir dans l'amour pur et l'utiliser pour l'humanité. » Vous l'avez à nouveau cocréé.

Wo et le grand vent

Ce sont donc là les choses à faire. Mais nous avons une chose de plus à vous donner ce soir, et cela concerne le fait d'être à la bonne place au bon moment. Car beaucoup d'entre vous ont l'impression que l'idée d'être à la bonne place au bon moment veut dire de se soustraire à toutes les choses en apparence négatives qui pourraient arriver autour de vous. Nous vous disons, mes chers amis, que vous êtes mal informés. Ah, mais il y a tant d'amour qui entre ici en jeu. Écoutez!

Nous avons parlé auparavant de l'entité individuelle que nous appelons Wo. Or, Wo est un nom que nous donnons à cet être humain vivant sur la planète. Wo n'est pas destiné à représenter un mâle ou une femelle, car lorsque vous n'êtes pas ici, vous n'êtes ni l'un ni l'autre. Mais pour les fins de cette histoire, et pour qu'il soit plus facile pour mon partenaire de la raconter, disons que Wo était un mâle. Et le titre de cette histoire et de ce voyage imaginaire est *"Wo et le grand vent"*.

Or, Wo était un individu éclairé. Il vivait sur une très petite île avec d'autres gens. Wo menait une bonne vie, car il cheminait effectivement sur la voie spirituelle. Nous pourrions appeler Wo un guerrier de la lumière, car il méditait et faisait ce que l'Esprit lui demandait. Il avait d'admirables enfants à qui il avait appris grâce à son amour l'essence de l'Esprit. Les voisins de Wo l'aimaient beaucoup, car ils reconnaissaient le fait qu'il était un homme bon. Et c'est ainsi que nous voyons Wo vivre sur l'île, et chaque jour Wo disait ceci : « Oh! Esprit, je t'aime. Je désire tellement suivre la voie tracée par mon contrat - être à la bonne place au bon moment. Voilà ce que je veux. »

Tout au long de sa vie, année après année, il se rendait chaque jour à la plage et, les oreilles pleines du bruit des vagues, il s'approchait le plus possible de l'eau et s'assoyait. Wo disait alors : « Ô Esprit, emmène-moi exactement à la place où je dois être. Ça m'est égal si cela m'amène à partir d'ici. Je veux être à ma juste place. » Or voyez-vous, Wo faisait cela de la bonne manière, et il en était grandement honoré. Wo disait également : « Et dans ce Nouvel âge, ô cher Esprit, il y a quelque chose que j'aimerais vraiment recevoir en cadeau. Je sais qu'il y en a qui n'obtiennent jamais ceci, mais si la chose est convenable, permettez-moi de voir mes guides! Même une seule fois me suffirait. » À présent, vous connaissez donc le fonctionnement intérieur de ce qui se passe dans la vie et la tête de Wo. Voilà qui était Wo.

Une très violente tempête s'approchait de cette île. Wo était terrorisé car, selon toute vraisemblance, la tempête allait frapper de plein fouet sa maison. Depuis des centaines d'années, aucune autre tempête n'avait eu la férocité de cette tempête tant elle était grande. Et comme elle s'approchait, un grand nombre de gens quittèrent l'île. Mais Wo demeura sur place, sachant très bien qu'il allait se retrouver à la bonne place au bon moment, tout comme il l'avait cocréé. Wo s'attendait d'un instant à l'autre à ce que le vent change miraculeusement de direction. Mais voyez-vous, il n'en fut rien. Au lieu de cela, la tempête ne cessait de s'aggraver. Et les résidents durent donc s'enfermer dans leurs demeures et on leur dit : « Ne sortez pas dehors. Vous allez être blessés si vous le faites. »

Les gens demeurèrent donc dans leurs maisons et observèrent les vents arriver et les eaux monter. Ils virent des parties de leur maison commencer à se désintégrer et ils avaient très peur. Mais Wo gardait le silence. Il ne parlait plus à l'Esprit. Wo était en colère. En fait, il était fou de rage car, voyez-vous, Wo avait l'impression d'avoir été trahi. « Pendant combien d'années dois-je demander à recevoir une chose, et lorsque le temps arrive je ne l'obtiens pas? » se dit Wo. Et les vents devinrent de plus en plus forts et Wo de plus en plus fâché. Puis l'alimentation électrique flancha. Wo entendit les camions venir dans les rues pour emmener les gens. Ils annonçaient : « Vous n'êtes pas en sécurité. Montez dans les camions pendant que vous le pouvez encore. Nous allons vous amener à l'école qui est un édifice solide. Vous y trouverez un refuge sécuritaire. »

Et c'est ainsi que de gros camions circulèrent pour assembler tous les gens de l'île et les amener à différentes écoles et églises. Wo aboutit dans l'une des plus grandes écoles se trouvant près de sa demeure. Il y entra en compagnie d'un grand nombre de voisins et il les observa l'un après l'autre. Il vit des visages hagards et terrorisés, mais il n'y avait que de la colère à l'égard de Dieu dans les yeux de Wo. Tandis qu'ils étaient terrés dans le sous-sol où ils se croyaient en sécurité, l'alimentation électrique fit là aussi défaut... et ils se retrouvèrent dans le noir. On sortit des chandelles, mais l'eau commença à pénétrer jusque là et le vent se mit à ébranler les fondements même du bâtiment scolaire. Ils commencèrent à entendre les gémissements du ciment et du bois. Ils se blottirent les uns contre les autres dans le noir, complètement terrorisés et sans émettre le moindre son.

Puis Wo parvint à une étonnante conclusion. Il se rendit compte qu'il n'avait pas peur. Il était très fâché, mais il n'avait pas peur. Il regarda autour de lui et vit ces gens recroquevillés dans les couloirs avec l'eau qui leur montait aux chevilles, transis de froid, sans chaleur ni bougies pour s'éclairer. Il vit aussi leur terreur. Car beaucoup cette nuit-là sentaient qu'ils allaient tous mourir. Comment pouvait-il en être autrement, car on leur avait dit que l'œil de l'ouragan n'était même pas encore parvenu au-dessus de leurs têtes et que le pire était encore à venir. Si l'école se désintégrait, ils allaient sûrement se retrouver à la merci des éléments déchaînés.

Et c'est ainsi que Wo se leva debout à l'endroit où il s'était assis en colère. Il serra dans ses bras les membres de sa famille et dit : « Il y a du travail à faire ici. Vous allez vous en sortir sains et saufs. » Et il regarda ses enfants dans les yeux et dit : « Regardez, il n'y a pas de peur dans mes yeux parce qu'on m'a promis que nous allions nous en sortir. » Et Wo s'éloigna et commença à aller voir chaque voisin et à passer d'un groupe à l'autre. Wo leur parla de son amour pour l'Esprit et leur dit que l'Esprit ne l'avait jamais laissé tomber. Il leur dit qu'ils s'en sortiraient et leur communiqua l'amour qui ne pouvait venir que d'un être humain illuminé! En quittant chaque groupe, il vit que la terreur s'était également envolée et, comme si un nuage noir s'était dissipé, ils étaient maintenant remplis d'espoir. Quelques-uns des groupes se mirent à chanter, de sorte qu'au lieu d'un silence lourd de terreur, on entendait maintenant des chants s'élever. Certains des groupes commencèrent à rire en se racontant des anecdotes drôles de leur vie et la peur diminua. La terreur disparut entièrement.

Ce soir-là, circulant d'un groupe à l'autre, Wo fit le travail qu'il savait devoir faire. Et comme une sorte de miracle, l'œil de la tempête ne parvint jamais jusqu'à eux. Au lieu de cela, l'ouragan recula et poursuivit son chemin en diminuant lentement de force au lieu de s'intensifier. Ainsi au moment où le travail de Wo fut pratiquement terminé, la tempête avait suffisamment perdu de sa force et le mot circula qu'ils pouvaient maintenant retourner à leurs maisons dans les mêmes camions qui les avaient emmenés à l'école. Le soleil se levait et Wo se rendit compte qu'ils avaient été là toute la nuit. Lorsqu'ils sortirent, les vents s'étaient presque complètement apaisés. Comme la tempête avait rapidement battu en retraite! Les oiseaux chantaient et le soleil brillait et chacun s'en retourna chez lui. Certains éprouvèrent une grande peine de voir leur maison détruite. Wo était en compagnie de tous ses voisins en train de constater que son toit était parti et que l'eau était tombée à l'intérieur et avait abîmé tant de choses.

Dans les semaines qui suivirent, la reconstruction débuta donc et tout se déroula comme sur des roulettes. Peu à peu une histoire commença à prendre forme sur l'île. Voyez-vous, on rapporta aux bulletins de nouvelles et dans les journaux ce qui s'était passé ce soir-là à l'école. Les gens disaient : « Il y a eu cet homme et ses associés qui sont venus à nous durant les pires moments de noirceur. Ils nous ont dit que nous étions à l'abri et nous ont redonné espoir. Leur amour et leur sérénité brillaient dans l'obscurité. Ils ont ramené l'espoir et la bonne humeur en nos consciences terrifiées. Ils nous ont donné le goût de chanter et nous en fûmes transformés cette nuit-là, car nous n'avions plus peur. Nos enfants furent les premiers à réagir car ils ont observé dans les yeux de ces enfants qu'ils n'avaient plus peur et ensuite ils se sont détendus. Cette homme s'appelait Wo. » Un groupe après l'autre raconta semblable histoire et, au grand embarras de Wo, on lui demanda de venir à une cérémonie où il allait être honoré. Et c'est donc un peu à contrecœur que Wo se rendit à la cérémonie et entendit les témoignages de ses voisins sur l'aide qu'il leur avait apportée cette nuit-là avec ses associés.

Après la cérémonie, Wo se rendit à la plage où il s'assit près de l'eau. Puis Wo se rendit compte de ce que voulait dire le fait d'être "à la bonne place au bon moment". **Il réalisa que toutes ses prières et toutes ses capacités cocréatrices comme être humain dans le Nouvel âge avaient porté fruit.** Voyez-vous, Wo avait prié pour être à la bonne place au bon moment, et c'est exactement ce qui s'était passé! Il se rendit compte que ses prières avaient été exaucées à cent pour cent. Puis Wo pleura, car il réalisa qu'une cocréation à cent pour cent voulait dire que ses guides avaient été vus ce soir-là. Chaque groupe de voisins avait vu trois personnes : Wo et ses deux "associés". Wo savait qu'il s'était enfoncé seul dans l'obscurité cette nuit-là pour aider ses voisins - ou du moins c'est ce qu'il pensait!

Ainsi, même si Wo n'en eut pas conscience, les gens avaient distinctement vu ses guides cette nuit-là. Ses voisins avaient décrit ce qu'ils avaient observé à la lumière des chandelles, et ainsi grâce aux témoignages de ceux qu'il avait aidés, Wo a pu "voir" ses guides! Oh! Il faut dire qu'il a perdu sa maison et il est vrai qu'une partie de la forêt a aussi été détruite, mais le contrat qu'il avait convenu de remplir avant de venir avait été exécuté et tout le reste perdait de son importance en comparaison de cela. Toutes ses prières cocréatrices avaient été centrées autour de l'idée de se trouver à la bonne place au bon moment. Wo prit conscience que l'Esprit l'avait honoré d'un miracle total et complet de cocréation. Cela changea sa vie, car il découvrit alors sa passion - celle d'être capable d'amener la paix dans la vie des autres.

Et à partir de ce moment, Wo sut ce que voulait dire le fait de cocréer et prier pour son contrat. Il sut que cela ne signifiait pas que toutes les épreuves allaient lui être épargnées. Cela ne signifiait pas qu'il ne serait pas là lorsque la terre tremblerait. Cela signifiait qu'il serait juste à la bonne place et qu'il serait dans une paix totale lorsque ces choses se produiraient. Et qu'il serait capable de faciliter les choses pour les autres êtres humains lorsque ces événements surviendraient.

Ainsi, alors que nous revenons maintenant à ce groupe d'humains qui sont assis devant l'Esprit (et dont les yeux lisent cette page), nous vous disons que nous vous aimons tendrement, et qu'il vous faut travailler à cocréer votre contrat. Car lorsque les choses semblent être au plus sombre, il ne s'agit alors là que d'une perception de noirceur. Au lieu de laisser monter la colère, vous devriez voir les choses d'un point de vue plus général et percevoir l'amour qui a été mis dans cet événement. Lorsque des choses en apparence négatives semblent se produire dans votre vie, voyez-les dans une plus large perspective, car il peut ne s'agir que de choses temporaires destinées à vous orienter vers la bonne place et le bon moment, des choses que vous avez contribué à mettre en place dans votre contrat. Et voilà pourquoi nous appelons cela du "travail", mes chers amis. Car il arrive parfois que ce ne soit pas très facile, et il pourrait vous sembler que ce qui vous est demandé soit trop difficile. Vous découvrirez, tout comme Wo, que c'est tout le contraire. Car il n'y a rien de plus agréable à faire que ce qui est votre passion, et votre contrat!

Nous vous disons donc finalement que ce soir, dans cette énergie, l'Esprit a accompli beaucoup de choses. Oh! il y a des histoires qui ont été racontées et de l'information qui a été présentée, mais ce qui a vraiment compté ce soir, ce fut l'énergie transmise à votre cœur et en votre esprit. Chacun de vous est tendrement aimé par son nom. Quittez cet endroit en sachant que vous avez été assis en présence de l'Esprit. Quittez cet endroit ce soir en sachant que Dieu est une partie de vous-même! Sachez que si vous pouviez convenablement qualifier ce qui s'est vraiment passé ce soir, vous diriez qu'une "partie de chez vous vous a rendu visite ce soir". C'est l'impression que chacun de vous garde lorsqu'il est en présence de cette énergie.

Mes chers amis, lorsque nous pourrons finalement nous voir - et je vous verrai ainsi que votre Merkabah - je vous honorerai avec vos nouvelles couleurs. Vous vous souviendrez de cette soirée où je vous ai dit que nous nous reverrions... difficile à croire lorsque vous êtes incarnés sur cette planète dans votre corps, mais néanmoins vrai. Toutes les choses qui vous ont été communiquées ce soir sont vraies. Vous serez nombreux, au fil de votre vie, à découvrir vos vérités avec les résultats qui en découleront. Vous avez la permission et la capacité de dire non au mal qui vous entoure. Jamais plus ne sera-t-il nécessaire qu'il fasse partie de votre vie. Quittez cet endroit avec le plein pouvoir de choisir! Sachez que l'Esprit vous dit que vous êtes dans un Nouvel âge et que les choses s'améliorent, et non qu'elle se dégradent. Attendez-le. Vivez-le. Cocréez-le. Et la planète vibrera comme jamais auparavant. Ah, que nous vous aimons pour cela!

Et il en est ainsi.

Kryeon

Des scientifiques cherchent à découvrir la source de rayons à haute énergie

THE HUNTSVILLE TIMES
3 mai 1995
par Cliff Edwards
The Associated Press

Chicago — C'est un feuilleton policier classique, mais avec des proportions cosmiques. Quelque chose — ou quelqu'un — loin là-bas lance partout dans l'univers des particules chargées d'une incroyable quantité d'énergie. Des scientifiques et des ingénieurs se sont rassemblés à Chicago cette semaine pour mettre au point un plan pour trouver la provenance de ces "rayons cosmiques à ultra-haute énergie".

« Ceci est totalement inexplicable, » a affirmé James Cronin, un lauréat du prix Nobel et physicien de l'université de Chicago. « Nous avons appris beaucoup de choses sur les cieux et le cosmos, mais ceci est une énigme. »

Les particules frappant la Terre possèdent 100 millions de fois l'énergie produite par le plus puissant accélérateur de particules au monde, à Fermilab en banlieue de Batavia près de Chicago.

Les scientifiques ne connaissent aucune source — aucune supernovæ, ni aucun trou noir — qui puisse produire de telles énergies. Ils croient qu'elles viennent de l'extérieur de la galaxie.

Vérification additionnelle des prédictions
faites par Kryeon en 1994
(l'article n'est pas cité en entier)

Je suis Kryeon du service magnétique. J'ai créé le système du réseau magnétique de votre planète. La création de ce système a nécessité une période de temps terrestre considérable. Il a été équilibré et ré-équilibré pour s'harmoniser aux vibrations physiques de votre planète en évolution. Durant la période où j'ai été ici au début, ce que vous percevez maintenant comme la polarité positive et négative de la Terre a été modifiée à maintes reprises. Votre science peut prouver ce fait; étudiez les strates du sol qui témoignent de multiples renversements de la polarité nord/sud de la Terre au cours de son histoire.

Tiré du premier livre de Kryeon, *La graduation des temps*

« *Si vous êtes plongé jusque par-dessus la tête dans des histoires de continents perdus, de channeling et d'OVNIs, il n'y a peut-être plus de place en vous au plan intellectuel pour les découvertes de la science.* »

Carl Sagan – Célèbre scientifique

« *Ceux qui décident à l'avance quelles sont les possibilités ne pouvant faire l'objet de recherches scientifiques se montrent injustes envers la science logique.* »

Lee Carroll – Personnage non-scientifique pas tellement célèbre

« *Ignorer les preuves d'origine astrale dans la recherche de solutions scientifiques revient à décider de ne pas chercher à découvrir toute la vérité.* »

Kryeon – Maître scientifique

Le jour où le champ magnétique terrestre a perdu le nord

S'il y avait eu des marins il y a 16 millions d'années, ils auraient subi tout un choc s'ils avaient tenté de naviguer à la boussole. Car quelque chose de très étrange est alors arrivé au champ magnétique de la Terre.

Personne n'était là pour noter l'événement. Mais une trace existe néanmoins, et une équipe de chercheurs dirigée par Robert Coe de l'Université de Californie à Santa Cruz est parvenue à la déchiffrer. La trace de cet événement consiste en de minuscules particules magnétiques mélangées à de la lave qui s'est jadis écoulée du Mont Steens en Oregon. Pendant que refroidissait la lave, les particules se sont alignées avec le champ magnétique terrestre telles des aiguilles de boussoles. En étudiant l'alignement des particules, les scientifiques ont établi que, chose inexplicable, l'orientation du champ magnétique se déplaçait de plus de 6 degrés par jour - une vitesse de changement beaucoup plus rapide que ce que croyaient possible les scientifiques...

Coe et les autres chercheurs proposèrent cette théorie il y a dix ans. Mais la plupart des scientifiques avaient alors rejeté ces précédentes conclusions, estimant ces énormes changements du champ magnétique trop grands pour être vrais. La nouvelle étude apporte une solide preuve pour réfuter les critiques...

Par Tom Yulsman
Earth Magazine
août 1995

HUIT

Prédictions, validations et sceptiques

Un mot de l'auteur...

Ce chapitre est le mien et c'est un des rares à ne comporter aucune transcription de séance de channeling de Kryeon. La raison en est que je souhaite montrer ce qui arrive avec les validations issues du travail de Kryeon; je veux aussi discuter de certains aspects de la logique à la base de nos opinions sceptiques actuelles.

Une des choses se rattachant au fait d'être un canal médiumnique est que cela pousse souvent les sceptiques à faire des commentaires sur notre travail. Avec le succès mondial que connaît l'information de Kryeon, je savais que j'allais être la cible de nombreux commentaires et de maintes critiques de personnes ordinaires guidées par une pensée logique (sans compter les gens du Nouvel âge)! Puis je me suis soudain rendu compte que **je suis moi-même une de ces personnes ordinaires guidées par une pensée logique!** « Kryeon, donne-moi quelque chose qui prouve la justesse de certaines de ces choses bizarres », lui demandai-je. « Et pourrais-tu faire cela avant la fin de ce siècle, s'il te plaît? » J'avais dans l'idée que si j'arrivais à obtenir toute une série de validations de la part de la communauté scientifique au sujet de certaines des prédictions les plus folles de Kryeon, je serais alors une personne logique très heureuse!

Je savais aussi que cela pourrait ironiquement aider à convaincre certains des sceptiques du Nouvel âge qui étaient demeurés attachés aux paradigmes de l'ancienne énergie et qui se méfiaient beaucoup du "nouveau médium à la mode". En fait, les critiques les plus sévères sont venues principalement des travailleurs métaphysiques de l'ancienne énergie qui étaient parfaitement à l'aise avec la manière dont les choses fonctionnaient auparavant. L'implant, la cocréation, l'auto-guérison et bon nombre des nouveaux dons de l'Esprit ont été difficiles à accepter, puisque les anciens concepts métaphysiques avaient été valables depuis si longtemps. Certains métaphysiciens, de même que de nombreux chrétiens ont décidé que Kryeon faisait partie des forces noires, et ils avaient peur de ces changements (jetez un coup d'œil à la page 132). Il serait facile d'écarter le travail de Kryeon en affirmant qu'il ne s'agit que d'un autre "feu de paille" de croyances populaires du Nouvel âge. Je ne porte pas de jugement sur ces travailleurs de l'ancienne énergie et je sympathise volontiers avec eux car je m'imagine comment on doit se sentir lorsqu'on est à leur place.

Les validations scientifiques seraient donc un instrument de confirmation pour ces deux catégories de gens, ceux qui n'ont aucune connaissance en métaphysique et les sceptiques du mouvement du Nouvel âge. C'est tout de même curieux toute cette influence que la communauté scientifique non-illuminée exerce sur les travailleurs illuminés. La raison en est que nous vouons tous un grand respect à l'intelligence de la communauté scientifique de cette planète. Et comme je l'ai précédemment déclaré, de nombreux scientifiques m'ont écrit sous le couvert de l'anonymat pour encourager le travail que je fais! Ils sont avides tout autant que nous de bonnes réponses logiques.

En août et de nouveau en décembre 1993, Kryeon a parlé des scientifiques qui sont capables de "voir" les maîtres-guides arrivant de partout dans l'univers pour faciliter l'implantation de la nouvelle énergie de la planète (une prédiction plutôt étrange). Cette prédiction fut donnée directement en réponse à une question posée à Kryeon. Tel que décrit dans le second livre de Kryeon (*Aller au-delà de l'humain*, page 67), la citation intégrale de la question transcrite et de la prédiction est à nouveau donnée ici.

Question : *Avec toute cette activité universelle, pourquoi nos scientifiques ne peuvent-ils rien voir de ce qui se produit? Est-ce que tout ça est trop au-delà de nos capacités sensorielles?*

Réponse : Je ne vous donnerai jamais de l'information qui pourrait révéler la dualité au grand jour, ou soulever des questions qui donneraient à réfléchir à vos scientifiques et risqueraient ainsi de porter atteinte à votre nouveau stade d'apprentissage où vous êtes. Je peux cependant vous dire que des entités à l'échelon de maître laissent une trace résiduelle de leur passage en arrivant. **Cherchez des traces inexplicables d'activité de rayons gamma de très haute intensité et de brève durée.**

Tel qu'on peut le voir dans le deuxième livre de Kryeon, deux articles signalaient en février 1994 la découverte de ces rayons gamma cosmiques d'une façon telle qu'on aurait dit que c'était Kryeon qui avait écrit sa propre publicité! On pouvait lire ceci dans le numéro 14 de *Science News* : « Explosions de rayons gamma - une lointaine bordée? Ces éclairs de radiation comptent parmi les phénomènes les plus mystérieux de l'univers. Personne n'a découvert la source de ces émissions... » Et dans *The Grand Rapid Press* du 15 février, on pouvait lire : « Le satellite Alexis, d'une valeur de 17 millions de dollars, du Laboratoire national de Los Alamos a enregistré environ 100 de ces explosions qui ne ressemblent à rien de ce qui a été décrit dans la littérature scientifique. »

Il a suffi d'environ 6 mois à partir du moment où un channeling de Kryeon en parlait pour que l'information soit validée (voir page 227 du deuxième livre de Kryeon, *Aller au-delà de l'humain*, pour le texte intégral des articles). C'était là le début de la suite de validations que j'avais demandées pour les prédictions de Kryeon. On m'a dit que rarement dans l'histoire de la littérature de channeling a-t-on vu cela se produire avec une telle clarté comme c'est ici le cas. Ces émissions de rayons cosmiques se produisent-elle toujours? Jetez un coup d'œil en page 178 pour en avoir la confirmation.

Le 10 février 1994, Kryeon vint se manifester à Del Mar dans un environnement familier et communiqua des informations surprenantes que vous pouvez maintenant lire en entier à la page 188 du deuxième livre de Kryeon. Avant de poursuivre au sujet de ces informations, j'aimerais vous raconter à quel point je prends au sérieux ma mission de publication de ce travail de channeling. Lorsque je suis assis devant mon ordinateur en train de channeler un livre de Kryeon, je cherche à retrouver une certaine "sensation" intérieure par laquelle je sais que je suis dans une profonde intégrité pour faire l'interprétation correcte des pensées de Kryeon avant de vous laisser lire ceci. Il s'agit là en réalité d'un processus plus difficile que de faire du channeling en public, puisque lors de ces séances je dispose habituellement de l'énergie de plus de 200 personnes dans la salle pour me fournir le lien instantané pour y parvenir. (Kryeon aime s'adresser à des groupes d'humains, et l'énergie est toujours intense en raison de l'amour transmis et de l'honneur présent. Croyez-le ou non, Kryeon aborde toujours une séance de channeling de la même façon qu'un humain aborderait une rencontre avec un groupe de célébrités.)

Il est important pour moi de savoir que ce que je traduis en mes mots n'est pas entaché d'idées auxquelles j'ai déjà songé ou qui ont fait l'objet de spéculations intellectuelles de ma part, ou qui sont le reflet de quelque chose que quelqu'un m'a déjà dit un jour. Lorsque je fais du channeling à l'ordinateur, j'ai le temps d'y réfléchir et d'examiner tout cela. Parfois cela me demande plus de temps en raison de ce fait, mais l'information est très nette et précise. Durant les séances publiques de channeling, toutefois, Kryeon sait que je n'ai pas le temps d'y réfléchir; il choisit donc souvent ces moments pour offrir de l'information ayant une valeur émotionnelle ainsi que des révélations pour notre époque. Je reçois alors très rapidement ce qui est communiqué et tout cela est enregistré pour une transcription ultérieure. Je ne peux alors rien anticiper et Kryeon connaît et respecte mon processus. Certaines des choses les plus sensationnelles sont donc venues des séances publiques. (Cela s'est à nouveau produit pour ce livre avec le channeling de Sedona du prochain chapitre.)

Ce soir-là de février, tout semblait normal alors que je commençais le channeling. Les sentiments d'amour étaient présents et la foule était respectueuse et réceptive (comme toujours). Puis Kryeon commença à raconter pourquoi il était arrivé dans notre système solaire trois ans avant mon implication, et pourquoi il a passé du temps dans la zone de l'orbite que trace Jupiter autour du soleil. Ensuite il s'est mis à transmettre le message au sujet de MYRVA, le rocher de la mort lancé en direction de la Terre pour la détruire!

J'avais le cœur dans la gorge. Kryeon n'a pas coutume de jouer les prophètes de malheur, c'est le moins qu'on puisse dire. Il parle toujours d'amour et d'honneur et il s'évertue à présenter le bon côté des choses à propos de ce que nous avons accompli pour la planète. Le but même de sa présence ici est d'intégrer son travail à ce que nous avons fait. Ainsi, lorsque débuta ce message, je me demandais si nous avions changé quelque chose depuis la convergence harmonique (ce que nous avons la capacité de faire). Kryeon savait fort bien ce qui se passait dans ma tête et il me donna donc un incroyable "clin d'œil" d'émotion pour que je sache que ce qui s'en venait allait être une des meilleures nouvelles que j'avais jamais interprétées pour lui. Il avait raison.

Il poursuivit en racontant que son travail dans la nouvelle énergie était de briser en plusieurs fragments cet astéroïde qu'il appelait MYRVA, désactivant par le fait même son potentiel de destruction de la Terre. Il s'agissait là d'un phénomène astronomique comparable à la comète Shoemaker/Levi 9 (mais Kryeon a dit que MYRVA n'était pas la comète Shoemaker/Levi 9). Évidemment, MYRVA faisait partie du plan de destruction de la Terre auquel nous avions consenti durant cette grande session de planification dont le souvenir nous échappe et dont on ne cesse de nous parler (mais que nous ne pouvons distinctement nous rappeler). Les paroles exactes de Kryeon furent :

« Je me retrouve aujourd'hui devant vous, enchanté du fait que MYRVA soit maintenant en pièces! Il y a un protocole et un précédent à ce qui est arrivé à MYRVA, car vos scientifiques ont déjà observé cela auparavant. »

Mon cœur s'emballa sous le coup de l'émotion que Kryeon communiqua par ce message, et je fus presque incapable de continuer. Personne dans la salle ne comprit vraiment ce que je fis ce soir-là, car la nouvelle ne concernait pas un rocher dans l'espace... elle portait sur l'extraordinaire travail que nous avions fait pour rendre sa destruction possible, et tout l'honneur qui s'y rattachait pour nous. La nouvelle n'était pas que Kryeon avait fait quelque chose... mais à propos de ce que *nous* avions fait!

Si on analyse ce message d'un point de vue scientifique, ce que Kryeon disait c'est que MYRVA était en fait toujours dans l'orbite que Jupiter suit autour du soleil. De plus, il était désormais fragmenté en plusieurs morceaux, avec un scénario semblable à ce que nous avons vu avec la comète Shoemaker/Levi 9. En fait, je suis convaincu qu'il nous a été donné de voir la comète Shoemaker/Levi 9 afin de nous permettre d'avoir une compréhension de première main du genre de processus naturel que Kryeon a mis en place à propos de MYRVA. Si nous n'avions pu voir l'éclatement de la comète Shoemaker/Levi 9, l'éclatement de MYRVA n'aurait été qu'un autre mystère incompréhensible pour les scientifiques quant à la façon dont Kryeon a pu faire une telle chose. À présent nous l'avons observé en temps réel, et la manière dont une comète ou un astéroïde peut se briser sous l'effet de la force gravitationnelle naturelle est maintenant un fait accepté... et il nous a été donné de le voir en plein dans la zone où Kryeon a dit se trouver à ce moment-là! Je me sens tellement honoré que sept mois plus tard l'article reproduit à la page suivante soit apparu dans le *San José Mercury News*. Ils l'ont repris de Reuters, une agence de nouvelles européenne. Je me sens honoré puisque le moment de sa publication me permet de le partager avec vous dans les pages de ce livre (et de ne pas avoir à attendre un an de plus jusqu'au prochain livre de Kryeon). Jetez un coup d'œil à ce que les scientifiques disent dans l'article ci-dessous. Sur la base d'un relevé méthodique des faits, voici les éléments rapportés : (1) Les scientifiques découvrent une comète sur une trajectoire que certains croient menaçante pour la Terre. (2) Après sa découverte, ils remarquent qu'elle est fragmentée en plusieurs morceaux distincts (en cinq morceaux — le chiffre du changement en numérologie). (3) L'influence de Jupiter va déterminer quelle trajectoire elle va probablement suivre, et (4) les trajectoires actuelles montrent que les morceaux devraient probablement éviter un impact avec la Terre! Kryeon a-t-il encore une fois écrit son propre article? Je pense que oui (voir-ci-dessous).

L'article de MYRVA

San José Mercury News   *Dimanche, le 11 septembre 1994*

Destination Terre?

Des fragments d'une comète nouvellement découverte méritent d'être surveillés, disent des observateurs

Reuters

LONDRES — Des astronomes observent attentivement des fragments d'une comète récemment découverte qui, de l'avis de certains, pose une menace potentielle pour la Terre, rapportait le *Sunday Telegraph* de Londres.

La nouvelle comète, connue sous le nom de **Machholtz-2**, fut découverte le mois dernier par un astronome américain alors qu'elle filait vers le soleil, mais en tournant leurs télescopes vers l'objet, d'autres observateurs ont découvert que la comète s'était fragmentée, tout comme la comète Shoemaker/Levi 9 qui a heurté Jupiter en juillet.

Dès samedi, on avait pu distinguer cinq fragments — tous sur une trajectoire menant à l'intérieur de l'orbite de la Terre.

L'information recueillie jusqu'à présent par les observatoires laisse croire que si les fragments continuent sur leur trajectoire actuelle, ils devraient éviter d'entrer en collision avec la Terre, mais les astronomes disent qu'il est extrêmement difficile de prévoir leur comportement à long terme.

Duncan Steel de l'Observatoire anglo-australien a déclaré au *Telegraph* que l'influence de Jupiter dominerait leur comportement orbital.

« Il est fort probable que Jupiter capturera les objets et les relancera hors du système solaire. D'après nous, ils ne devraient pas entrer en collision avec la Terre au cours des 100 prochaines années, » dit-il. Mais il ajouta : « Nous pouvons cependant nous tromper. Cela pourrait se produire au cours des quelques prochaines décennies. Ce qu'il nous faut, c'est plus d'observations afin de pouvoir en établir l'orbite avec plus de précision . »

Ordinateurs

À présent, j'aimerais mentionner quelques-uns des éléments que Kryeon nous a spécifiquement donnés dans le chapitre sur la science du deuxième livre, lesquels éléments ont commencé à apparaître. Ce chapitre comportait plusieurs questions posées dont les réponses tenaient lieu de conseils de la part de Kryeon. Je ne les considère pas comme des prédictions, mais plutôt comme de simples conseils cosmiques pleins de bon sens qui sont maintenant fort à propos. Il est néanmoins remarquable que, moins d'un an après leur channeling, certaines de ces choses se soient retrouvées dans les nouvelles!

À la page 219, on posait une question à Kryeon sur les ordinateurs. Nous reprenons ici pour votre référence cette information channelée en juillet 1994.

Question : *Je m'intéresse aux ordinateurs. Où s'en va cette technologie? Sommes-nous en bonne voie de créer des machines qui nous aideront?*

Réponse : ... En ce qui concerne la technologie informatique, vous passez à côté de la chose la plus évidente! Quand vous observez le plus merveilleux des ordinateurs en fonction chez les êtres biologiques qui vous entourent, pourquoi ne l'imitez-vous pas? ... La machine informatique électrochimique est la voie de l'univers. C'est la voie de votre propre biologie et de votre propre cerveau. Quand commencerez-vous à songer à réunir les deux?

Je ne lis pas régulièrement les magazines scientifiques et il est donc fréquent que des lecteurs m'envoient des articles où il est question des projections de Kryeon. Tel fut le cas pour l'article sur la comète MYRVA et aussi pour celui de la page suivante. En mars 1995, l'article suivant est paru dans le magazine *Scientific American*.

SCIENTIFIC AMERICAN

MARS 1995

Ordinateurs à base de protéines

Des appareils fabriqués à partir de molécules biologiques annoncent l'arrivée prochaine d'ordinateurs compacts et d'une mise en mémoire plus rapide des données. Ils se prêtent bien à l'utilisation dans des ordinateurs à traitement en parallèle de l'information, à mémoires tridimensionnelles et à réseaux neuraux.

par Robert R. Birge

L'ordinateur le plus avancé au monde ne requiert pas une seule micro-plaquette semi-conductrice (puce). Le cerveau humain est constitué de molécules organiques qui se combinent pour former un réseau hautement sophistiqué capable de calculer, percevoir, manipuler, s'auto-réparer, penser et sentir. Les ordinateurs digitaux peuvent certainement exécuter des calculs de façon beaucoup plus rapide et plus précise que les humains, mais même de simples organismes sont supérieurs aux ordinateurs dans les cinq autres domaines. Il se peut que les concepteurs d'ordinateurs ne soient jamais capables de faire des machines possédant toutes les facultés d'un cerveau naturel, mais beaucoup d'entre nous pensent pouvoir exploiter certaines propriétés spéciales des molécules biologiques, en particulier les protéines, pour bâtir des composantes d'ordinateurs qui seront plus petits, plus rapides et plus puissants que n'importe quel appareil électronique présentement à l'étude.

Même si aucune composante d'or-dinateur faite entièrement ou partielle-ment de protéines n'est encore sur le marché, d'incessants efforts de recher-che internationale sont en voie de faire de saisissants progrès. Il semble raisonnable de prédire que la techno-logie hybride combinant des microplaquettes semi-conductrices avec des molécules biologiques va très bientôt passer du domaine de la science fiction à celui des applications commerciales.

Les scientifiques soviétiques ont été les premiers à reconnaître et développer le potentiel de la bactério-rhodopsin pour l'informatique dans le cadre de ce qui est appelé le Projet Rhodopsin. Yuri A. Ovchinnikov a obtenu un financement substantiel pour de telles recherches parce qu'il a eu l'oreille des chefs militaires soviétiques et qu'il fut capable de les convaincre qu'en explorant la bioélectricité, la science soviétique pourrait dépasser l'Occident en matière de technologie informatique. De nombreux aspects de cet ambitieux projet sont toujours considérés comme des secrets militai-res et ne seront peut-être jamais révélés.

(Extrait de l'article)

Pour être juste envers M. Birge, l'auteur de cet excellent article, il faut préciser que le texte intégral est environ dix fois plus long que l'extrait présenté ici. L'article comprend en outre une illustration du fonctionnement de cette nouvelle technologie et une description du fait que nous pouvons fort bien être à la veille de créer une intelligence artificielle de haut niveau. Je sens que c'est là exactement ce dont Kryeon parlait.

Déchets nucléaires

Tout en haut de ma liste de souhaits en ce qui concerne les prédictions et projections de Kryeon se trouve notre capacité à éliminer les déchets nucléaires. Kryeon en a parlé dans le premier et le second livre en réponse à une question dans le chapitre sur la science.

Question : *Dans des écrits précédents, vous avez dit que nos déchets nucléaires constituent l'un des plus grands dangers auxquels nous faisons actuellement face. Cette matière semble indestructible et elle est à tout jamais volatile! Que pouvons-nous faire à ce sujet?*

Réponse : La vraie réponse devrait être évidente.Ces déchets doivent être neutralisés. Je vous ai déjà parlé de ceci dans mes communications précédentes, mais je vais m'y attarder plus longtemps cette fois. Il y a plusieurs façons de neutraliser ces déchets. Celle qui est accessible à votre technologie est cependant simple et disponible présentement. Vous devriez vous tourner immédiatement vers la biologie de la Terre! Cherchez les micro-organismes que vous connaissez déjà et qui peuvent dévorer ces substances radioactives et les rendre inoffensives. Utilisez votre science pour accroître leur nombre et leur efficacité, puis laissez-les manger vos déchets!

Il me fait plaisir de rapporter que cette solution en apparence miraculeuse au problème des déchets radioactifs de la Terre est en voie d'être mise au point précisément de la façon décrite ci-haut! Je crois comprendre qu'il y a plusieurs compagnies de premier plan qui sont activement impliquées dans le développement de micro-organismes pour toutes sortes de déchets sur la planète. Elles appellent cette technologie du "Bio retraitement". Il s'agit au fond de convertir des substances toxiques contaminées au moyen de microbes sélectionnés et reproduits dans ce but précis, lesquels sont utilisés en présence d'oxygène. Ceci a déjà eu pour résultat de convertir un sol hautement contaminé en un sol fertile sans aucun résidu chimique dangereux. On commence également à les utiliser avec d'excellents résultats pour contrer des déversements pétroliers et d'autres désastres provoqués par l'homme. Il s'agit d'un grand concept et d'une approche très agressive. Tout naturellement, ces compagnies se lancent à l'assaut de géants de l'industrie chimique qui sont en affaires depuis des décennies, et il y a donc une grande bataille pour les marchés qui se dessine pour elles à l'horizon des prochaines années.

Ce qui m'a réellement emballé, toutefois, c'est un article à la page 42 du numéro 150 du magazine *Science News*, paru en juillet 1996. Il semble que les compagnies DuPont et Exxon font des expériences avec certaines plantes dans des étangs situés à proximité du désastre nucléaire survenu à Tchernobyl en 1986, dans le but d'en éliminer les éléments radioactifs caesium 137 et strontium 90! Vous avez bien lu... des plantes produites dans ce but précis éliminent les déchets nucléaires présents dans l'eau. Voici un extrait de l'article en question : « Nous menons des tests avec différentes plantes pour voir si elles peuvent accomplir une partie du sale boulot de décontamination de polluants tels les substances radioactives, le plomb, le sélénium et le pétrole. » Il semble que les choses se passent de la manière suggérée par Kryeon.

Soit dit en passant, certains parmi vous étaient intéressés à savoir quelle était la ville dont le nom commençait par la lettre "H" dont Kryeon a parlé dans le second livre. Cette ville était mentionnée par Kryeon comme étant un important site où le risque d'instabilité pour les déchets nucléaires est potentiellement élevé. À la suite de la publication du deuxième livre, nous croyons avoir identifié cette ville dans le nord-ouest des États-Unis. Il s'agit de Hanford dans l'état de Washington.

La ceinture photonique

Le livre *You are Becoming a Galactic Human*, par Virginia Essene et Sheldon Nidle, a été pendant plusieurs mois sur la liste des best-sellers des distributeurs! Il mérite de s'y trouver et partout où nous allons offrir des séminaires, nous conseillons à chaque personne intéressée de se le procurer, car il peut provoquer une profonde réflexion.

Nous avons abordé point par point certains des sujets traités dans ce livre lors de nos séminaires. J'ai le sentiment qu'il y a des points communs entre ce que nous dit Kryeon et le travail de Sheldon et Virginia. (1) Ce livre sur l'humain galactique parle d'un groupe venant pour préparer les réseaux magnétiques (les Seigneurs du temps). Je crois qu'il s'agit là du groupe de Kryeon. (2) Ce livre ne prévoit pas de changements physiques des pôles de la Terre (ce qui est la base du message de Kryeon). (3) Les deux livres parlent d'une voie complètement nouvelle pour la planète. (4) Les deux livres nous exhortent de ne pas accorder foi à ce que les Zétas nous disent. (5) Il est même fait mention des rayons gamma dans le livre sur l'humain galactique (qui sont validés par la science dans le deuxième livre de Kryeon). (6) Peu importe la possibilité que des choses effrayantes se produisent dans l'avenir, Sheldon et Virginia traitent ce genre d'information comme étant fondamentalement de bonnes nouvelles pour nous tous.

Le fait demeure, cependant, que Kryeon n'a jamais mentionné l'existence d'une **ceinture photonique** ou encore les scénarios de journées et de nuits prolongées dont ils annoncent l'imminence dans leur livre. Kryeon affirme aussi que les réseaux magnétiques sont d'une importance vitale pour nous... et on nous affirme dans ce livre qu'ils seront enlevés (mais qu'une bulle de protection les remplacera pendant que cela se passera). Kryeon n'a également que des choses positives à dire à propos de Pléiadiens, alors que des choses négatives sont rapportées à leur sujet dans cet autre livre.

Kryeon ne cesse de parler du fait que nous sommes en train d'écrire notre propre avenir. Il nous dit qu'il n'y a pas de voyant, de devin ou de médium qui puisse fixer précisément la date d'un événement spécifique à venir dans ce Nouvel âge. Cela est dû au point fondamental que Kryeon mentionne fréquemment : **Notre avenir est une cible en mouvement!** Lorsque vous examinez ce que disent bon nombre de prophètes du Nouvel âge, et puis les écrits des anciens prophètes d'il y a plus de 400 ans, vous constatez qu'ils ont tous aujourd'hui quelque chose en commun - leurs prédictions ne se sont pas réalisées! Nous sommes des années en retard sur tout ce que prédisaient l'Apocalypse, Nostradamus et les indiens Hopis. Quelque chose est en train de se passer qui rend toutes ces prédictions caduques, ou qui en reporte grandement la réalisation. En 1989, lorsque Kryeon est arrivé, nous ne disposions pas de la preuve que nous avons maintenant selon laquelle nous sommes véritablement entrés dans un Nouvel âge. À présent nous l'avons.

L'ensemble du travail de Kryeon est centré autour du fait que nous avons changé notre avenir, et il est ici pour ajuster le réseau magnétique en raison de ce fait. Dans l'ensemble de tout ce contexte, nous découvrons que notre avenir continue à changer à mesure que nous élevons les vibrations de la planète. Une chose que nous ignorions en 1995 (lorsque ce livre fut originalement écrit), c'est que certains attributs physiques de la planète Terre elle-même sont maintenant en train de changer. La résonance de Schumann, une mesure de l'onde permanente à l'intérieur du courant entre la partie inférieure de l'ionosphère et la surface de la Terre, est demeurée à peu près constante, se maintenant entre 7,25 et 7,8 hertz depuis toujours. Elle est demeurée si stable qu'elle sert même de référence pour calibrer certains instruments scientifiques. Gregg Braden, l'éminent auteur de *Awakening to Zero Point* (LL Productions : 1-800-243-2438), indique que la mesure de la fréquence de cette résonance se situe actuellement (au mois de mai 97) entre 10 et 11 hertz! Non seulement la Terre change-t-elle son attribut spirituel à la suite de notre travail, mais elle change aussi sa vibration au plan physique, et la science en fait la démonstration. Quelqu'un a-t-il remarqué les changements climatiques dont Kryeon nous a dit en 1989 qu'ils allaient se produire? Ils sont maintenant là! Toute cette activité est une forte réaction au fait que la conscience transforme la matière physique... une phrase qu'on a souvent entendu dire par Kryeon. Grâce à notre travail, nous transformons non seulement la surface de notre planète, mais notre futur aussi.

Je crois qu'avant même que l'encre du livre sur les humains galactiques ne soit sèche, nous avons une fois de plus changé notre avenir de telle sorte que l'expérience de la ceinture photonique telle que prédite par Sheldon était annulée. Il ne s'est pas trompé dans ce qu'il a "vu"... le scénario a tout simplement changé pendant le temps nécessaire à la publication du livre. Ceci deviendra une chose très fréquente et ce sera une source de frustration pour les médiums qui ne comprennent pas le nouveau paradigme.

Il y a encore des prophètes de malheur dans le mouvement du Nouvel âge qui n'ont rien compris. Leurs prédictions de fin du monde ne se sont pas réalisées à la date annoncée, et ils en ont donc tout simplement fait de nouvelles devant se réaliser à une date ultérieure. Lorsque ces dates passeront sans que la planète ne bascule sur son axe, ou que la Californie ne soit submergée, je suppose qu'ils vont en émettre de nouvelles... et ainsi de suite. Tel est l'attrait du sensationnel.

Je ne pense pas que Sheldon et Virginia entrent dans la catégorie des prophètes de malheur. Ils nous présentent des informations importantes qui sont tout à fait valables. J'ai le sentiment que le moment précis du passage de la ceinture photonique n'était pas le point le plus important. Cela ne représentait que quatre pages en tout dans leur livre. L'information s'est maintenant mutée en quelque chose d'entièrement différent en raison des changements vibratoires que nous avons faits. La date de ce phénomène ne correspondait pas au modèle prédit et Kryeon avait dit au fond que ça n'allait pas être un point important; mais je le répète, cela n'invalide pas le travail de Sheldon et Virginia.

Ce n'est vraiment pas le moment pour les gens qui font du channeling d'être en désaccord. C'est une période de mise à l'épreuve de la sublimation de l'ego et de l'ouverture d'esprit. Je suis heureux de connaître l'information provenant de Sheldon et Virginia parce que je crois qu'il s'agit d'une bonne nouvelle. L'essentiel du message de leur livre et de celui de Kryeon est que nos changements terrestres et notre position dans la galaxie représentent une bonne nouvelle pour la planète. Cela me suffit amplement.

Les résonances Schumann

Les résonances Schumann sont des ondes électromagnétiques quasi permanentes qui existent dans la cavité entre la surface de la Terre et la limite intérieure de l'ionosphère à 55 kilomètres au-dessus de nos têtes. Les ondes permanentes représentent plusieurs fréquences se situant entre 6 hertz et 50 hertz, avec la résonance fondamentale située à 7,8 hertz comportant une variation quotidienne de +/- 0,5 hertz. Pour plus d'information sur la résonance Schumann, voir le *Handbook of Atmospheric Electrodynamics*, Volume 1, chapitre 11, par Hans Volland, publié en 1995 par CRC Press.

La logique des sceptiques

Je désire maintenant consacrer quelques pages à une question qui me déconcerte depuis quelque temps. Cela concerne l'apparent manque de logique dans la façon dont les sceptiques abordent le monde du paranormal et de la métaphysique.

Vous savez presque tous maintenant que je me considère comme un sceptique. C'est toujours le cas, et pourtant mon approche à l'égard de presque toutes les énigmes est fort différente de celle de la plupart des "experts" que j'ai pu observer. Si quelqu'un arrivait soudain à ma porte en état de grande excitation et déclarait avoir tout juste vu dix-huit petits hommes violets de 4 pieds de haut sortir d'une soucoupe volante dans un champ voisin... et qu'ils ressemblaient tous à Elvis, je serais sceptique (c'est le moins qu'on puisse dire).

Mais en toute logique, mon cerveau dirait : « Bigre! Cela me semble complètement stupide; je crois que je vais aller voir par moi-même. » Supposons donc que le type m'amène à l'endroit où il prétend avoir vu tout cela. Je regarde partout autour et ne trouve absolument rien. Aucune trace au sol pouvant indiquer qu'une soucoupe aurait atterri là, pas de minuscules empreintes de pieds d'Elvis, et surtout aucun autre témoin. Mon cerveau dirait alors : « Je crois bien que ce gars est cinglé. » Et je retournerais chez moi (pour regarder l'émission *Aux frontières du réel*).

Toutefois, si je découvrais plus tard qu'au même moment de nombreuses autres personnes, n'ayant aucun lien entre elles, ont également vu la même chose dans plusieurs autres champs, je serais alors certes très intéressé. Et à ce moment-là mon cerveau dirait probablement : « Le facteur de corrélation de cet événement bizarre est trop grand pour être ignoré; je vais donc examiner cela plus à fond. » Ma tendance à y croire augmenterait considérablement et j'aurais fortement envie de mieux comprendre la nature de ce phénomène. C'est ainsi que j'ai toujours abordé les énigmes faisant appel à la logique. Les personnes qui décident à l'avance quelles sont les possibilités ne pouvant faire partie de leur recherche font une injustice à la science de la logique. Ce que je veux dire par là, c'est que je crois qu'il est nécessaire en toute logique de demeurer ouverts à <u>toutes</u> les possibilités, peu importe à quel point certaines peuvent être bizarres... tout particulièrement s'il y a des preuves à l'appui (comme de nombreux témoins, par exemple).

Malheureusement, de nombreux sceptiques dont on entend souvent l'opinion ces temps-ci ont décidé, *avant même* d'entreprendre toute recherche, de leur opinion sur les points suivants : « Les pouvoirs psychiques, ça n'existe pas (parce qu'on ne peut les mesurer). Les soucoupes volantes, ça n'existe pas (parce qu'on n'a pas vu de preuves de l'existence d'aucune d'entre elles). La religion n'a pas sa place dans la science (parce que nous ne sommes dorénavant plus aussi idiots, n'est-ce pas?). »

Levant le nez sur le paranormal, les scientifiques se lancent des clins d'œil entendus en rejetant toute possibilité de véritable science dans le fatras de phénomènes effrayants qui sont devenus courants en ce domaine. Kryeon dit qu'ignorer les preuves issues du monde astral dans la recherche de solutions scientifiques revient à décider de ne pas chercher à connaître la vérité! Selon moi, un véritable scientifique tentera de distinguer le réel de l'irréel et d'approfondir les choses comportant de véritables facteurs de corrélation que l'on ne peut ignorer. C'est peut-être d'avoir à distinguer les visions de petits Elvis des expériences de mort imminente qui est difficile pour les scientifiques sérieux. Pour eux, les deux sont effrayants et ils les mettent donc tous les deux dans le même sac. Pour moi, sur la base du résultat de mes investigations, l'un est simplement amusant et l'autre est très réel et possède des attributs scientifiques.

Un article publié le 15 mai 1995, dans le magazine Time, intitulé *Weird Science* , commentait la croissance phénoménale des émissions sur le paranormal diffusées à la télévision aux heures de grande écoute. L'article était fondé exactement sur ce genre d'approche erronée. De toute évidence, le préjugé dominant était que puisqu'aucune de ces choses ne pouvait être réelle, comment était-il possible que le public américain puisse être si crédule? Selon le Time : « En dépit des absurdités que l'on débite durant ces émissions, plusieurs d'entre elles font semblant d'être objectives en incluant des réfutations faites par des scientifiques et des sceptiques. Mais toute réponse raisonnée est généralement perdue dans un barrage de fiction fantasque. »

Bien sûr, du point de vue des personnes impliquées dans le domaine de la télévision (comme moi), nous comprenons que ce sont les considérations économiques qui déterminent la programmation de la télévision aux heures de grande écoute. Les cotes d'écoute et les "sujets à influence dominante" sont les vraies raisons de la présence de ces émissions sur les ondes et, en langage clair, elles y sont **parce qu'il y a des millions de gens qui les**

196 Alchimie de l'esprit humain

regardent. Le <u>Time</u>, encore une fois, dit : « Dans l'ensemble, ces émissions sont la célébration du non-existant, un régal pour les yeux et les oreilles des crédules. » Ce faisant, <u>Time</u> vient d'insulter la plupart des Nord-Américains. Je crois personnellement que les humains sont très intéressés par ce qu'ils savent déjà intuitivement au niveau cellulaire, et la diffusion de quatre émissions spéciales sur les anges en 1994 et 1995 n'est pas une coïncidence à cet égard aujourd'hui, puisque c'est le Nouvel âge. Où est passée la rigueur de l'approche scientifique en ce qui concerne ces faits?

Pendant des années, il y a eu un monsieur qui se faisait appeler "Randy le sensationnel" dont la spécialité consistait à démythifier le paranormal. Or, vous pensez probablement que je fais partie de ceux qui ne l'aimeraient pas pour cette action (puisque je fais maintenant du channeling). En réalité, je lui voue un grand respect. Dans le contexte de son processus (de ce qu'il croit), il cherche à aider les gens. Il croit fermement que les activités paranormales ne sont rien d'autre qu'une imposture s'adressant aux gens incrédules, et il a donc consacré sa vie à démontrer avec succès aux spectateurs qu'on a raison de croire ainsi. Il le fait d'une façon théâtrale, mais cela ne fait que lui donner une meilleure tribune pour aider les gens à ne pas se faire rouler par des individus malhonnêtes qui se remplissent les poches en se faisant passer pour des médiums, des voyants et des plieurs de cuillères.

Or, Randy part exclusivement du principe que les médiums, voyants et plieurs de cuillères sont tous des imposteurs. Randy se met donc en devoir de le prouver en montrant aux spectateurs à la grandeur du pays qu'il peut faire la même chose grâce à des illusions, tout comme le ferait un magicien. Et il y parvient! Il plie des cuillères, donne des réponses d'une étonnante profondeur à des individus (tout comme le ferait un médium) et crée des effets semblables à ceux de séances de spiritisme... le tout grâce à l'illusion. C'est un excellent spectacle.

Je vous dis cela dans le but de vous signaler une énorme faille dans la pensée des humains à l'égard de ce genre de "preuve". Laissez-moi vous demander ceci. Si David Copperfield pouvait vous donner l'illusion de la séparation en deux de la Mer Rouge (et je parie qu'il le peut), cela serait-il pour vous une preuve concluante que Dieu n'a pas séparé les eaux de la Mer Rouge? Bien sûr que non. Alors pourquoi est-ce que tout le monde pense que parce qu'un illusionniste peut créer l'illusion d'un événement, l'événement **réel** ne peut donc s'être produit? Ça n'a aucun sens

(Kryeon parle également de ce fait un peu plus loin).

Naturellement, l'inférence du point de vue de Randy est que tous les autres fabriquaient des illusions tout comme lui, et dans son esprit cela suffit donc comme preuve. Puisque Randy ne peut apporter de commentaires à ce qui est dit en ces pages, je veux une fois de plus vous dire que je crois qu'il a probablement sauvé bien des gens, au fil de ses voyages, du piège d'activités malhonnêtes faites par ceux qui se font passer pour de vrais travailleurs du Nouvel âge et qui ne font ça que pour "faire du fric". Alors considérez ses activités dans une lumière d'amour, et vous verrez que sa mission est humanitaire. Une fois de plus, je respecte cela. Si je n'étais pas moi-même devenu un canal, je me serais probablement joint aux rangs de ses admirateurs!

Conclusion

J'ai grandi dans les années 50 et 60, durant ce que je pensais être une époque très sophistiquée et scientifique. Après tout, nous avions de grosses voitures rapides (avec d'élégants ailerons arrière), des satellites tournant autour de la Terre, l'énergie nucléaire, les Beatles, et quelques-unes des inventions scientifiques les plus avancées au cœur de nos demeures (comme de puissantes chaînes stéréophoniques et la télé couleur). Tout cela me fait bien rire aujourd'hui, mais à vrai dire ce n'était pas précisément l'âge des ténèbres. La NASA était en pleine expansion; nous lancions des hommes dans l'espace et ça semblait être une époque très technique.

Or, à cette époque, au début des années 60, il y avait un groupe de gens qui étaient certes fort étranges (selon les scientifiques). Ces gens étaient les partisans d'une théorie qui était, pensait-on, complètement ridicule! Ils examinèrent la configuration géographique des continents de la Terre (grâce aux photos prises par satellite dans les années 60) et ils avancèrent l'idée que tous les continents actuels faisaient jadis partie d'une seule masse terrestre, et que cette grande masse s'était d'une façon ou d'une autre fracturée et avait dérivé dans différentes directions. « Regardez le tracé des contours », aurait dit l'un d'eux. « Ils s'emboîtent comme les morceaux d'un casse-tête! »

Là encore, les scientifiques se sont lancés des clins d'œil entendus et leur ont tourné le dos, sachant fort bien que les continents ne dérivent pas. Ils ont agi ainsi plutôt que de donner quelque crédibilité à une forte corrélation de preuves observables suggérant qu'une telle chose aurait réellement pu se produire. On ne crut pas ce groupe de partisans de la théorie de la dérive des continents, puisque pour les scientifiques de ce temps-là il n'y avait aucun mécanisme observable qui aurait pu même commencer à expliquer une telle chose. C'était donc un tissu d'absurdités. Une fois de plus, nous voyons à quel point notre communauté scientifique moderne n'est pas objective à l'égard de tout ce qui ne s'appuie pas sur un mécanisme démontré.

Grâce à des hommes comme le Dr. Robert Ballard (qui a consacré beaucoup de temps à la recherche à La Jolla, près de la ville où je demeure), la mécanique des plaques tectoniques a été découverte dans les profondeurs de l'océan, et la théorie de la dérive continentale est devenue du jour au lendemain un fait scientifique établi.

Je vous raconte cette histoire pour vous démontrer qu'en ces temps modernes il y a des preuves de l'existence de cette même pensée déficiente autour de moi parmi les gens qui ne croient pas à la métaphysique. Je crois qu'il n'est pas nécessaire après tout de croire à l'énergie des pyramides pour être méprisé par les scientifiques!

Pour ma part, je soutiens qu'une bonne partie des phénomènes paranormaux d'aujourd'hui seront les faits reconnus de demain. Je suis simplement déçu que des femmes et des hommes très intelligents se refusent à les examiner sérieusement et à faire la part des choses entre les faits et les choses ridicules. Il suffirait que quelques-uns d'entre eux prennent position en disant : « Cela semble vraiment loufoque, mais nous sommes des scientifiques, et par respect pour la méthode scientifique, **nous devrions considérer toutes les choses qui ont de comparables attributs observables... peu importe à quel point elles peuvent paraître bizarres.** » Si Kryeon voit juste, ceci pourrait résulter en une recherche de l'<u>entière vérité</u>. Ce but s'accorde-t-il avec l'idée que l'on se fait de la recherche scientifique sur la planète?

Lee Carroll

NEUF

Science

Un mot de l'auteur...

Nous revoici en train d'approfondir un domaine des écrits de Kryeon qui a provoqué plus de réactions que tout autre sujet. Nous allons examiner dans le dernier chapitre les résultats des prédictions du deuxième livre de Kryeon en matière de science. Vous pourrez constater qu'autant la communauté métaphysique que la communauté scientifique sont intéressées par ce que nous allons examiner ici.

Il me faut en rire, puisque j'obtiens une vue d'ensemble des pensées de tous à l'égard des questions abordées par Kryeon. Même si la chose est confidentielle, je peux vous dire que j'ai reçu des lettres d'un scientifique dans le domaine de l'aérospatiale, d'un physicien, de nombreux médecins et de un ou deux géologues qui me disent secrètement de « continuer ce que je fais; nous avons besoin que ces idées soient exposées publiquement. » Ce sont tous des métaphysiciens clandestins qui ne peuvent dire à leurs collègues scientifiques ce en quoi ils croient réellement puisqu'ils perdraient ainsi toute crédibilité au sein de la communauté scientifique. Je peux m'imaginer ces hommes et ces femmes à leur travail, avec leur livre de Kryeon camouflé entre leurs documents scientifiques (avec les pages de couverture arrachées, bien sûr), un peu comme un jeune garçon à l'école cachant son premier magazine de filles nues pour que son professeur ne le voit pas. Puis je cessai de rire, réalisant que c'est exactement ce que j'avais fait avec le premier livre à mon travail pendant un an! Eh bien, il est très facile de prévoir ce que feront les humains... et je suis content d'en être un.

Ce qui suit est le channeling fait lors de la rencontre tenue en mars 1995 à Sedona, Arizona, où Kryeon a pour la première fois parlé de science et de mathématiques. Chaque fois que cela se produit, je deviens nerveux. Je suis un homme d'affaires, et lorsque je reçois des lettres avec des questions sur la physique des particules élémentaires, je veux aller me cacher dans une garde-robe (puisque je n'y comprends absolument rien). Mes connaissances sur le comportement des petites particules sont limitées à celles qui se trouvent dans mes bas lorsque je me promène sur une plage de sable. Le titre "La surprise de Sedona" est dû au fait que Kryeon a décidé de parler de nombreux principes scientifiques que nous chérissons mais qui, d'après lui, sont erronés! J'avais la gorge serrée en pensant à tout le courrier que j'allais recevoir. Heureusement, avant que ce livre ne soit terminé, nous avions reçu bon nombre de travaux faits par des mathématiciens qualifiés commentant ce qu'il a dit. Vous en trouverez quelques exemples ci-après.

Tout juste avant la transcription du channeling, j'inclus une lettre de Eléna Johnson reçue en mai (tandis que j'écrivais ce livre). Cette lettre illustre quelques-uns des miracles de synchronicité que l'Esprit a fait vivre à beaucoup de celles et ceux qui se retrouvent devant moi à l'occasion d'un séminaire avec Kryeon. À l'image des autres rencontres avec Kryeon, ce simple rassemblement de deux cents personnes à Sedona a réuni des gens venant de sept ou huit états voisins et de quatre pays étrangers. Pour le confirmer, il a suffit de demander aux gens durant la rencontre d'identifier leur provenance en levant la main. Eléna avait sa propre histoire étonnante à raconter et je l'inclus juste avant la transcription du channeling de Sedona.

18 mai 1995

Chère Jan, cher Lee,

Mon nom est Eléna et je veux vous exprimer toute la gratitude que j'ai pour vous et pour votre travail comme canal pour le groupe Kryeon. Voici mon histoire. J'éprouvais depuis novembre 1994 la forte envie de me rendre en Arizona. En janvier 1995, cette envie est devenue un besoin urgent, et je savais que Sedona serait un bon endroit pour commencer.

Bref, cela représentait un bouleversement total dans mon existence. Devais-je quitter mon emploi? Devais-je déménager? Peut-être prendre des vacances... Je ne savais plus quoi penser. Je demandai et me vis accorder un congé exceptionnel de deux mois, et je choisis une date de départ, le 15 mars. J'arrivai à Sedona le 17, sachant que j'y avais un endroit où séjourner pour les prochains dix jours. Je m'éveillai très agitée le matin du 18 mars en me demandant « Pourquoi suis-je ici? Je suis folle d'avoir fait ce voyage », et bien d'autres choses.

Attribuant mon état émotif à l'énergie de Sedona, je me rendis jusqu'à la ville de Jerome (située à quelques milles à l'est) pour m'éloigner du vortex et me ressaisir, ce que je réussis à faire. Je décidai que la vie était belle après tout, et qu'il serait agréable de terminer la lecture du deuxième livre de Kryeon et de faire un pique-nique, peut-être à l'aéroport. Je revins à Sedona, préparai mon pique-nique et me mis en route pour l'aéroport lorsque je vis une boîte blanche avec des lettres scintillantes et une flèche où on pouvait lire "Kryeon". J'étais en train de virer dans cette direction et je me dis que c'était bien étrange! Alors que je m'apprêtais à lire mon livre, je vis une affiche avec le mot Kryeon. Eh bien! je stoppai à un point d'observation pour prendre une photo.

Je poursuivis ma route, attentive à tout signe pouvant indiquer l'endroit où se trouvait le vortex, lorsque je vis une autre boîte où était écrit "Kryeon" en lettres étincelantes!... et des voitures stationnées jusque sur le côté de la route. Je me dis à voix haute : « OK, univers, qu'est-ce qui se passe? » Je pensai, eh bien! s'il s'agit de l'endroit où je suis censée aller, je vais me trouver une place où me garer, là juste devant moi. Et il y en avait une.

Je me rendis jusqu'à l'entrée latérale en me demandant ce qui se passait. Je parlai à une femme et lui demandai de me renseigner et elle me dit : « Lee Carroll est ici en train de répondre aux questions des gens, et ensuite à 19h, il y aura une séance publique de channeling avec Kryeon. » J'en eus le souffle coupé!!! « Et il vient de commencer il y a à peine cinq minutes. Vous arrivez donc juste à temps!! » Je demandai combien cela coûtait... « Cinquante dollars. » J'avais justement cinquante dollars dans ma bourse et je les lui donnai tout en riant et en pleurant et en lui contant mon histoire. Elle me dit que j'avais accepté d'être ici et que tout ce passait exactement comme convenu (ou quelque chose comme cela). Il y a eu deux autres femmes qui avaient elles aussi des histoires de confiance et de foi à raconter cet après-midi là et nous nous sommes toutes raconté nos histoires.

Ce fut un des jours les plus marquants de ma vie (les événements de cette journée), et je tiens vraiment à vous remercier tous les deux pour votre partage et votre travail avec Kryeon.

Eléna Johnson — Gresham, Oregon

La surprise de Sedona

Channeling du 18 mars 1995
Sedona, Arizona

La transcription de cette séance de channeling devant public a été modifiée par l'ajout de mots et de pensées afin d'en clarifier le sens et de permettre une meilleure compréhension de ce qui a été dit.

Mes salutations! Je suis Kryeon du service magnétique! Et ainsi la pause avant cette salutation était pour toi, mon partenaire, ne crois-tu pas, car tu sais que j'ai grandement hâte de parler aux gens maintenant assis devant toi. Ah, mes chers amis, certains d'entre vous sont tellement incrédules! Et malgré tout nous vous honorons et vous aimons. Car il est difficile pour vous de croire qu'une telle chose soit possible... ces messages provenant de l'autre côté du voile, des messages de Dieu. La dualité a une forte emprise sur vous et elle vous empêche de voir le moi divin que chacun de vous possède à l'intérieur. Car la communication serait instantanée si vous pouviez la voir, et vous n'auriez pas besoin ce soir du défi que représente ce channeling. Nous vous l'avons répété à maintes reprises et nous allons continuer à le faire tandis que vous vous habituez à la voix de mon partenaire qui vous parle en ce moment ainsi qu'à la puissance se trouvant devant vous, représentée par le troisième langage qui vous est transmis. Car non seulement nous remplissons cette salle d'amour, mais aussi avec les entités du groupe Kryeon afin qu'elles puissent circuler dans les allées, devant et derrière vous, et vous entourer de leurs bras en vous disant : « Ah, cher ami, nous connaissons ton nom! »

La nécessité pour vous d'être présent ici était absolue. Cela est tellement évident pour certains d'entre vous. Cela l'est moins pour d'autres. Chacun de vous, ayant rendez-vous pour se retrouver assis sur le siège où vous êtes maintenant, entend les paroles de l'Esprit et a un aperçu de l'énergie d'amour émanant de la source centrale. Et la raison de votre motivation à être ici pour recevoir cette énergie est qu'**il s'agit de l'énergie de votre lieu d'origine**. Vous entrez en résonance avec elle et vous la désirez ardemment; son souvenir est encore présent en vous. C'est donc un grand honneur pour moi de dire que cette salle est remplie ce soir d'une énergie capable de transformer votre vie. Voilà bien sûr la raison de votre présence ici!

Il peut vous sembler étrange que le Maître du magnétisme vienne à vous pour apporter la paix en votre cœur et vous donner de l'information sur l'amour. Mais c'est ce que représente l'énergie de Kryeon sur cette planète. D'autres viendront à vous avec des informations plus spécifiques sur le lignage, l'histoire et les événements futurs, mais Kryeon est ici pour accroître vos connaissances et vous inviter à participer au sentiment que l'on éprouve à être un fragment de Dieu issu de la grande source centrale. Ce qui va maintenant suivre, mes chers amis, est un exposé sur l'univers.

Avant de poursuivre, nous souhaitons vous parler de certaines choses au sujet de votre région (celle de Sedona, en Arizona). Car il y a beaucoup de gens dans votre région qui ne vivent pas ici mais qui peuvent être intéressés par ce qui va suivre. Or, certains parmi vous sont totalement conscients de ce qui est sur le point d'être transmis, car vous vous trouvez en plein cœur d'un vortex. Ne vous y trompez pas : un vortex n'est pas un portail. Les portails de la nouvelle énergie et du Nouvel âge sont fixes et statiques. Autrement dit, ils ne bougeront pas. Ils sont en voie d'être édifiés et préparés dans les zones dont nous vous avons parlé auparavant, et ils serviront de portails de communication vous permettant d'accéder au reste de la galaxie. Cette région n'est pas l'une d'elles, car il y a ici un vortex. On peut comparer ce phénomène à une tornade ou à un tourbillon dans l'eau. En d'autres termes, vous vous trouvez ce soir au centre d'une grande quantité d'énergie tournant dans le sens des aiguilles d'une montre.

Il peut être intéressant pour vous de savoir qu'il y a un vortex de jumelé à celui-ci, dans le pays que vous appelez le Pérou, au-dessus du grand lac qui s'y trouve. Il correspond à ce vortex-ci et il tourne dans le sens contraire des aiguilles d'une montre. C'est tout juste comme si vous vous imaginiez de l'eau qui tourbillonne; les rochers qui se trouvent au centre attirent l'énergie autour d'eux puisqu'ils ont un effet sur le passage de l'eau. Et il y a une accumulation d'énergie autour des rochers, tout comme les remous et les courants qui sont créés autour des rochers dans un torrent. Le vortex où vous vous trouvez en ce moment n'est pas nouveau, mes chers amis, et vous ne devriez pas le confondre avec ceux du Nouvel âge. Car les gens qui ont vécu dans cette région il y a des milliers d'années connaissaient les mêmes anomalies d'énergie que vous ressentez aujourd'hui. Et si vous examinez attentivement leurs écrits, leurs peintures et leurs dessins, vous verrez qu'on y trouve des signes de ce fait. Car le même genre de choses interdimensionnelles se produisait alors tout comme en ce moment. Ce n'est donc pas un phénomène nouveau, mais on le ressent toujours.

À mesure que l'énergie tourbillonne et s'accumule autour des rochers, ceux-ci sont transformés. Car ils deviennent polarisés en raison de l'énergie qui s'y accroche. Ceci a été bien documenté au fil des âges, et vous profitez de renseignements précis en provenance de nombreuses sources au sujet des traits caractéristiques de chaque gros rocher. Car les polarisations des rochers correspondent à des sentiments positifs, négatifs, masculins et féminins, amenant différentes sensations pour des zones différentes selon la taille du rocher et la force du vortex.

Voici une chose dont vous n'êtes peut-être pas conscients. Car la taille différente des rochers, les arêtes qui reçoivent l'énergie et celles qui sont situées du côté opposé contiennent des quantités différentes d'énergie. La façon dont vous vous sentez dépend de quel côté vous vous trouvez. Or il y a de nombreuses choses différentes qui se produisent au sein de cette énergie du fait de son mouvement tourbillonnant. Parlons tout d'abord de son effet sur les êtres humains. Celles et ceux parmi vous qui viennent ici pour un court laps de temps se sentiront revigorés, car l'énergie est toujours en mouvement ici. Ce n'est habituellement pas ainsi pour l'énergie sur le reste de la planète.

L'énergie de ce vortex possède en son centre une zone neutre semblable à l'œil d'un ouragan. Les humains qui vivent ici sont tout à fait conscients du fait que tout comme il peut être vivifiant de prendre une douche, il n'est pas nécessairement indiqué de demeurer toute sa vie sous la douche. Et le vortex a donc un effet marqué sur les humains. Ce n'est pas un endroit extraordinaire pour une grande harmonie (rires)! En fait, plusieurs parmi vous savent déjà cela; mais celles et ceux qui vivent ici sont plus nombreux à vivre seuls qu'en couple! Les gens qui vivent dans la zone neutre au centre du vortex ne subissent pas l'influence de cet attribut, mais cette zone se déplace légèrement vers le nord-ouest avec les changements que j'apporte à vos réseaux magnétiques. Cela ne devrait pas vous affecter, car celles et ceux qui vivent ici s'y sont accoutumés. Vous y êtes maintenant habitués, tout comme l'est la nature humaine.

À présent, parlons de l'effet du plan interdimensionnel. Car ainsi que vous l'indiqueront les dessins des Anciens, cette région a vu passer beaucoup de voyageurs, même s'ils n'ont pas été du genre de ceux du Nouvel âge auxquels vous auriez pu vous attendre. La zone de l'œil du vortex est une invitation à la visite, car le champ magnétique y est faible et elle favorise donc grandement les voyages interdimensionnels, les visiteurs interdimensionnels étant capables d'entrer dans le vortex à travers cet œil. Parfois vous percevez ces entités sous la forme de vaisseaux. Vous pensez qu'elles sont des vaisseaux à cause de leur taille alors qu'en fait beaucoup d'entre elles sont tout simplement de leur taille normale, n'étant pour vous visibles que dans le spectre accessible à vos sens. Vous avez parfois l'impression de voir ces êtres disparaître comme par magie dans le sol même de la Terre! Et certains d'entre vous croient donc à tort que des vaisseaux ont atterri et se sont enfouis dans le sol. En réalité, tout ce que vous avez vu, ce sont les allées et venues d'une entité interdimensionnelle affairée à visiter l'énergie interne de la Terre à travers l'une des rares zones neutres de vortex existant. Il y a là beaucoup d'activités, mais vous n'en comprenez pas la majeure partie puisque vous avez affaire à des visiteurs appropriés qui ne partagent pas vos attributs de temps ou vos leçons. Ils demeurent donc très insaisissables.

Vous devriez également être intéressés à savoir ceci. Nous vous avons dit que vous ferez la rencontre de nouveaux voisins dans le Nouvel âge. Certains parmi vous sentent que cet endroit (Sedona) sera le lieu où cette rencontre aura lieu. Au risque d'en décevoir plusieurs parmi vous, nous disons que pour le moment Sedona n'est pas le meilleur endroit pour cette rencontre, car il y a déjà eu tellement d'allées et venues depuis si longtemps que ça pourrait ne pas être agréable là où l'énergie est très intense, comme ici, pour la nouvelle activité dont nous parlons. Pour l'instant le meilleur endroit pour accueillir cette nouvelle activité est le pays que vous appelez le Mexique. Ceci peut changer, et il se peut fort bien que cela change au cours des huit prochaines années. Et rien de tout ceci n'est donc nouveau pour celles et ceux parmi vous qui vivent depuis longtemps dans cette région. Car vous êtes bien conscients des énergies qui tourbillonnent autour de vous, et qui font que les humains en visite se sentent si revigorés.

Nous désirons maintenant vous parler de choses universelles, et nous avons attendu la présence de cette énergie pour le faire tandis que nous nous trouvons dans l'œil du vortex (*soit à l'aéroport*

Mesa à Sedona). Car l'information que je vais maintenant transmettre par la voix de mon partenaire est dans le domaine de la science. Et il y a un certain nombre de raisons qui expliquent pourquoi nous avons attendu jusqu'à ce jour. Nous espérions, cher partenaire, que tu acceptes l'invitation de venir ici, et puisque tu l'as fait, nous t'honorons d'être ainsi au bon endroit au bon moment. Nous t'exhortons donc maintenant à retranscrire toutes ces paroles pour publication ultérieure. Car alors même que nous te parlons dans l'instant présent, d'autres sont en train de lire ces mots. Or, tu diras peut-être : « Comment peuvent-ils lire ces mots? Ils sont channelés de vive voix ce soir, et la traduction ainsi que la publication ne sont même pas faites... en fait vous n'avez même pas encore donné l'information! » Et nous te disons que dans "l'instant présent" il n'y a ni avenir, ni passé. Il s'agit du temps universel et c'est ainsi que sont les choses. Le passé et l'avenir sont des choses qui sont créées pour vous. Il y a des gens qui lisent ces paroles alors même qu'elles sont prononcées. C'est peut-être déroutant, mais cela deviendra plus clair au fil du temps. Les gens qui lisent ceci maintenant auront en réalité une meilleure compréhension de l'ironie du temps que vous ne l'avez tandis que vous entendez ceci.

La plus grande ironie dans tous vos attributs reliés au temps, c'est la façon dont vous les percevez. Le temps universel est très différent du vôtre. Lorsque nous disons : « C'est ainsi que sont les choses », cela signifie que <u>nous</u> représentons la "normalité" du fonctionnement de l'univers. Cela signifie, mes chers amis, que vos attributs du temps sur Terre *ne sont pas la norme* et qu'ils sont différents de tout le reste. Vous avez toutefois tendance à considérer vos attributs terrestres comme étant normaux et vous tentez de nous appliquer votre illusion de "normalité" dans votre recherche de réponses en matière de science! Cela pourrait se comparer à des oiseaux en cage tentant de comprendre comment leur cage s'applique au reste de ce qu'ils voient autour d'eux... croyant que tous les oiseaux vivent dans une cage et qu'il s'agit là de la manière normale de vivre pour tous les oiseaux, où qu'ils soient. Vous comprenez sans doute en quoi cette idée peut faire obstacle à la découverte du véritable fonctionnement des choses.

Ce qui sera maintenant présenté le sera d'une façon très pratique et très simple, afin que tous puissent comprendre. Vous êtes de la lumière pure. La lumière est de la science pure. Vous comprenez donc tout au niveau cellulaire. Certaines de ces vérités vont émerger à votre niveau d'information cellulaire, et certains d'entre vous diront : « Je me souviens de cela! » Certains d'entre vous seront mal à l'aise, puisqu'ils ne sont pas encore prêts à redécouvrir ce que vous savez tous déjà.

Nous parlons d'abord ici de la manière dont vous percevez le cosmos, car votre cosmologie est en voie de devenir votre science. Alors qu'avant cette époque, cela n'était qu'une théorie durant toute l'histoire de votre humanisme, vous commencez maintenant à être réellement en mesure d'en observer le fonctionnement sous vos yeux. Le temps est venu de vous éclairer sur la nature de ce que vous observez.

Je vous amène maintenant à une époque remontant à plus de trois cents ans, dans le pays que vous appelez l'Italie, où un grand scientifique croupit dans une prison. Or, trois cents ans, c'était il n'y a pas si longtemps que cela, et pourtant ce scientifique avait été mis en prison parce qu'il avait eu l'audace d'affirmer que la Terre tourne autour du soleil. Nous parlons en ce moment de Galilée qui avait publié une lettre dans laquelle il se déclarait en accord avec Copernic. Il était d'accord pour dire que les mathématiques n'indiquaient pas que l'univers tournait autour de notre planète. Or, en ce temps-là, mes chers amis, il y avait une intéressante triade d'énergie. Cette triade était composée du gouvernement, de la religion et de la science, et ils étaient combinés en un seul tout à cette époque. Il y avait une raison à ce fait, car l'intuition humaine appelait ce genre de chose. C'était logique en ce temps-là, mais comme nous allons le voir ce n'était pas du tout à l'avantage des humains.

La raison pour laquelle les gens sentaient intuitivement que c'était juste tenait au fait que cela ressemblait à ce qui avait eu cours en Atlantide et en Lémurie, une des périodes les plus scientifiques que vous avez jamais connues. La religion, le gouvernement et la science formaient un tout et les gouverneurs agissaient également à titre de prêtres, et les prêtres étaient les scientifiques. Oh! l'Esprit aimerait tant que vous reformiez cette même triade afin qu'elle puisse à nouveau vous servir dans ce Nouvel âge de sagesse. Mais vous avez été sages de les dissocier lorsque vous l'avez fait, car l'énergie n'était pas là en soutien à la sagesse nécessaire pour les combiner efficacement.

À présent, pour en revenir à ce que nous disions, le scientifique fut finalement accepté, car les mathématiques ne mentent pas, même si les prêtres ne voulaient pas l'admettre. Vous honorez cet homme, car la majeure partie de ce qu'il affirmait forme toujours la base de votre science aujourd'hui et les prêtres durent se résoudre à modifier leurs croyances pour s'ajuster à la preuve apportée par les nombres et les observations. Ils le firent si lentement, toutefois!

Quelque chose de tout à fait comparable se produit de nos jours et je vais maintenant vous en parler. Il semble, en cet âge de modernité, que vos scientifiques soient convaincus que toute la matière qu'ils voient dans l'univers — la Terre, le système solaire, la galaxie et toutes les autres galaxies aussi loin qu'il leur est possible de voir — provient entièrement d'un seul événement en expansion. Ils appellent cet événement le "Big Bang". Il s'agit vraiment là d'une prémisse scientifique tout à fait illogique, même si métaphoriquement elle présente le même genre de logique que celle utilisée par ces gens d'il y a trois cents ans, car elle favorise le sentiment d'unité avec Dieu et l'idée que la Terre est au centre de tout le reste de ce que vous voyez.

La vérité est la suivante, et je peux m'imaginer en vous disant ceci les grands yeux ronds que feront les scientifiques tout comme le firent auparavant les prêtres qui se disaient être des scientifiques. Lorsque vous regardez autour de vous dans l'univers, Monsieur le scientifique, quel autre événement trouvez-vous qui ne s'est produit qu'une seule fois? La réponse est que vos observations vous démontreront qu'il n'y a aucun autre attribut qui soit identique à une telle prémisse. En fait, c'est tout le contraire que vous voyez. Vous voyez une myriade de merveilleux événements d'une infinie variété se produisant tout autour de vous. Aussi loin que vous pouvez voir, vous découvrez de nouveaux types d'événements en train de se produire. En fait, à mesure que vos télescopes les plus puissants vous permettent de voir au-delà dans des régions de l'univers qui vous étaient auparavant cachées, vous découvrez encore plus de diversité que vous ne l'aviez imaginé!

Alors qu'y a-t-il exactement qui pourrait vous amener à conclure qu'il n'y a eu qu'un seul événement créateur à l'origine de l'expansion de l'univers? Dites-moi, lorsque vous pointez vos instruments aux confins de ce que vous pouvez voir, vos instruments vous montrent-ils que tout est du même âge? Ce devrait être le cas pour indiquer qu'il n'y a eu qu'une seule création. Même lorsque vous prenez en considération le "paradoxe de l'horloge", vous ne devriez pas trouver d'objets situés très loin qui soient plus jeunes que votre propre planète... et pourtant vous en trouvez.

Dites-moi, lorsque vous regardez autour de vous, est-ce que tout dans l'univers est dispersé uniformément tandis que tout s'éloigne d'un unique point d'origine? Ce devrait être le cas pour soutenir l'idée d'un seul événement créateur.

Comme vous le savez déjà, ce n'est pas le cas! Plus vos instruments sont puissants et précis, plus le mensonge devient évident, si vous voulez bien l'admettre. Vous observez de grandes zones vides, et des zones où il y a de la matière (des galaxies) formant des amas. Il n'y a pas de dispersion égale, ni aucune "traînée" dirigée vers la source logique d'un seul événement créateur. Il est temps de commencer à penser à une nouvelle théorie, et ensuite de voir comment elle résiste à l'examen de ce que vous observez réellement avec vos nouveaux "yeux" scientifiques.

La vérité est qu'il y a eu de nombreux événements d'expansion séparés par de grands intervalles de temps. La vérité est que votre planète se trouve parmi l'un des nombreux événements créateurs se chevauchant mutuellement, certains étant plus récents que celui dont votre planète est issue. Il serait sage d'en examiner les causes, car lorsque le prochain se produira, la surprise sera moins grande. C'est la logique pure et les mathématiques physiques qui déterminent le processus créateur de la matière. Ceci sera éventuellement la source d'une grand débat, car cela ébranlera le fondement de la croyance des prêtres qui insistent pour dire qu'il n'y a eu qu'une seule création. Comment pouvez-vous ainsi limiter Dieu? Rappelez-vous, ceux qui sont nés avec des récepteurs sensibles à une seule couleur vous diront qu'il n'existe qu'une seule couleur dans l'univers et que (bien évidemment) c'est la couleur de Dieu. Limités uniquement par ce que vous pensez, voyez-vous, vous avez tendance à imposer cette vérité sur <u>toutes</u> les choses que vous percevez.

Or, certains de vos scientifiques disent qu'ils peuvent prouver qu'il n'y a eu qu'un seul événement, puisqu'ils ont l'impression de pouvoir mesurer (voir) le résidu de cet événement tout autour d'eux dans l'espace. Comment pouvez-vous être certains que vous ne mesurez pas là le résidu de votre événement local? Si votre galaxie flottait en suspension dans un bocal d'huile, et que partout où se porte votre regard vous trouvez de l'huile, postuleriez-vous alors que toutes les galaxies sont partout en suspension dans l'huile? Ou demeureriez-vous alors ouverts à la possibilité que bien au-delà de la portée de vos instruments de mesure se trouvent des bocaux contenant d'autres substances? Telle est la logique de vos conclusions.

Ensuite, nous désirons vous donner un avertissement à l'égard d'une expérience ayant présentement lieu sur votre planète qui fait partie de la spécialité de Kryeon. Nous allons maintenant vous expliquer que certains membres de vos gouvernements sont en train de faire des expériences avec la transmission d'énergie à travers le sol de votre planète. Permettez-moi de mieux vous expliquer ceci : imaginez-vous un tube rempli d'eau d'une longueur de 10 kilomètres et de trois centimètres de diamètre. Supposons maintenant que vous introduisiez rapidement à un bout du tuyau une quantité mesurée d'eau. Instantanément, à l'autre bout, la même quantité d'eau serait éjectée du tube, puisque le tube était déjà plein à ras bord. Or, lorsque vous avez fait cela, vous n'avez pas soudainement transmis de l'eau à dix kilomètres de distance. Au lieu de cela, vous avez simplement repoussé d'une courte distance l'eau déjà présente dans le tuyau, faisant ainsi se déverser la même quantité à l'autre extrémité.

Depuis des temps immémoriaux votre planète a été un accumulateur d'énergie statique. (Nous définissons l'énergie statique comme une énergie qui est emmagasinée et qui est prête à devenir active.) En raison de la friction se produisant entre votre atmosphère et ce que vous appelez le vent solaire, la matière de votre planète est remplie d'électricité statique. Vous en voyez les résultats lorsque vos systèmes atmosphériques "frottent" violemment la terre et déplacent l'électricité, provoquant ainsi de gigantesques étincelles que vous appelez la foudre, et ce autant au-dessus qu'au-dessous des phénomènes météorologiques. Selon votre propre terminologie électronique, ce système terrestre d'accumulation d'énergie statique est l'équivalent de ce que vous avez appelé un "condensateur". Par conséquent, dans le cadre de cette session d'enseignement, vous pouvez considérer votre planète comme un condensateur électronique géant rempli d'électricité accumulée.

Un de vos scientifiques d'il y a à peine cent ans a déjà démontré la viabilité de ce qui semble être de la transmission d'énergie à travers le sol de votre planète. Lorsqu'il faisait cela, il profitait de l'énergie déjà accumulée dans le sol (somme toute, la même chose que pour l'exemple du tube d'eau). Lorsqu'il "poussait" l'énergie dans une partie de la planète, elle semblait sortir d'un portail ailleurs. On créait l'illusion que de l'énergie avait été transmise, alors qu'en réalité elle n'avait été que déplacée. Un des problèmes au point de vue mathématique avec cette transmission d'énergie est qu'il est difficile de déterminer à l'avance l'endroit où l'énergie va ressortir lorsque vous la faites entrer dans le sol.

Aujourd'hui, vos scientifiques mènent des expériences avec ce processus et ils ont découvert que les ondes scalaires représentent la solution partielle pour aider à déterminer avec précision l'endroit où l'énergie apparaîtra. L'expérimentation avec les ondes scalaires représente également un progrès technologique important dans l'ensemble du processus de transmission d'énergie.

Mais il y a un avertissement : les ondes scalaires sont très dangereuses! Beaucoup plus que vous ne pouvez l'imaginer. Nous demandons tout particulièrement aux personnes impliquées dans ces expériences de RALENTIR. Utilisez des niveaux inférieurs de puissance pour ces expériences. Si vous ne le faites pas, vous allez bientôt découvrir le lien entre ce que vous faites et le mouvement des plaques tectoniques portant vos continents. Alors même que ce channeling est entendu et lu, il y a déjà eu des mouvements provoqués par vos expériences!

L'information suivante vous stupéfiera, et elle vous démontrera l'interaction entre le passé et l'avenir. Mes chers amis, la carte du monde de l'avenir prévue par l'humain actuel que vous appelez Scallion, ainsi que les visions terrifiantes de gens comme lui dans le passé sont un résultat direct des expériences menées par des humains à l'aide des ondes scalaires... et ce n'est pas le résultat d'un quelconque scénario spirituel de fin des temps. L'impact causé par le rocher de la mort MYRVA en frappant votre planète (voir le deuxième livre de Kryeon) aurait provoqué la fin de toute vie, pas seulement une différence dans le niveau des eaux. Aucune créature vivante n'aurait survécu à un tel événement. Tel que précédemment channelé, la menace posée par la comète MYRVA a été désamorcée, mais une bonne partie de ce qu'ont vu les indiens Hopi ainsi que Nostradamus, et de ce que voit aujourd'hui Scallion, est le résultat direct de vos propres efforts de recherche scientifique. Ils ont tous eu des visions précises et de qualité d'une Terre dont le niveau des eaux est très différent de celui que vous connaissez en ce moment, et dont la majeure partie de la population a dû se déplacer vers le centre de vos continents pour échapper à l'empiètement de la mer sur les régions côtières.

Mes chers amis, ces visions sont le résultat direct d'un changement massif de la croûte terrestre qui peut facilement se produire si elle est poussée d'une manière précise — à l'aide d'une grande onde scalaire. Veuillez prendre le temps de comprendre les facteurs de résonance du manteau de la Terre avant de poursuivre vos expériences.

Toutes ces visions sont le reflet de futurs potentiels de la Terre. Je suis ici non seulement pour équilibrer vos réseaux magnétiques afin de faciliter l'émergence du Nouvel âge, mais aussi pour rendre inoffensive la comète MYRVA et **pour vous avertir des risques liés à vos travaux avec les ondes scalaires.** La vision que j'ai de votre avenir montre quelque chose d'assez différent de ce que voient les autres, car je persiste à vous dire qu'en raison de votre travail, la planète va poursuivre son évolution loin dans l'avenir avec une illumination et des vibrations qu'on a encore jamais vues. C'est grâce à votre travail si je suis venu ici. C'est en raison de ma présence que vous êtes ici ce soir. C'est parce que vous êtes ici ce soir que je suis capable de vous communiquer cet avertissement. À cause de cette communication, il y en aura qui la verront et qui prendront les mesures qui s'imposent. Commencez-vous à voir comment vous avez pu créer votre propre aide? Ma vision pour vous est une vision de paix. La nouvelle que j'apporte ce soir à ce propos sera effectivement entendue par ceux qui doivent l'entendre. En prenant place sur votre siège ce soir, vous avez réellement changé l'avenir de la planète!

Nous vous aimons tendrement! Ce n'est que grâce à vos actions que cette nouvelle a pu vous être transmise. Nous faisons une pause durant cet entretien sur la science pour vous dire une fois de plus que la science est Esprit. Et que l'amour que nous introduisons en votre cœur en cet instant même ressemble beaucoup à l'énergie de la planète. Nous ne vous en donnerons pas plus que ce que vous pouvez contenir, mais vous pouvez en contenir tellement plus! Celles et ceux parmi vous qui désirent recevoir les dons de l'Esprit seront des humains fort différents, mais c'est une expérience effrayante que de demander à changer, n'est-ce pas? C'est pourquoi nous vous honorons tant.

Maintenant, je m'adresse personnellement à vous tandis que vous entendez ou lisez ceci. Nous vous invitons à entrer directement dans cette peur, et à la voir se dissiper et se transformer en cette vibration supérieure que vous allez créer par cette action. L'un d'entre vous doit absolument faire cela ce soir. Vous comprendrez qu'il y a vraiment une raison à votre présence ici. De fait, tout ce qui vous est arrivé jusqu'à ce point a été centré sur l'énergie qui vous est transmise en cet instant même.

Le but de Kryeon est l'amour. Regardez l'information communiquée et rendez-vous compte de l'impact qu'elle peut avoir sur le reste de votre vie. Posez les gestes nécessaires pour qu'il en soit ainsi. Devenez un humain du Nouvel âge!

Nous aimerions maintenant parler des dessins tracés dans les champs. Nous avons attendu jusqu'à maintenant pour en parler brièvement, étant donné qu'il n'y a eu aucun channeling de Kryeon à ce propos. Il y a deux raisons à cela. La première est que nous avions besoin de l'énergie de cet endroit et des gens présents pour mettre en valeur l'information transmise. La seconde est que nous désirions la présence des personnes parmi vous qui ont consacré leur vie à l'étude de ces formations, et elles sont ici ce soir. À ces gens nous disons : « Nous savons qui vous êtes! Nous vous avons honoré avec des preuves dans le passé et maintenant nous souhaitons poursuivre la transmission de connaissance d'une manière directe. »

Ce que vous appelez des "cercles dans les récoltes" (crop circles) sont ce que nous appelons des dessins tracés dans les champs. Or, ces dessins sont fait d'une manière indirecte par l'Esprit, car ils sont faits en réalité par ceux que vous allez bientôt rencontrer. Tout cela fait partie de votre passage à l'âge adulte dans une nouvelle partie de la galaxie. Les dessins représentent un code transmis avec de nombreuses facettes. Ces dessins sont souvent faits à l'aube en une seule opération rapide. Vous pouvez distinguer les véritables dessins des imitations par le fait que la méthode employée pour coucher les céréales au sol ne les plie pas; elle les casse. Ceux qui font ces dessins les désignent sous le vocable "d'empreintes énergétiques". Aucun vaisseau ou véhicule de transport n'est nécessaire pour les faire, et ils peuvent être faits (et le sont) de très loin. La seule et unique raison pour laquelle ils vous sont donnés, c'est pour vous permettre de comprendre l'information dont vous aller avoir besoin dans l'avenir pour la COMMUNICATION.

Imaginez-vous un peu ce qui suit. Disons que certains de vos scientifiques ont décidé de tenter une expérience. Ils ont envoyé dans l'espace un transmetteur fabriqué à partir des meilleurs équipements électroniques disponibles, et ils ont commencé à émettre en direction de la Terre des images que vous pouvez capter. Le but de l'expérience est de voir quels moyens vous prendrez pour recevoir les images qu'ils envoient. Si vous décidez, dans votre grande sagesse, qu'il vous suffit de prendre une horloge électronique pour recevoir leurs signaux, inutile de dire que vous serez déçus du résultat. Vous ne pourriez recevoir aucune image avec l'horloge électronique. Vous pouvez voir que même si vous avez utilisé un appareil électronique pour essayer de recevoir les images, ce n'était pas le bon équipement. Il aurait donc été beaucoup plus utile que les scientifiques vous donnent des indices afin que vous puissiez employer une méthode ·de réception correspondant à la méthode de transmission. Vous auriez alors eu de bien meilleures chances d'obtenir l'information transmise.

C'est ainsi, mes chers amis, que ces nouveaux êtres dont vous ferez un jour la rencontre vous envoient des messages dans le domaine des mathématiques, afin que vous puissiez comprendre le code universel de géométrie et reconstituer le puzzle afin d'être préparés pour la communication. Pourquoi la géométrie? La géométrie est le langage mathématique commun à tout l'univers. Les mathématiques s'inscrivant au sein des formes sont universelles à tous les types de calculs et elles sont absolues. C'est donc la méthode toute désignée de communication de principes scientifiques.

À présent, il y aura encore des gens qui rouleront de grands yeux surpris en nous entendant dire que les dessins tracés dans les champs se comparent beaucoup au fait de recevoir des lettres de la parenté! Certains d'entre vous comprendront parfaitement de quoi il s'agit lorsque nous disons : « D'abord ce sont les lettres qui arrivent; puis c'est la parenté. » Celles et ceux parmi vous qui ont de grosses familles comprennent très bien ceci. Les personnes qui refusent de prêter attention aux formes apparaissant dans les champs cultivés auront toute une révélation lorsque la "parenté" arrivera.

Ces dessins sont donc des messages symboliques et mathématiques de proches parents qui vous sont personnellement adressés. Ils ressemblent beaucoup aux images et aux symboles gravés sur une plaque fixée sur l'engin spatial (Voyager) envoyé à l'extérieur de votre système solaire et conçus de façon à ce que toute autre forme de vie puisse les voir et les comprendre. Il en est de même avec les formes tracées dans les champs.

Ces dessins dans les champs suscitent trois types de réactions. Le premier genre de réaction est le fait d'humains qui croient fermement que seuls d'autres humains peuvent créer ces formes. Ils regardent ces dessins et continuent simplement à vaquer à leurs occupations en se montrant peu impressionnés. La seconde sorte de réaction est dangereuse, car elle est le fait de gens en colère. Ils considèrent que ces dessins sont des canulars ou une supercherie faite aux dépens de l'humanité. Ils se mettent donc en devoir de créer leurs propres dessins dans les champs dans le but de démontrer d'une façon ou de l'autre la fausseté des dessins originaux. Ils imitent et réussissent à copier les originaux, s'adressant ensuite à tous en disant : « Vous voyez, les nôtres sont identiques! Les originaux sont donc tous des faux. »

Or la logique d'un tel raisonnement est boiteuse. Ils disent : « Puisque nous sommes capables d'imiter et de copier ces dessins, les originaux doivent avoir été également faits par des humains. Qu'y a-t-il de logique à affirmer que si vous pouvez copier quelque chose, l'original ne peut donc être un authentique original? » Même si c'est complètement illogique, les humains ont accepté d'emblée cette affirmation et convenu qu'elle est forcément vraie. Qui est-ce qui joue les imposteurs ici?

Ce stratagème de logique n'est pas nouveau. Tout au long de votre histoire, il y en a beaucoup qui ont tenté de réfuter l'existence de Dieu en imitant les miracles de Dieu. Ils ont dit : « Nous sommes en mesure de simuler ces apparents miracles grâce à l'illusion; les miracles originaux doivent donc être également une illusion et, par conséquent, Dieu n'existe pas. » Regardez dans le livre de l'Exode de la Bible par exemple.

Le troisième groupe est composé de ceux qui comprennent qu'ils sont en train de voir là le début d'un nouveau paradigme. Ce sont les personnes présentes ici ce soir que nous honorons, car elles sont celles qui vont faire une différence pour l'avenir de toute la planète. Elles sont celles à qui nous donnons l'information suivante : mes chers amis, tout ce qui vous est présenté l'est dans le but de bien vous informer sur le fonctionnement de l'univers et sur les choses à venir pour votre planète. Un code important est actuellement transmis, un dessin après l'autre. Il s'agit d'un message important au sujet de vos mathématiques planétaires. Nous vous le répétons sachant fort bien que les grands scientifiques parmi vos Anciens reconnus et respectés rouleront encore de grand yeux incrédules.

Toutes vos connaissances scientifiques et vos mathématiques sont présentement fondées sur ce que vous appelez un système en base de 10. Il s'agit là d'une information cruciale qu'il vous faut connaître et commencer à comprendre afin de pouvoir communiquer correctement avec ceux qui vont bientôt venir. Ce qui suit est un exemple intéressant de la façon dont l'Esprit vous a donné des indices depuis très longtemps relativement au système de calcul en base de 10, lesquels indices vous avez choisi d'ignorer complètement. Tandis que nous apportons nos commentaires sur chacun, un pattern commencera alors peut-être à émerger dans votre esprit confirmant que nous vous avons bien donné durant tout ce temps des messages concernant l'importance du 12.

1. Le premier indice le plus important, c'est la science de l'astrologie. Oh! Les scientifiques sont en train de fermer le livre! Ils disent : « Nous le savions! Kryeon va se mettre à parler d'occultisme comme s'il s'agissait d'une science. La magie et le mysticisme n'ont rien à voir avec la science pure. »

Nous répétons que la raison pour laquelle nous parlons d'astrologie ici, c'est qu'il s'agit d'une chose scientifique! Ce n'est pas de la magie. C'est la mesure du magnétisme au moment de l'entrée de l'humain sur le plan terrestre dans le but de déterminer les attributs de l'empreinte au niveau cellulaire. Lorsque vous comprendrez finalement comment le magnétisme laisse sa marque dans les cellules, vous comprendrez pourquoi le magnétisme du système solaire est en rapport avec votre vie!

Nous vous invitons à examiner le système en base de 12 dans l'astrologie. Combien y a-t-il de signes dans le zodiaque? Combien de maisons? Pourquoi les périodes de 24 heures? Pourquoi les choses sont-elles arrangées de la façon dont elles le sont? Si cela représente le magnétisme de la planète, de la lune et des étoiles, quelle est la signification du fait qu'elles soient toutes sur une base de 12? La raison en est que l'astrologie concerne principalement la Terre. Cela en fait une véritable géoscience (science de la Terre), et toutes les sciences de la Terre seront sur une base de 12.

2. Ensuite, nous vous apportons un autre fait important, et il s'apparente si bien à l'astrologie. Nous parlons à présent de la géométrie. Or, mes chers amis, nous vous avons déjà dit que les mathématiques de l'univers sont des mathématiques géométriques. Cela a rapport aux formes et à l'énergie autour des formes. Nous ne pouvons vous communiquer de message plus important que celui d'examiner le symbolisme métaphorique relatif aux solutions des problèmes ordinaires de mathématique géométrique. Ils témoignent en réalité de votre lignage, et ils parlent de l'homme et de la femme et de votre relation avec Dieu! Tout cela à partir des formes représentées dans les cercles. Dans chaque angle et chaque coin se trouve une nouvelle de nature spirituelle pour vous. Dans sa beauté et sa simplicité, mes chers amis, se trouve un système en base de 12. Et celles et ceux parmi vous qui sont familiers avec les mathématiques et qui utilisent la géométrie comprendront la beauté des séries récurrentes de six, trois et neuf. Nous vous avons parlé lors de précédents channelings de quelques-unes des formes du Nouvel âge. Nous vous avons montré à quoi ressemble Kryeon et nous vous avons donné un aperçu de la signification et de la beauté de la Merkabah. Il y avait dans tout cela des messages déterminés par les formes et les couleurs. La géométrie est réellement le langage de l'univers! Nous vous avons dit de chercher l'étoile tridimensionnelle à six pointes. Cette étoile est construite à l'intérieur d'une sphère, et la géométrie sphérique est la géométrie de l'univers. Elle représente également toutes les dimensions. Elle est vraiment d'une beauté qui dépasse sa simple forme... et elle est entièrement en base de 12.

3. Considérez-vous que c'est un accident si le calendrier juif de 12 mois a survécu si longtemps? Vous vous demandez peut-être pourquoi il compte 12 mois. C'est encore une fois à cause de la géoscience. Il fallait qu'il y en ait 12 parce que cela correspond aux cycles de la Terre et à son orbite autour du soleil. Cela tombait sous le sens et le calendrier demeura donc un système en base de 12. La même chose s'applique à votre boussole, puisqu'elle compte 360 degrés et qu'elle relève de la géoscience. Il fallait qu'elle soit conçue ainsi, car cela correspond à la géométrie sphérique. Il n'y a rien de mystérieux au fait que toutes les choses reliées à la géoscience représentent une base de 12, car la géoscience représente un cercle (comme en géométrie). Quel bel indice que tout ce qui touche la Terre fonctionne par séries de 12!

4. À présent, mon partenaire veut placer quelque chose de drôle. Tous ceux qui ont fait de grands efforts pour amener votre société à utiliser le système métrique seront horrifiés de se rappeler qu'il y a 12 pouces dans un pied et 36 dans une verge. Est-ce une erreur que votre société ait à l'origine créé un système de mesure en base de 12? Pourquoi 12? Pourquoi 36? Pourquoi trois pieds? Vraiment! Croyez-vous qu'il s'agissait d'un indice?

5. Une fois encore, c'est la science de la Terre qui exige qu'il y ait 24 heures dans une rotation de la Terre, et 12 heures dans une demi-journée. Cela signifie que votre corps résonne à une horloge interne à base de 12! Pensez-y!

6. À présent, transposons cet exemple au niveau spirituel. Ce ne fut pas le fruit du hasard, mes chers amis, si Jacob a eu 12 fils et si ces 12 fils ont fondé les 12 tribus d'Israël. Car c'est un nombre sacré! C'est une question de mathématiques galactiques universelles. C'est intuitif. Et lorsque le maître du Nouvel âge arriva sur Terre, pensez-vous que ce fut par hasard qu'il s'entoura de 12 disciples? Non! Car c'est une question de mathématiques galactiques universelles, et c'est logique. Croyez-vous qu'il s'agissait d'un indice?

Nous allons maintenant vous dire quelque chose d'autre au sujet de ces mathématiques galactiques sacrées, ce qui va à nouveau susciter de grands regards étonnés parmi tous les scientifiques sur la planète. Le nombre que vous appelez "pi" est incorrect! Mes chers amis, pourquoi l'Esprit vous donnerait-il un tel nombre irrationnel dans le contexte de la géométrie sacrée? Le nombre pour pi ne se poursuit pas indéfiniment. Il peut être intéressant aussi pour vous de savoir que la valeur de votre pi n'est relative qu'à votre propre contexte temporel. Le pi universel est différent du vôtre. Ceci ne deviendra clair que lorsque vous comprendrez ce que le temps fait aux formes sphériques (il y a un réel changement de relation physique). Pi doit donc être ajusté pour correspondre au contexte temporel de la forme! Même dans l'univers que vous pouvez voir, il y a de nombreuses valeurs pour pi, puisqu'il y a de nombreuses régions de l'univers qui ont leurs propres attributs spécifiques d'espace/temps. Chaque région est donc distincte des autres en ce qui concerne ses propres attributs physiques.

7. Les personnes parmi vous qui sont familières avec la guérison par le son utilisent déjà une gamme musicale se rapprochant de ce qui est commun à la plupart des instruments de la Terre. Vous êtes-vous déjà demandé pourquoi nous vous avons donné 12 notes musicales de base? Ceci est tellement puissant; il est étonnant que vous ne l'ayez pas immédiatement intégré dans vos mathématiques! En quoi les attributs vibratoires des 12 notes musicales sont-elles en corrélation avec les mathématiques? La base de 12, ça saute aux yeux!

8. Venons-en finalement à votre biologie pour conclure cette liste d'exemples. Mes chers amis, d'autres médiums vous ont dit une chose qui a également été abordée par Kryeon, à savoir que vous avez un ADN à 12 chaînes spiralées. Pourquoi y en a-t-il 12 selon vous? À celles et ceux d'entre vous qui ne croient pas qu'il y en a 12, nous leur disons simplement de regarder les deux que vous croyez avoir. Lorsque vous regardez les deux chaînes biologiques visibles, que voyez-vous dans leur structure? La réponse est que vous voyez le pattern de **quatre répété trois fois**... à maintes et maintes reprises. Votre biologie et votre structure d'ADN est donc à base de 12! Nous demandons aussi à ceux qui ont étudié l'ancienne science de l'acupuncture de répondre à ceci : « Combien de méridiens y a-t-il sur chaque côté du corps humain selon ce que vos maîtres vous ont enseigné? » Naturellement la réponse est 12!

Nous vous demandons de réfléchir à ces choses. Du plan biologique aux dimensions spirituelles et géométriques... et jusqu'à l'astrologie. C'est juste et véridique, et il n'en tient qu'à vous de le constater. Et les dessins tracés dans les champs vous disent la même chose et vous incitent à considérer un scénario mathématique à base de 12. Ils disent en somme : « Commencez à comprendre et à vous servir de la base de 12, car vous allez en avoir besoin lorsque la parenté arrivera. »

9. Nous vous disons finalement ceci pour que vous méditiez sur les "indices" que nous vous avons donnés en ce qui concerne l'utilisation du 12 comme base. Lorsque vous avez planifié avec l'Esprit l'importante "passation du flambeau" pour l'ensemble de la Terre (tel que channelé dans ce livre), vous auriez pu utiliser n'importe quelle date de votre choix pour marquer symboliquement l'importance de cette journée. Ensemble nous avons choisi le 12:12. Lorsque vous multipliez 12 par 12, vous obtenez 144. Ceci représente le nombre sacré des 144 000 personnes qui ont accepté de se préparer à l'ascension en cette date du 12:12. * Et maintenant, mes chers amis, nous allons faire quelque chose que Kryeon adore faire. Nous allons vous raconter une histoire. Cette histoire s'intitule "Aaron et le globe d'essence divine". Or Kryeon poursuit un but précis en vous racontant ces paraboles et ces histoires, car ce sont des métaphores et elles ne représentent

* Note de l'auteur : *Notez également que notre réseau électrique aux États-Unis fonctionne sur du 120 volts, à 60 cycles! Et saviez-vous que tous nos films sont projetés à raison de 24 images à la seconde?*

habituellement pas une véritable personne vivant sur Terre. Ces paraboles et ces histoires vous sont données en tout amour... Oh! un si grand amour. Car elles concernent la conscience de soi et la guérison, ainsi que la possibilité pour les humains de vivre très, très longtemps.

Aaron vivait donc sur Terre et il était un homme riche. Lorsqu'il eut 40 ans, il fut perturbé par ce qu'il vit dans le miroir. Car ce qu'il y vit, ce fut un homme qui commençait à changer et à vieillir. Il vit autour de lui que ses amis attrapaient différentes maladies et que beaucoup d'entre eux mouraient. Et il dit : « Que puis-je faire pour changer cela? Il doit sûrement y avoir une réponse à cette question. »

Or, Aaron était un homme pieux et possédait un grand lignage. Il se dit donc en lui-même : « Je vais utiliser ma fortune pour découvrir tout ce que je peux au sujet de ce que certains avaient appelé la Fontaine de Jouvence. » Et il se rendit voir un homme très sage et lui demanda : « Est-ce que la Fontaine de Jouvence existe? » Le sage chaman lui dit : « Pas exactement, mais il y a quelque chose que nous connaissons sous le nom de "globe d'essence divine". C'est réel et c'est physique; cela prolongera votre vie et guérira votre maladie. Cela vous donnera aussi une grande sagesse. » Aaron dit : « Oh! grand sage, dites-moi, où puis-je trouver ce globe d'essence divine? » Et le sage de répondre : « Eh bien! un des moyens consiste à trouver le calice du Christ. » « Oh! » dit Aaron, « Non! Il s'agit là du Saint Graal et je ne crois pas en cela. Ma religion soutient que le Christ n'était pas Dieu. » Et le sage homme sourit et dit à Aaron : « Aaron, crois-le ou non, le globe d'essence divine, le calice et le Saint Graal se trouvaient tous les trois dans l'arche d'alliance. » Aaron se demanda comment cela pouvait être possible. L'arche existait bien avant le Christ. Aaron ignora cette dernière déclaration du chaman, ne cherchant à en savoir plus que sur ce qui l'intéressait dans ses paroles.

Aaron dit : « Où puis-je trouver cela? » Le sage répondit : « Il n'en tient qu'à toi de l'avoir si tel est ton choix, car nous pouvons clairement voir ton contrat, et nous savons que tu pourrais être celui qui le découvrira. Tout ce que tu as à faire, c'est de commencer ta recherche et d'avoir confiance que Dieu te montrera le chemin. » Aaron était très excité, car il interprétait ceci comme voulant dire qu'il était celui qui devait trouver le globe d'essence divine pour la planète! Une fois que le globe d'essence divine sera trouvé, se dit Aaron, pense à tous ceux et celles qu'il pourra aider et guérir. Car il vivrait alors très longtemps, de même que les gens autour de lui... ses amis et les membres de sa famille. Ah, voilà qui était encore mieux qu'il ne l'avait pensé. Il crut ce que disait le sage, car il n'y avait aucune raison de ne pas le croire.

Aaron entama donc sa recherche en disant : « Où devrais-je aller en premier? » Répondant intuitivement à sa propre question, il dit : « Je vais d'abord me rendre en ces lieux sur la planète que je connais et qui possèdent la plus haute énergie. » Il se rendit donc à Sedona (rires parmi l'assistance). Il chercha partout autour et il parla aux gardiens des canyons. Les gardiens dirent : « Ce n'est pas ici. Tu dois regarder ailleurs. » Son voyage le mena donc en certains des lieux les plus sacrés de la planète. Et il dit : « Où se trouve le plus haut lieu religieux? » Encore une fois, il dit en répondant : « C'est ma demeure! Je vais m'y rendre. » Aaron partit donc pour la Terre Sainte et rendit visite à de nombreux chefs religieux qui, pour la plupart, n'avaient jamais entendu parler du globe d'essence divine. Mais quelques-uns dirent : « Oui, nous en avons entendu parler et nous savons de quoi il s'agit. Continue ta quête, car tu es bien celui qui le découvriras. »

Aaron se rendit donc en d'autres régions, d'abord en Égypte qui était tout près de là. Il posa les mêmes questions et obtint le même résultat. Il se rendit au Pérou et en Inde. Il se retrouva en présence de personnes prétendant être personnellement le globe d'essence divine et qu'il lui suffisait de demeurer à leur côté et de leur donner son attention et ses biens. Ils représentaient le globe d'essence divine et il vivrait tant et aussi longtemps qu'il demeurerait à leur côté. Aaron ne fut pas dupe, car il savait qu'il s'agissait d'un objet, d'une chose qu'il pouvait toucher et que c'était destiné à toute l'humanité.

Or, ces recherches durèrent de fort nombreuses années et Aaron ne cessait de vieillir et de changer durant tout ce temps. Cela l'effrayait et il commença donc à s'inquiéter. L'inquiétude le rongea au point d'affecter sa santé et il tomba malade.

Aaron se retrouva bientôt sur son lit de mort entouré de ceux qui l'aimaient. Il savait qu'il n'avait pu trouver le globe d'essence divine et il commença à douter de la parole du sage qu'il avait rencontré. « Quelle sorte de tour est-ce là? » dit-il. « Qu'est-ce que Dieu m'a fait? » Aaron était très fatigué et ne pensait qu'à dormir.

Il s'éveilla le lendemain matin et, cette fois, il se leva. Tandis que ses guides s'approchaient de lui, il prit conscience qu'il était effectivement mort. Aaron n'était pas content et il dit à ses guides :

« Je sais qui vous êtes et où je vais maintenant aller. Quel est ce tour ridicule? Je n'ai pu trouver le globe d'essence divine, alors que le sage m'avait dit que je le découvrirais. Avez-vous cherché à me tromper? »

Ses guides lui sourirent et, dans un parfait amour, l'étreignirent de leur énergie. Puis ils lui demandèrent de se retourner et de regarder derrière lui. Là, à l'endroit même où Aaron était étendu, se trouvait le globe d'essence divine! Il était là! Il était matériel et il pouvait le toucher; il avait été en son cœur durant tout ce temps.

Aaron regarda les membres de sa famille autour de la table et fut bouleversé par ce qu'il vit! Car en chacun de ces humains vivants qui étaient en sanglots et sous le choc de sa mort... se trouvait également un globe d'essence divine.

Puis Aaron comprit qu'il n'y avait pas un seul et unique globe d'essence divine. « Il était destiné à toute l'humanité », avait dit le sage. « Tu le découvriras si tu le cherches », avait-il également dit. Mais le sage ne lui avait jamais dit qu'il n'y en avait qu'un seul! Et alors Aaron sut ce qu'il avait voulu dire. Il regarda ses guides et comprit. Il leur retourna un sourire et dit : « Merci. Car à présent je comprends mon contrat et ma leçon de vie. » Aaron comprit aussi que toutes les choses apprises au cours de cette vie seraient transmises à son incarnation suivante et il lui tardait de recommencer une nouvelle vie. Car il savait qu'il allait franchir le tunnel et passer par la caverne où était conservé le registre de ses incarnations précédentes. Et qu'il allait ensuite aller dans le hall d'honneur et puis participer aux séances de planification pour finalement revenir sur la planète. Car lorsqu'il y retournerait, il savait qu'il allait effectivement être celui qui découvrirait le globe d'essence divine. Il le ferait durant son enfance et vivrait très longtemps, puisqu'il se souviendrait de ce moment et de la leçon selon laquelle le globe d'essence divine est le don d'un fragment de Dieu en soi.

À présent, je suis sûr, mes chers amis, que vous comprenez parfaitement le sens de cette parabole. Car il y en a parmi vous qui sont présents en ce moment et à cet endroit-ci sur rendez-vous. Certains d'entre vous assis présentement sur ces chaises ont le potentiel d'une mort prochaine qui grandit en eux. Il n'y a rien d'effrayant dans cette chose dont Kryeon vous parle, car vous savez tous que c'est tout simplement ainsi que fonctionne votre biologie. Mais l'Esprit vous donne la possibilité de chercher et découvrir le Saint Graal, car il s'agit en fait du globe d'essence divine qui est l'**Esprit en vous**. C'est le fragment de Dieu qui réside en chacun de vous. Nous vous avons donné une information channelée qui dit : « Tendez la main, prenez-le et soyez en bonne santé. Vivez longtemps. Soyez à la bonne place au bon moment. Nous voulons que vous demeuriez en vie. Nous ne voulons absolument pas que vous mouriez. Vivez de très longues vies. Soyez des guerriers du Nouvel âge. »

Mais il y en a parmi vous qui disent : « Cela est impossible, parce que je regarde autour de moi et je ne vois rien de ce dont vous me parlez. » Et nous vous disons que lorsque vous serez assez nombreux à le faire, vous pourrez alors effectivement regarder autour de vous et voir le changement. Mais cela doit débuter ici dans cette salle et en des endroits comme celui-ci tout autour de la planète. Vous portez en vous les semences de Dieu. Nous vous invitons à chercher en vous et à découvrir la réalité de ce fait, de même que la géométrie et la paix qui viennent avec.

Je viens à vous et vous dis que c'est l'entité personnelle de Kryeon, et non le groupe accompagnant Kryeon, qui est assis à vos pieds ce soir. Car je viens comme le maître est venu, pour vous baigner les pieds. Car c'est vous qui êtes dignes de louanges. Vous êtes ceux qui ont choisi d'être ici et de vivre et revivre ces vies. Vous avez choisi de subir les douleurs et les souffrances de la biologie humaine, ainsi que l'inconfort de l'émotion humaine dans le simple but d'élever la vibration de la planète. Et pour ce fait, vos couleurs seront reconnues partout dans l'univers. C'est la raison pour laquelle je suis ici. C'est la raison pour laquelle nous sommes ici. C'est la raison pour laquelle vous êtes assis dans votre fauteuil ce soir... pour entendre l'Esprit dire « Je vous aime. »

Et il en est ainsi

Kryeon

Le mystère du 9944 éclairci

Un mot de l'auteur...

À la page 19 du premier livre de Kryeon, Kryeon mentionne le nombre 9944. Il nous dit qu'il s'agit d'une importante formule ayant rapport à la transmutation de l'énergie. Comme pour la majeure partie de l'information que je reçois de Kryeon, on m'a adressé un grand "clin d'œil" comme si on me disait "et maintenant essaie de comprendre ce que cela veut dire". Il arrive souvent que Kryeon laisse tomber une telle information et qu'il ne revienne plus ensuite sur le sujet, nous laissant le soin, pour ainsi dire, de prendre ce qu'il nous lance et de nous débrouiller seuls avec.

Depuis 1992, bon nombre d'excellents métaphysiciens se sont interrogés sur le sens de ce nombre. Quant à moi, je me suis simplement dis qu'il s'agissait de la pureté du savon Ivory (pur à 9944%). À présent vous avez un très bon aperçu de mon esprit simple.

Ce n'est que lorsque j'ai ouvert la porte à des commentaires à l'égard de ce livre que j'ai reçu des informations qui m'ont donné des frissons. Elles ne sont pas venues de moi ni de Kryeon. Elles sont venues de mathématiciens et de métaphysiciens... exactement de ceux dont Kryeon voulait qu'elles viennent.

Ces textes comportent du nouveau matériel de référence pour les gens qui aiment les mathématiques et qui sont intéressés par la science terrestre du 9944. Au fond, on peut affirmer que cette formule de Kryeon se retrouve partout! Elle s'applique à nos mathématiques, notre chimie, nos attributs planétaires, notre système solaire, notre structure atomique, notre lignage et notre biologie. (Ai-je oublié quelque chose?) Cela en vient réellement à être le grand mystère qui se dissimule à chaque endroit où se porte notre attention. Il n'est pas surprenant que ça indique aussi le degré de pureté du savon Ivory (ha ha)!

Randy Masters se donne le nom "d'artiste en résonance". En plus d'être musicien (et un bon), il est diplômé de l'université de Californie à Santa Cruz en Corrélation du cinéma et de la musique. Il enseigne la musique et les arts et offre des ateliers privés en Californie.

Randy compose, enregistre, enseigne.. et il est un expert en sciences sacrées de la géométrie et des harmoniques de champs unifiés. Il a écrit un volumineux ouvrage sur les relations entre la musique et la géométrie sacrée pour Drunvalo Melchisedek, et il a fait du travail de géométrie harmonique pour le projet Templar.

Il collabore avec sa partenaire, Wesley H. Bateman, à un projet qui va enrichir le remarquable ouvrage que Wesley a écrit depuis vingt ans intitulé *The Rods of Amon Ra*. Le nouveau livre s'intitulera *Drums of Ice, Harps of Fire*. Randy et Wesley disent que ce nouvel ouvrage portera sur le décodage des pyramides égyptiennes et maya et des monuments "Cydonia" sur Mars.

Lorsque je demandai à Randy de me donner ses commentaires sur l'information de Kryeon relative au nombre 9944 et sur le channeling relatif à la base de 12 et au pi, jamais je n'aurais pu imaginer que j'obtiendrais un texte aussi exhaustif que ce qui suit!

Note de l'éditeur

Nous ne publions ici que l'introduction de cet article. Pour une question de droits d'auteur et du fait que cet article est essentiellement composé de formules mathématiques avancées s'adressant à un public spécialisé, nous n'avons pas publié cet article de 17 pages rédigé en petits caractères. Vous pouvez cependant vous référer à la version anglaise du livre ou directement à Randy Masters, P.O. Box 64, Aptos, CA 95001-64, USA.

Harmonique 9944

par Randy Masters

L'harmonique 9944 est l'harmonique de la cinquième dimension, tout juste en-dessous de la sixième dimension, selon le musicien et scientifique sacré Sammy Figueroa (selon ce que lui a dit son professeur d'alchimie).

On peut faire des calculs avec le nombre 9-9-4-4 tels l'addition, la soustraction, la multiplication, la division et diverses fonctions cubiques et carrées (racine cubique et racine carrée) produisant des nombres ayant de nombreuses significations.

Des clés pour la musique, les mathématiques, la géométrie archétypale ou sacrée, l'astronomie et toutes les branches de la science, aussi bien que les traductions numériques de textes et de paroles sacrées, appelées "gematria" sont aisément révélées avec ces processus numériques. Ces nombres ne sont pas froids et statiques ou ne relèvent pas du domaine du "cerveau gauche", mais ce sont des vibrations et des pulsations pleines de vie de notre réalité oscillatoire, dynamique et multidimensionnelle. Dans les écoles de mystère de la Grèce antique où les secrets des "lois" de la création étaient enseignés, la musique, les mathématiques, la géométrie et l'astronomie étaient appelés le "Quadrivium" et formaient les quatre éléments d'une éducation de base...

Des mathématiques en base de 12
Des mathématiques de l'Esprit
Étude de la formule "9944"
Article de James D. Watt

Un mot de l'auteur...

J'ai reçu il y a quelques mois une lettre d'un homme s'appelant James Watt. M. Watt m'adressait alors quelques questions soigneusement formulées montrant que même s'il était fasciné par certains aspects de numérologie du livre de Kryeon, il ne prétendait nullement croire en la métaphysique. En fait, le livre de Kryeon lui avait été donné par sa mère. Il s'était intéressé aux écrits de Kryeon parce que certaines affirmations du premier livre de Kryeon concordaient exactement avec la logique mathématique qu'il avait découverte et qu'il tentait de présenter à d'autres mathématiciens. James m'écrivit pour me demander : « Comment des énoncés aussi précis peuvent-ils être faits à partir d'une source humaine s'il n'y a pas de modèle logique antérieur sur lequel s'appuyer? Le channeling ne suggère tout simplement pas une source humaine. Il s'agit là d'un concept difficile, sinon impossible à accepter pleinement pour une personne qui estime être réaliste! »

Je répondis à ses questions du mieux que je pouvais (n'ayant aucune formation en mathématiques), et nous avons commencé à correspondre. Chaque nouvelle lettre était de plus en plus captivante à lire, puisque James approfondissait de plus en plus les questions fondamentales de l'univers grâce à la géométrie et aux mathématiques. Chaque fois que je lui répondais, il trouvait quelque chose d'intéressant à relever dans notre correspondance et il en fut de même pour moi. Je sentais que nous devenions le classique "couple un peu étrange". Il trouvait ma logique originale dans un domaine où elle n'est apparemment jamais utilisée et je trouvais ses idées étonnamment métaphysiques (mais je ne lui en ai pas vraiment fait part, puisque je ne savais pas si cela allait l'offenser ou non).

James vous dira qu'il n'a pas de formation classique en mathématiques. (Dieu merci!) S'il en avait été autrement, je ne crois pas qu'il aurait été aussi ouvert aux aspects spirituels de ce que tout cela signifie. Il se décrit comme un mathématicien amateur. J'aimerais signaler aux lecteurs que ceci le classe parmi d'autres amateurs tels François Viete (père de la cryptologie et de l'utilisation du point décimal), John Napier (inventeur des logarithmes), Isaac Asimov, Euclide, Archimède et Apollon... Fichtre! Comment gagne-t-il sa vie? Il se consacre aux arts plastiques, se spécialisant dans les illustrations, particulièrement en architecture. Sa passion pour l'architecture explique son amour de la géométrie.

Je me suis immédiatement rendu compte que j'avais affaire là à un mathématicien d'un calibre rare, possédant une grande intégrité et poussé par une quête spirituelle. Sa quête ne participait pas forcément du courant du Nouvel âge comme plusieurs peuvent le croire, mais elle est définitivement de nature spirituelle et métaphysique (au sens où je l'entends à tout le moins). James a recours à son intelligence et à son intellect dans le contexte d'une science très logique (les mathématiques et la géométrie) pour établir le rapport avec les vérités spirituelles de la vie. Je l'honore grandement pour ce fait. Quelle quête!

Watt se décrit comme étant une personne que seuls les faits intéressent. Il est beaucoup plus à l'aise pour parler de mathématiques et de logique que de channeling. Pour lui, l'objet de son attention est soit "vrai", "faux" ou "indéterminé". Je pense que c'est la raison pour laquelle je l'aime tant - je peux vraiment comprendre ce genre de personne!

Après le channeling de Sedona sur les mathématiques et la logique que vous venez de lire, je suis entré en contact avec James pour lui rapporter ce que Kryeon avait dit au sujet de notre système de mathématiques, et je l'invitai à écrire tout ce qu'il voulait pour réfuter ces informations... ou bien pour les approuver. J'étais également intrigué par les concepts que James avait trouvé à l'égard de notre système de mathématiques qui pouvaient fort bien avoir été ignorés par le courant dominant de la communauté des mathématiciens... et ces concepts ont des connotations nettement spirituelles!

Nous avons passé sous silence le fait que nous évitions dans notre correspondance de chercher à convaincre l'autre de toute doctrine, et cela nous a tous deux donné une bonne opinion du respect que l'autre avait pour ce qui nous intéressait vraiment... des SOLUTIONS! C'est donc un grand honneur pour moi de vous présenter le travail de M. Watt en tant que mathématicien renommé réagissant à l'œuvre de Kryeon. Nous avons travaillé ensemble pendant quelques mois et durant tout ce temps, James a acquis la ferme conviction que Kryeon était bien réel... sur la base des indications de nature mathématique que Kryeon donnait!

Mathematica

James D. Watt. 1995

Introduction

J'ai entrepris il y a deux ans un examen des principes de base des mathématiques à la suite de questions soulevées par le modèle physique actuel de création connu sous le nom de "Big Bang". Il est vite devenu évident que la forme courbe convient parfaitement pour les descriptions mathématiques et que les hypothèses opérationnelles fondamentales des mathématiques depuis les temps les plus reculés jusqu'à ce jour penchent en faveur de la ligne droite.

Si l'on retourne aux éléments et techniques formant les fondements des mathématiques, on constate qu'il n'y a que deux choix possibles pour exprimer les concepts mathématiques : les mathématiques basées sur la ligne droite (auxquelles nous avons constamment recours) et les mathématiques basées sur la courbe ou l'arc de cercle, qui sont rejetées...

Note de l'éditeur

Ce texte se poursuit sur 20 pages (également en petits caractères). Pour les mêmes raisons que celles citées relativement à l'article de Randy Masters, nous ne publions pas ici cet article de James Watt. Pour plus d'informations, vous pouvez rejoindre M. Watt en écrivant à Lee Carroll (en anglais) en spécifiant sur votre lettre qu'elle est à l'attention de James Watt.

Connexion de la science à l'amour

Note de l'éditeur

À la conférence de Vancouver, le 17 août 1996, on a eu droit à une première lors du channeling de Kryeon. Vers le milieu de la séance, Kryeon a invité *Métatron* à clarifier certains points concernant les variations dans la structure temporelle qui existent dans l'univers et dont nous sommes appelés à prendre conscience dans notre propre réalité sur cette planète.

Cette participation de Métatron fut l'occasion pour nous de questionner Lee Carroll sur ce groupe d'êtres dont le nom fini par "on". Ceux parmi vous qui ont lu le livre de H.J. Hurtak, *Les Clés d'Énoch*, sont déjà familiers avec ce nom de Métatron ou celui de Sandalphon. Il semble donc y avoir un groupe d'êtres dont le nom se termine par la même tonalité et que celle-ci est probablement l'indice d'une fonction ou d'une responsabilité particulière. Au début de ce livre, Kryeon se présente comme « *un des anges nourriciers de cette ère nouvelle* ». Donc, en plus du titre de Maître magnétique sous lequel il se présente depuis le début, il ajoute maintenant, parce qu'on le lui a demandé, qu'il est un ange. Puisqu'il *voyage* souvent avec Michaël, on est à même de conclure qu'ils sont de stature similaire et que Kryeon fait partie de ce groupe qu'on appelle les archanges. Maintenant, on connaît bien les archanges Michaël, Gabriel, Zadkiel et plusieurs autres dont les noms se terminent par "el". Notre question à Lee Carroll visait à mieux comprendre en quoi ces deux groupes se différencient dans leurs fonctions et en même temps se complètent. Sa réponse est simple. La tonalité de leur nom indique leur spécialité. Ceux dont le nom se termine par "on" sont les mécaniciens, les physiciens. Ils enseignent les lois de cet univers ayant trait aux composantes de la physique, l'électro-magnétisme, l'atome, etc., et ce dans leurs aspects interdimensionnels évidemment. Le groupe des "el" a la responsabilité de maintenir le focus des composantes spirituelles. Ses membres sont les gardiens des attributs spirituels. Bien sûr, ces deux fonctions se recoupent et l'amour et la science sont essentiellement liés, comme il sera précisé dans l'article qui suit. Dans les mots de Lee Carroll : « *Dans leur aspect nourricier, les fonctions de Kryeon et de Michaël se recoupent définitivement, car les ajustements de Kryeon dans le champ magnétique de la Terre sont liés à la dualité que vivent les humains dans leur potentiel d'amour. Tout est très relié* ». Le thème de la conférence de Vancouver était "Les sept connexions à l'amour". Nous vous présentons le point quatre, celui de la connexion de la science à l'amour.

Connexion de la science à l'amour

Extrait du channeling du 17 août 1996
Vancouver, Canada

La transcription de cette séance de channeling devant public a été modifiée par l'ajout de mots et de pensées afin d'en clarifier le sens et de permettre une meilleure compréhension de ce qui a été dit.

Kryeon : Nous allons maintenant discuter de science — et peut-être direz-vous : « Kryeon, qu'est-ce que la science a à voir avec l'amour? » Nous allons vous faire part de quelque chose de vraiment amusant. La science est totalement imprégnée de cette connexion à l'amour d'une façon qui vous surprendra peut-être. Nous souhaitons maintenant nous adresser aux hommes et aux femmes de science.

Il est en effet amusant pour nous d'entendre les scientifiques soutenir que leurs hypothèses et leurs expériences ne sont d'aucune façon biaisées. En fait, vous, les scientifiques, maintenez que la dernière chose qui puisse affecter votre travail en laboratoire serait un préjugé de nature spirituelle. Vous procédez à vos expériences et formulez des hypothèses quant à la nature de cet univers tout en tentant de maintenir fermement ce point de vue. Mais vous savez toutefois, au niveau cellulaire, en votre for intérieur, qu'il en est autrement. Nous souhaitons vous faire savoir en quoi se manifeste cette différence et à quel point la situation nous semble amusante. Car voyez-vous, au niveau cellulaire, vous savez très bien que vous habitez sur la seule planète où règne à ce point le libre arbitre. Au niveau cellulaire également, vous avez souvenir de la séance de planification précédant votre venue et portant sur la grande expérience impliquant la Terre. — Les êtres humains, laissés à eux-mêmes et ignorant la nature de l'épreuve, sauront-ils engendrer une vibration supérieure? Sauront-ils élever le taux vibratoire de la planète? — Vous savez donc déjà que la Terre est exceptionnelle. Vous savez que ce test est très spécial, unique dans cet Univers. De ce fait, que vous le vouliez ou non, vous perpétuez un préjugé sur le caractère exceptionnel de votre planète.

Il y a trois cents ans, les scientifiques observant les cieux, décidèrent que ceux-ci gravitaient autour de votre Terre "exceptionnelle"! Ainsi la Terre était le centre, et tout le reste gravitait autour d'elle. Cette théorie fut émise par des hommes et des femmes de science. Mais le plus intéressant, c'est que toutes les équations mathématiques semblaient en apporter la preuve. Aujourd'hui, vous savez fort bien qu'il en est autrement, n'est-ce pas?

Imaginons un scientifique de notre époque qui, confronté à un vaste océan de grains de sable et, en raison de la nature de ce casse-tête, ne pourrait examiner qu'un seul de ces milliards de grains. Les dunes de sable se succèdent et s'étendent à perte de vue. Il prend le grain de sable qu'on lui permet d'examiner et, au microscope, ce grain révèle de magnifiques motifs teintés de couleurs inconcevables. Le scientifique s'interroge et postule : « Je me demande comme scientifique, combien d'autres de ces grains portent ces dessins superbes? » Quelles déductions découlent d'une telle hypothèse? Suivant sa logique monovalente, l'humain conclut : « Comme il m'est impossible d'en examiner d'autres, c'est donc le seul qui soit joli ». (Rires) Tous les autres sont présumément uniformes. Cette logique n'est certainement pas valide mais votre préconception l'emporte tout de même.

Nous faisons bien sûr référence au fait que l'univers déborde de vie. La presque totalité des systèmes solaires contenant une planète abrite potentiellement l'embryon de la vie. C'est là un phénomène tout à fait courant qui se produit naturellement et présente diverses manifestations. Lorsqu'un jour vous en serez témoins, ceci vous paraîtra très amusant. Mais puisque le phénomène demeure pour l'instant hors de votre champ d'observation, il n'existe donc pas!

En contemplant le cosmos qui vous entoure, vous avez formulé la théorie du "Big Bang", un événement créateur qui aurait engendré l'univers. Nous l'avons déjà déclaré que plus on se penche sur cette théorie, plus elle s'effrite. Vous remarquerez en outre que l'univers n'est même pas uniformément distribué; des amas s'y sont formés!... Pas vraiment typique du produit d'une explosion en son centre. Certains d'entre vous commencent à découvrir, en toute humilité, qu'il existe des accumulations de matière éloignées qui sont d'un âge inférieur à celui d'accumulations de matière plus rapprochées. Ces faits démentent la thèse à l'effet d'un seul événement créateur. Encore là, votre vision monovalente, préconçue!

Et pour conclure, en ce qui concerne la science, nous avons déjà mentionné les divergences de structure temporelle dans le cosmos. Observez les régions éloignées du cosmos et vous serez témoins de phénomènes jugés impossibles selon les lois de la présente physique; de vastes masses de matière tournent dans l'espace à une vitesse vertigineuse, ce qui est présumément impossible sous peine de désintégration des masses. Pour en expliquer la cause, vous proposez toutes sortes d'hypothèses même si vous ne possédez aucune loi physique apte à confirmer une seule de ces hypothèses. Nul d'entre vous n'a jamais même imaginé qu'il puisse exister une autre raison. Car voyez-vous, vous appliquez au reste de l'univers les lois physiques qui appartiennent à votre région. Vous avez décidé que les choses doivent en être de même ailleurs, tout comme l'homme natif de la forêt tropicale ne peut concevoir la glace jusqu'à ce qu'il apprenne qu'il existe des climats différents du sien dont l'existence est acceptée sans être perçue.

Nous aborderons encore une fois cette question du temps. Et dans le cadre de cette discussion, nous allons faire quelque chose que nous n'avons jamais fait auparavant; nous allons faire appel aux énergies de celui que l'on nomme Métatron. (Pause)

Nous souhaitons maintenant vous dire, très chers amis, que le noyau de l'atome est entouré de ce que nous appelons un nuage énergétique (le champ du parcours des électrons); en outre, la distance entre ce nuage et l'atome (qui est vaste) peut varier beaucoup plus que vous ne le croyez à l'intérieur de la matière. Et lorsque cette distance varie, la vitesse du nuage doit s'ajuster. Dans le cas d'une physique où la vitesse du nuage est puissante et rapide, vous avez alors une structure temporelle qui diffère de la vôtre.

Vous avez tous appris à l'école que le temps est relatif, vous vous souvenez? Vos méthodes scientifiques en apportent même la preuve par l'accélération des particules infimes, montrant que tel est effectivement le cas. Vous avez en outre formulé l'hypothèse et croyez fermement que la structure temporelle d'un objet change s'il se déplace assez rapidement. Cependant, si vous observez les régions de l'univers où prévaut une "physique impossible", jamais vous n'émettez l'hypothèse que la structure temporelle est peut-être différente? Jamais! En voici la raison : vous n'admettez pas encore qu'un objet qui semble être stationnaire se déplace en réalité à grande vitesse. Non pas en temps linéaire d'un point A vers un point B, mais à travers le nuage énergétique de ses composantes vibratoires. C'est à ce niveau que la vitesse se mesure.

Ainsi, chers amis, si vous vous trouviez quelque part dans l'espace régi par ces lois de la "physique impossible" et qu'il vous soit donné de voir la planète Terre, vous constateriez que tout se produit extrêmement lentement. Voilà la relativité du temps telle que vous l'avez apprise et acceptée sans toutefois l'appliquer à aucun objet perçu dans l'espace! Ce qui est illogique par rapport à ce que vous savez déjà.

Mais quel est le rapport avec l'amour? Je vais maintenant vous l'expliquer. Amis très chers, honoré et béni soit le scientifique qui pratique la méditation! Car il sera le premier à découvrir la vérité. Parce que la vérité que révèle la physique est Dieu. Elle constitue la manifestation des schémas, formes et couleurs de l'Esprit. Tous les composants de l'atome sont imprégnés de la bénédiction de l'Esprit.

Et en terminant, l'énergie de Métatron nous quitte sur ces paroles: « Quel est le facteur qui fait varier la distance entre les composants? Voilà une énigme pour les scientifiques, parce que l'espace entre le noyau et le nuage, bien que vaste, n'est toutefois pas vide. Il s'agit d'un cocktail d'énergie organisée, et c'est de cette organisation de la vacuité intersticielle que découlent les variations de distance et par le fait même, de la vitesse du nuage. C'est tout ce que nous révélerons à ce propos. »

La science contient ainsi des aspects de l'énergie de l'amour en elle-même. Chacun de ces aspects est sacré et ensemble ils forment la "substance" de l'amour. L'Esprit et la science ne font qu'un! L'idée d'un scientifique distinct de Dieu paraît effectivement tout à fait amusante. Devez-vous étudier la forme sans avoir recours aux mathématiques? Pouvez-vous seulement entrevoir une compréhension de la géométrie sans sa connexion à l'amour qui exprime clairement : « Cela relève de la spiritualité! » Non. L'alliance entre Dieu et la science physique forme une unicité qui est indissociable. L'ampleur de votre découverte sera à la mesure de la rapidité avec laquelle vous saisirez ce point. Il y a un amour très vaste dans la plus infime de vos particules de matières.

Kryeon

Questions d'ordre scientifique de Greg Ehmka

Question : (En référence au Temple du rajeunissement expliqué dans le deuxième livre de Kryeon). *En ce qui concerne le programme de trois ans pour le repos et le rajeunissement, quels étaient les aspects de ce programme, s'il y en avait, qui nécessitaient le recours à la technologie du Temple et qui pourraient en théorie être mis en pratique maintenant? Dites-moi aussi pourquoi il fallait trois ans? Les processus qui se déroulaient dans le temple exigeaient-ils des visites périodiques par opposition à un seul grand processus exécuté à la fin du programme?*

Réponse : Le "programme" en tant que tel se déroulait en moins d'une journée. Les résultats du programme ne duraient que pendant trois ans, et il fallait alors retourner au Temple. Bien que la technologie existe maintenant pour édifier un Temple identique, les connaissances nécessaires en biologie n'existent pas. Il se peut qu'un certain temps se passe avant que vous ne décidiez de construire une telle structure, et il y a d'autres possibilités de rajeunissement plus avancées à côté desquelles le Temple du rajeunissement vous semblera être un dinosaure! Mes chers amis, il y a une bonne quantité de renseignements dissimulés dans l'information qui vous est communiquée à l'égard du Temple du rajeunissement.

La première question que vous devriez tous vous demander est : « Pourquoi les humains ont-ils même besoin de rajeunir? » Vos corps sont conçus pour se rajeunir d'eux-mêmes! Pourquoi la biologie n'est-elle pas plus efficace pour régénérer à 100% ce qui est perdu? Quel est le processus?

La vrai réponse est de nature spirituelle. Votre biologie dans cette énergie cosmique est imparfaite et elle crée donc la mort. En fait, elle ne fut pas conçue ainsi, mais elle le devint avec le temps, ce qui a donc mené à l'apparition du cycle de naissances et de morts successives qui est devenu un important "moteur du karma" et qui vous a permis d'élever la vibration de la planète. Bien avant que le premier humain ait foulé le sol de cette planète, la proportion d'énergie biologique était inférieure à 100%, ce qui voulait dire que toutes les formes de vie étaient vouées à ne durer qu'un court moment, puis à être renouvelées par l'incarnation.

La réponse de la science peut vous surprendre, car la machinerie du corps réagit à un quotient d'énergie du cosmos. À mesure que cette énergie diminuait au fil des temps dans votre univers, ces mécanismes internes devinrent moins efficaces (avec la diminution de l'énergie disponible). Ce n'est donc pas par hasard si votre planète et votre biologie furent établies à une époque où ce quotient d'énergie était inefficace. Autrement, vous auriez vécu à tout jamais et le travail karmique qui est le travail de toute la planète n'aurait jamais pu se faire.

À présent, la nouvelle passionnante est la suivante : les outils ont toujours existé pour donner à votre biologie individuelle le 10% de surcroît d'énergie nécessaire pour un véritable rajeunissement. Le véritable rajeunissement est le rajeunissement interne du corps à 100%, là où la biologie est réellement en mesure de compenser entièrement pour toute perte due à la vie humaine. Au temps de l'Atlantide et de la Lémurie, ce surcroît était apporté grâce aux champs magnétiques. On comprenait à cette époque les principes de magnétisme de la Terre et du corps humain. Ils étaient capables de faire de l'extérieur un "réglage" de la biologie afin de permettre à la structure magnétique de l'ADN entourant la structure biologique de fonctionner à son plein potentiel pendant au moins trois ans sans aucune détérioration. Au cours de cette période, la biologie réparait toute détérioration et le système immunitaire fonctionnait à 100% de ses capacités. Lorsque le magnétisme de l'ADN revenait lentement au niveau du quotient d'énergie actuel de l'univers, le vieillissement reprenait et une autre visite au Temple devenait alors nécessaire. Cette science pure de la guérison était enveloppée de cérémonie et réservée exclusivement aux détenteurs du pouvoir. Tel que channelé auparavant, toutefois, cette culture utilisa aussi à mauvais escient ses connaissances; et même si une partie de l'élite vécut exceptionnellement longtemps (tous ne pouvaient utiliser la machine en raison de luttes politiques de pouvoir), toute leur culture s'effondra dans des circonstances dramatiques.

Ce que vous devriez savoir, c'est que l'ensemble de ce channeling à l'égard du Temple visait à vous donner un aperçu de ce qui se passe réellement à l'intérieur de votre corps. L'information destinée à votre science médicale est la suivante : il y a au moins trois méthodes disponibles aux humains de cette époque pour accomplir un potentiel rajeunissement intégral et elles vous sont tout à fait accessibles grâce aux moyens dont vous disposez. L'une est magnétique, la seconde, biologique et la troisième, spirituelle. Cela vous étonne-t-il que vous retrouviez une fois de plus le trio physique, biologique et mental (spirituel)?

(1) La méthode magnétique concerne le Temple du rajeunissement (tel que channelé dans le deuxième livre de Kryeon). La science de votre temps vous permettra, si vous le désirez, de recréer ce temple à une taille réduite comparativement à sa taille originale. Ceux qui ont travaillé avec cette information ont déjà reconnu ce fait. (2) La méthode biologique est tout juste en train d'être découverte et elle a recours à des médicaments à base d'essences vivantes. Elle sera à l'origine d'une vive controverse au sein de votre corps médical. La controverse tournera autour du fait que l'information remettra en question les fondements mêmes de la compréhension du fonctionnement du corps humain au niveau cellulaire. (3) La méthode spirituelle est la technologie de l'ascension que plusieurs d'entre vous utilisent à tous les jours.

Cette information est donnée en tout amour à un moment où nous désirons que vous déclenchiez le Nouvel âge sur Terre. Comme nous l'avons dit dans le passé, nous voulons que vous demeuriez sur Terre pour faire le travail des humains illuminés. Tous ceux qui utilisent ces méthodes finiront par élever la conscience de la planète, aidant ainsi le tout. Vous êtes honorés de demeurer ici pour votre travail!

Question : *Lorsque nous créons la condition "sans masse" (voir dans le deuxième livre de Kryeon), est-il suffisant de faire en sorte que seuls les* *électrons ne soient plus synchronisés avec notre cadre temporel ou bien doit-on également faire de même pour le noyau atomique?*

Réponse : La vibration de toutes les parties change. Le changement vibratoire modifie la distance entre les parties. Voici une question pour vous. Que croyez-vous qu'il arrive à vos calculs en géométrie sacrée lorsque vous avez une fréquence vibratoire plus élevée? Demeurent-ils inchangés? Les instruments numériques permettant de calculer la distance donnent-ils toujours une mesure exacte? C'est en tout amour que je vous soumets ces questions. Il est typique du travail de Kryeon avec les humains que vous puissiez vous retrouver avec plus de questions que celles que vous avez soulevées.

Question : *La matière obscure existe-t-elle dans l'espace? Nos scientifiques réalisent qu'à moins de prendre en compte quelque chose du genre, les observations faites pour mesurer la gravité ne correspondent pas à la matière qu'ils voient.*

L'auteur

Réponse : Ce que vous appelez la matière obscure n'existe pas. Voici ce qui se passe. Vous savez déjà que la lumière et la gravité sont liées ensemble. Ce que vous ne connaissez pas encore, ce sont les attributs exacts de la lumière. Lorsque la lumière est synchrone, vous êtes capables de la voir avec vos yeux et de mesurer sa luminosité avec vos instruments. Cela est possible lorsque toutes les ondes sont alignées ensemble de façon synchrone. Lorsque la lumière est asynchrone, les ondes s'alignent de telle façon qu'elles s'annulent mutuellement. Voici ce que nous avons à dire à ce sujet. Il y a de la matière normale (que l'on peut voir) qui vous est totalement cachée en raison du fait que la lumière en provenance de cette matière est asynchrone. Ce phénomène est causé par l'intense gravité qui est soit proche de la matière, soit sur le trajet suivi par la lumière pour parvenir jusqu'à vos yeux.

Voici une question pour vous : quel rôle la lumière joue-t-elle dans votre biologie? La réponse, lorsque connue, vous stupéfiera.

Question : *On mesure la densité en calculant la masse par unité de volume. Il y a une densité atomique qui est basée sur la masse de protons et de neutrons proportionnellement au volume d'espace occupé par l'atome. Puis il y a la densité brute de matière. Ainsi, par exemple, un morceau de* *fer est plus dense qu'un morceau de bois, ce qui veut dire que si les deux ont le même poids, le fer aura un volume inférieur (il sera plus petit). Pour modifier les attributs de masse, faut-il changer ces proportions uniquement par des moyens électromagnétiques? Si tel est le cas, est-ce que le volume demeure inchangé dans l'état "sans masse" désiré , la particule des particules "disparaissant" du fait qu'elle n'est plus synchronisée avec le temps, et la densité diminuant donc à zéro ou moins?*

Réponse : Vos mesures de densité doivent changer lorsque la vibration des parties change. Le moteur électromagnétique est ce qui crée un changement vibratoire. Les calculs mathématiques relatifs à la densité sont fonction de la fréquence vibratoire des parties. Les changements de fréquence vibratoire modifient le cadre temporel. Il est donc possible d'avoir devant vous un objet, disons une pomme, dont les atomes vibrent extrêmement vite. La vitesse de la vibration crée un changement temporel pour la pomme et elle n'est donc plus entièrement dans votre cadre temporel. Sa masse n'est pas relative à une pomme dans votre fréquence vibratoire (cadre temporel), et elle peut avoir le même poids qu'une mouche. Si vous gardiez longtemps cette pomme devant vous, vous découvririez aussi qu'elle vieillit beaucoup plus lentement qu'une pomme normale. Il se pourrait même qu'elle vous survive!

Dans le monde des atomes, l'espace est énorme entre les diverses parties. Les gens parmi vous qui travaillent en ce domaine savent déjà que la majeure partie de la matière est en fait composée de l'espace qu'il y a entre les atomes! Il est donc possible d'avoir une fréquence vibratoire extrêmement rapide, où la distance entre les parties a été ajustée, mais où les dimensions physiques de l'objet dans son ensemble demeurent les mêmes. Il y a une énorme variance qui est possible au sein des particules atomiques avant que l'objet dans son ensemble ne change de forme. C'est l'état d'absence de masse que nous vous décrivons ici.

Voici une autre question pour vous : qu'est-il arrivé au cadre temporel de l'individu dans la grande énigme théorique sur le temps que votre scientifique du nom de Einstein vous a présentée? Cette énigme portait sur le voyageur spatial qui s'éloignait de la Terre à une vitesse proche de celle de la lumière. Que lui arrivait-il, pensez-vous, au niveau atomique? Beaucoup pensaient qu'il deviendrait très grand (mais je vous dis que l'augmentation de taille anticipée n'est qu'un accroissement de la distance entre les parties). Permettez-moi de rajouter une dimension à cette énigme.

Quel poids avait-il, selon vous, pendant qu'il se déplaçait si rapidement?

Question : *Le danger au point de vue biologique de cet état "sans masse" est-il dû à l'ionisation des atomes avoisinants qui se produirait selon ce que j'ai compris de vos dires? Si c'est le cas, cela veut-il dire que l'état "sans masse" a pour effet d'ioniser les matériaux biologiques normaux comme les molécules faites de carbone, d'hydrogène, d'oxygène et d'azote, et que cet état peut donc ioniser l'air et/ou l'eau?*

Réponse : Je vous ai mentionné qu'un indice permettant de savoir si un objet est dans un cadre temporel différent du vôtre était que les atomes directement impliqués entre les cadres temporels auraient un nombre différent d'électrons. La biologie présente dans cette zone serait effectivement détruite. Vous posez maintenant une question au sujet d'une zone que vous avez vue auparavant en ce qui a trait aux humains. N'importe quel type de matière présente dans cette zone où deux cadres temporels se rencontrent sera affectée. Les atomes ne se soucient pas de savoir quelle sorte de molécules ils composent. Ils réagissent tous de la même façon.

Le danger, cependant, pour les occupants d'un véhicule propulsé dans un état "sans masse" réside dans les mécanismes mêmes de l'engin de propulsion, car il crée une situation qui causerait un grand tort au matériel biologique. La présence d'un écran de protection est donc très importante pour les gens voyageant à l'intérieur du véhicule.

Question : *Que voulez-vous dire par : « Nous avons vu cela auparavant chez les humains »?*

L'auteur

Réponse : Dans toutes vos questions à propos des champs magnétiques et de l'état sans masse, vous n'avez jamais demandé ce qui s'était passé durant votre année 1943. Vous avez alors tenté de créer un état sans masse avec un équipement rudimentaire et sans trop savoir ce que vous faisiez. Ce faisant, vous êtes effectivement parvenus à créer un état sans masse instable pendant un court moment. Son instabilité a créé une situation où au lieu d'avoir un véritable état sans masse, vous avez obtenu un état où le cadre temporel a changé, mais les parties se trouvant à l'intérieur de la sphère de temps modifié n'avaient pas la synchronicité précise nécessaire pour un objet sans masse. Le résultat fut le déplacement à une certaine distance de l'objet au lieu d'un véritable état sans masse. De fait, il y avait des humains à bord du grand objet déplacé et leur biologie s'en trouva gravement abîmée.

Votre expérience fut menée dans une atmosphère de désespoir, et votre but était erroné. Car vos calculs mathématiques vous avaient démontré qu'il pouvait y avoir une possibilité d'invisibilité, et c'était là votre but. Il en était ainsi parce que vous ne compreniez pas qu'un changement de distance entre les parties ne signifie pas forcément que la dimension totale va changer de façon importante (ou que l'objet pourrait disparaître). Bien que cela puisse vous sembler un paradoxe, la mécanique interne du comportement des petites particules le confirme. Le changement est mesurable, mais il n'est que très petit, un peu comme ce qui se produit dans le cas de la chaleur et du froid.

La raison pour laquelle vous avez cru que l'objet disparaîtrait tenait au fait que vous étiez parvenus à simuler une pseudo "disparition" en laboratoire avec de petits objets. Cette observation ne survenait pas à chaque expérience, toutefois, et vous étiez une fois de plus désespérés de tenter cette expérience avec un plus gros objet. L'effet d'invisibilité était une illusion due à un déplacement dans l'espace plutôt qu'une invisibilité sur place. Voici la question que j'ai pour vous : Puisque l'objet était transporté plutôt que disparu, cela vous donne-t-il une piste pour comprendre le voyage sur de longues distances à l'aide du magnétisme et du changement de fréquence vibratoire de la matière? Il n'y a eu qu'un seul humain sur la planète qui soit jamais parvenu à créer un véritable état sans masse, et même ceci ne fut qu'une réussite bien partielle et incontrôlée qui n'a duré qu'un court instant.

Question : *Qui était cet humain?*

L'auteur

Réponse : L'inventeur de votre courant électrique multi-phasé, né dans le pays que vous appelez maintenant la Yougoslavie.

Question : *Le système numérique en base 6 lié à la gravité constitue-t-il une façon de mesurer l'intensité gravitationnelle de l'attraction et de la polarité? Par exemple, le degré 0 et le degré 180 constituent-ils une attraction complète et une répulsion complète, alors que 90 degrés et 270 degrés seraient des points neutres?*

Réponse : Non.

Question : *Vous avez récemment channelé (Portland, 6/15) la formule : la densité de la masse plus le taux vibratoire est égale à la structure temporelle. Le taux vibratoire est-il le mouvement orbital du noyau et de l'électron combinés autour d'une masse centrale commune? Si non, en quoi consiste exactement le taux vibratoire?*

Réponse : Je vais maintenant entamer une discussion qui aura des répercussions sur la grande majorité des questions portant sur la physique. Il vous est pratiquement impossible de poser les questions adéquates sur la position active des différents membres d'une équipe sportive alors que vous ignorez encore la plupart des règles du jeu. En outre, il vous faudra également connaître les dimensions du terrain de jeu.

Voici un sujet de réflexion : l'espace entre le nuage d'électrons et le noyau n'est pas vide. À l'intérieur de celui-ci est défini le positionnement de la structure temporelle, et l'élément "biaisé" qu'est l'énergie vacuité. Lorsque vous comprendrez enfin que ce qui paraît être vide est en réalité un gigantesque cocktail d'énergie prête à être libérée, vous vous ouvrirez alors à un indice qui demeure voilé pour la majorité.

Lorsque vous vous aventurez dans l'espace, vous pensez ne rien percevoir, mais vous percevez en réalité l'effet d'une importante énergie invisible à cause de sa polarité, ou phase, opposée. Encore une fois, nous vous invitons à étudier la technologie scalaire (N.d.é. : les principes de la technologie scalaire furent découverts par Tesla au début du siècle), parce que ses principes contiennent les éléments essentiels à la compréhension de ces propriétés. Cette énergie, latente en apparence, ne l'est aucunement; elle existe, pleinement puissante, mais à l'intérieur d'une "condition de vacuité". Ce qui engendre la vacuité est ce qui constitue la quête sacrée de tout ce que vous souhaitez connaître. En déséquilibrant cette vacuité dans une certaine direction, l'énergie "se déplace" alors vers une autre vacuité, ce qui crée une variation dans la distance entre le nuage d'électrons et le noyau, et cela modifie la structure temporelle ainsi que ce que nous appellons le "taux vibratoire".

Nous vous révélons ces choses en toute intégrité et avec sérieux, car ces aspects de la physique demeurent à ce jour inconnus. Ils comportent pourtant certaines des énergies les plus puissantes de l'univers. Sachez-le.

Question : *Lors de l'expérience de 1943 visant à créer une condition sans masse — l'expérience de Philadelphie (N.d.é. : L'armée américaine en tentant de rendre un navire invisible aux radars en créant autour de celui-ci un champ magnétique l'a alors projeté accidentellement, ainsi que son équipage, dans un autre espace-temps.) — Quels furent les facteurs qui déterminèrent la direction du compas et la distance parcourue par le déplacement de l'objet?*

Réponse : Pour donner une réponse littérale à votre question, les mathématiques pures en base 12! Le déplacement était entièrement le produit d'une formule utilisant les lignes de force de la grille de la Terre et les principes de la vitesse de la lumière. Le trajet de 640 kilomètres était en relation directe à une harmonique primaire de la vitesse de la lumière sur la surface de la Terre. Le déplacement était accidentel et imprévu. Au fait, saviez-vous que le chiffre 144 000 équivaut à une harmonique de la vitesse de la lumière dans l'espace? Réfléchissez bien à ces points.

Question : *En ce qui concerne l'expérience de 1943, dans la dimension du changement temporel, était-ce la synchronicité ou l'absence de synchronicité qui détermina si le résultat serait une condition sans masse ou un déplacement dans l'espace dû aux variables dans l'organisation des champs en interaction? Ou encore, dû à différents types de champs, par exemple, la radiation émise par les fréquences radiophoniques plutôt qu'un champ électrique stationnaire?*

Réponse : Ni l'un ni l'autre. Encore une fois, il est temps pour vous de vous mettre à l'étude des travaux de Tesla et des propriétés de la technologie scalaire. L'alignement des ondes scalaires en phase est ce qui détermina les attributs de masse et de temps durant l'expérience.

Question : *Si l'eau est fondamentalement un fluide incompressible, le fait de la pressuriser altère-t-il certaines propriétés électriques ou magnétiques?*

Réponse : Certainement! Persévérez dans cette façon de voir et vous découvrirez la clef de la technologie qui contrôle un "vaisseau spatial" à plasma sans masse.

Question : *Vous avez déjà fait mention d'un mode de déplacement qui consiste en un vol passif à la surface de la grille magnétique de la Terre. En quoi cela diffère-t-il d'un véhicule dirigé par engin sans masse et faut-il y travailler maintenant?*

Réponse : Aucun travail n'est requis jusqu'à ce que vous obteniez de plus amples informations de ceux que vous vous apprêtez à rencontrer. Certains aspects font défaut et ne se révéleront pas jusqu'à ce qu'on vous ait enseigné cette science. Il faut pour ce faire modifier votre réalité... et, dans votre domaine scientifique, la seule chose qui s'en approcherait ne se limite pour l'instant qu'à quelques mots sur du papier, tracés par ceux qui considèrent les atomes en relation les uns avec les autres. Vous n'avez pas le temps d'élaborer ces points par vous-même.

Le vol passif sur la grille magnétique s'opère à l'aide d'un engin sans masse qui utilise la grille magnétique de la Terre comme "phase opposée". Le même engin, lorsqu'il se déplace dans l'espace fait usage de grandes quantités d'énergie comme le mentionne l'explication donnée en réponse à la seconde question de cette série (ci-dessus). Il s'agit donc du même engin dont les méthodes opératoires diffèrent. Cela s'avère nécessaire pour tout voyage spatial parce que l'entrée dans un champ magnétique affecte grandement les attributs opérationnels de l'engin (c'est le moins qu'on puisse dire!). Il devient nécessaire de faire usage des champs magnétiques de la planète, si elle en possède, ce qui cause plusieurs problèmes au niveau du contrôle du vaisseau (comme nous l'avons déjà mentionné).

Greg Ehmka, de Malibu en Californie, prit connaissance des oeuvres de Kryeon en juillet 1993. Il fut enchanté de découvrir que la vision apocalyptique décrite par plusieurs prophètes s'avérait inexacte. Greg s'intéressa à cette quête d'éveil spirituel dès le début des années 1970 et séjourna plusieurs années au sein d'une communauté du Nouvel âge. Il se demandait constamment pourquoi les prophéties apocalyptiques qui avaient été channelées jusqu'ici ne se réalisaient point. L'information nouvelle qu'apportait Kryeon et la célébration prolongée de la Terre furent sources de joie et de puissance pour lui.

Tout en poursuivant l'étude des mathématiques et de la physique, Greg s'exerce à une transformation personnelle et pratique la guérison à l'aide de la libération émotionnelle, de l'astrologie et d'autres procédures puissantes. Il accueille avec joie les commentaires et toute communication par courrier électronique à : GregEhmka@aol.com

Questions sur l'astrologie

Les trois questions suivantes proviennent d'une astrologue de réputation internationale. Vous vous demandez peut-être pourquoi j'ai placé l'astrologie dans la section sur la science. La réponse est que Kryeon ne cesse de nous répéter que l'astrologie est une science de très haut niveau. Elle traite des empreintes magnétiques reçues à la naissance, et du fonctionnement des influences magnétiques durant votre vie sur la planète. Il s'agit d'une science exacte et ses règles sont tout aussi valides et intéressantes que celles de la géométrie. Convaincre une personne à l'esprit scientifique de ce fait est difficile, puisqu'on a mis la science de l'astrologie dans la même catégorie que la lecture des feuilles de thé et les séances de spiritisme. Le fait est que les mécanismes de l'astrologie sont merveilleusement complets et scientifiquement fondés (mais pas encore prouvés aux yeux de la communauté scientifique de la Terre), afin de permettre aux gens de savoir comment ils vont en général. À l'exception de la médecine, il n'y a aucune autre science qui ait un effet aussi direct sur le corps humain. Si vous voulez prendre connaissance des paroles de Kryeon à ce sujet, poursuivez votre lecture.

Question : *Il est dit dans le premier livre qu'une correction de trois degrés sera nécessaire après janvier 1992. J'interprète cela comme voulant dire qu'il faudrait ajouter trois degrés à toutes les planètes en transition ainsi qu'aux phénomènes astronomiques ayant un impact sur les lectures astrologiques, c'est-à-dire les éclipses, les nouvelles et les pleines lunes, ainsi que les planètes stationnaires. Mais ma propre logique me dit que ceci devrait s'appliquer à la table des maisons en ce qui concerne* *l'établissement des cartes du ciel pour la naissance et les événements particuliers, à partir également de cette date, avec sans doute une correction, là aussi, de trois degrés. Est-ce juste? Par ailleurs, je me sers des déclinaisons de planètes, puisqu'elles sont si révélatrices. La même correction s'appliquerait-elle là aussi?*

Martha E. Ramsey
Phoenix, Arizona

Réponse : Ma chère amie, beaucoup de personnes ont comme vous posé des questions au sujet de la science du magnétisme en ce qui concerne l'évaluation du tempérament des individus sous l'influence des champs magnétiques de votre système solaire. Les réponses que vous cherchez à obtenir de votre science sont aussi cruciales que celles recherchées par ceux qui s'efforcent de changer le magnétisme des petites particules. L'à-propos de réponses précises de la part de Kryeon à ces questions est limité et tempéré, puisque vous demandez à découvrir ces solutions selon une perspective humaine. De la même façon que Kryeon ne vous dira pas les réponses sur la manière exacte de créer un état sans masse, je ne vous révélerai pas non plus l'exactitude de ce que vous cherchez à savoir pour dresser vos cartes du ciel. Bien que ceci puisse sembler pour certains n'être qu'une façon d'éluder la question, c'est un honneur que l'Esprit vous fait. Kryeon ne se soucie guère de ce que les humains peuvent penser de la crédibilité de l'Esprit. La tendre vérité demeure, peu importe tous les commentaires que peuvent faire les humains. C'est à vous qu'il revient de découvrir les réponses précises selon ce que permet votre karma et votre nouveau don.

Je vous dirai ceci cependant. J'ai demandé à mon partenaire d'inclure dans le livre certaines des questions posées par des scientifiques comme vous qui ont beaucoup étudié et qui chaque jour aident les humains grâce à leurs connaissances et leur perspicacité. L'approche que vous suivez démontre votre très grande sagacité en ce qui concerne les changements et, de façon générale, elle est juste. Nous vous dirons aussi que les suppositions faites par bien des humains sont toujours dans l'erreur quant à l'interprétation à donner au channeling original en ce qui concerne le changement de trois degrés. Dans votre science astrologique, un changement de trois degrés est considérable et modifierait profondément les attributs à votre sujet. Beaucoup ont assumé que c'est toute la roue qui a bougé de trois degrés. Au lieu de cela, commencez à penser d'une façon non-linéaire. Le changement total est de trois degrés. Cela s'étend à la forme des 12 maisons, car chacune a changé marginalement pour un total de trois degrés dans l'ensemble et non pas chacune de trois degrés. Certaines maisons n'ont subi aucun changement. La plupart d'entre vous ne l'ont pas encore découvert, mais celles et ceux qui lisent ceci se diront : « Quel aspect de cette science est influencé par le timing de l'arrivée de Kryeon? Quel est l'attribut magnétique de ce Nouvel âge? »

Ces énigmes sont des indices indiquant quelles maisons ont été le plus touchées. Pour beaucoup, cette information ne fera qu'ajouter à la confusion. Commencez à faire des expériences avec les recoupements et ayez recours à votre intuition pour évaluer quels pourraient être les changements. Servez-vous de la logique et du sens commun pour vous guider et vous en serez récompensés. Lorsque vous aurez le sentiment de voir juste au sujet de ce que les changements du Nouvel âge apportent à vos calculs astrologiques, rendez alors l'information publique!

Question : *Que pensez-vous de l'idée de faire une interprétation de la carte du ciel pour quelqu'un qui a demandé à recevoir l'implant? J'ai eu l'impression que l'implant annulerait l'effet de l'empreinte que représente la carte du ciel, mais ce que vous avez dit semble indiquer que l'effacement de la carte était un choix, qu'elle pourrait encore être utilisée pour faire des calculs de prédictions si tel était le vœu de la personne, pourvu qu'on prenne en considération la correction à apporter à l'aide des transits. Est-ce juste?*

Martha Ramsey

Réponse : Dans l'analogie donnée par Kryeon (lors d'un précédent channeling), nous avions une fougère qui avait poussé avec une prédisposition pour certains attributs positifs à l'égard de l'eau, de l'ombrage et certaines préférences en matière de climat et de saison. Si vous êtes une fougère, vous serez beaucoup plus heureux à certains endroits qu'à d'autres. En plus, il y aura certaines saisons qui favoriseront votre croissance, et certaines où tout sera au ralenti. C'est la même chose pour les humains. L'empreinte magnétique vous donnera certaines prédispositions de préférences, et il y aura des conditions magnétiques qui stimuleront votre croissance et certaines qui vous forceront à faire tout plus lentement. Qui plus est, vous disposez comme humains (ce que n'a pas la fougère) de merveilleux indices à l'égard de votre contrat de vie, car la disposition de votre système solaire est alliée avec vous pour toute votre vie et elle vous donne de merveilleuses indications au fil des ans pour vous aider à la réalisation de vos plans.

Lorsque vous prenez l'implant, vous devenez comme une fougère miracle! Tout d'un coup, la lumière directe du soleil ne vous affecte plus. Même si vous préférez encore vous tenir à l'ombre, vous n'avez désormais plus peur du soleil. Dans les périodes où vous deviez auparavant "y aller lentement", vous avez maintenant la capacité de dépasser allégrement les autres fougères qui se blottissent les unes contre les autres durant la période d'hibernation. Pour l'humain, cela signifie ce qui suit : les empreintes magnétiques astrologiques sont avec vous pour la vie, tout comme votre visage. Vous pouvez continuer à consulter la science de l'astrologie pour des questions de timing et à suivre les conseils offerts selon les configurations magnétiques. Toutefois, l'implant vous donne la possibilité d'annuler les attributs qui vous avaient ralenti dans le passé. Osez-vous dresser des plans complexes ou bien partir en voyage lorsque votre carte du ciel personnelle indique que ça ne serait peut-être pas sage? La réponse est oui! Sentez-vous libre de partir en voyage lorsqu'on vous disait auparavant que ce ne serait pas une bonne idée. Dans des moments où vous auriez pu vous sentir replié sur vous-même, vous pouvez en fait vous sentir ouvert à l'aventure! Tels sont les changements possibles lorsque vous avez le contrôle de votre empreinte grâce à l'implant.

À présent voici quelque chose d'important : une condition planétaire tel un rétrograde a un effet sur toute la planète. Même si vous pouvez ne plus avoir le même genre d'avertissements durant ces périodes, les gens autour de vous continueront à y être assujettis. Souvenez-vous de ce conseil lorsque vous déciderez de créer un partenariat ou de faire des affaires. Même si vous pouvez estimer être quelqu'un de bien, ces actions nécessitent la participation d'autres personnes que vous seul. Il serait peut-être donc mieux de ralentir et d'honorer l'alignement des gens qui vous entourent au cours de cette période, car ils sont toujours sous l'influence des astres. La seule exception serait dans le cas où vous êtes en affaires ou en couple avec une autre personne qui a reçu l'implant (une fort merveilleuse chose).

Question : *Si l'empreinte est annulée par l'implant, et que la carte du ciel n'est effectivement plus valable, quel est le système d'astrologie qui pourrait prendre la place du présent système? Avez-vous des suggestions quant à la direction que cela prendrait et aux changements d'application qu'il faudrait faire? En tant que professeur d'astrologie, j'aimerais commencer à travailler avec cette information avec mes étudiants les plus sérieux. Je tiens beaucoup à faire ce qui est juste pour moi-même et pour la science que j'aime tant.*

Martha Ramsey

Réponse : Il est important que vous ne rejetiez pas votre science astrologique personnelle. Tel qu'indiqué, même avec l'implant, votre système est un excellent poteau indicateur toute votre vie durant. Il vous donne aussi de merveilleux indices sur ce que les autres peuvent faire autour de vous (une information extrêmement importante pour celles et ceux qui désirent savoir quel est le meilleur temps pour soigner et guérir les autres). Trouvez quels sont les changements et continuez à vous servir du système. Il va vous demeurer utile durant toute la vie de la planète, tout comme le feront vos mathématiques universellement corrigées.

Néanmoins, vous soulevez là une question merveilleusement perspicace et je vais parler brièvement d'un sujet dont je n'ai pas encore parlé. Votre galaxie est également très magnétique. Vous savez déjà qu'il y a des forces qui contrôlent votre système solaire et votre planète à partir du centre de votre galaxie. Ne serait-il donc pas raisonnable de croire qu'il y a aussi une carte du ciel galactique? Quelle influence le champ magnétique de la galaxie exerce-t-il sur la planète? Si vous aviez eu connaissance de ces choses des années auparavant, vous auriez aisément pu prévoir le Nouvel âge dans lequel vous êtes maintenant. De plus, vous auriez vu (sur votre carte du ciel galactique) que votre système solaire entre dans des régions qu'il n'a jamais traversées auparavant. « Qu'est-ce qui nous y attend? » vous demandez-vous peut-être. Ma réponse est destinée à ceux qui s'inquiètent au sujet de cette nouvelle région et pour ceux qui s'en font à propos de leurs nouveaux voisins. Prenez soin de votre esprit individuel et tout le reste va bien se placer. Il y a un potentiel de peur à l'égard de ce choses. Des changements vont se produire, mais votre place sur cette planète est un droit acquis à la naissance et il est honoré par Dieu.

Entreprenez un examen et l'étude de l'astrologie de la galaxie. Vous serez vraiment des pionniers en ce domaine.

DIX

Les sept qualités pour se réaliser par sa propre force intérieure

Note de l'éditeur

Le 12 avril 1997, plus de 650 personnes se sont réunies à Montréal pour accueillir Lee Carroll, son épouse Jan Tober et, bien sûr, celui qui se présente sous le nom de Kryeon. À plusieurs points de vue, cette journée fut couronnée d'un magnifique succès. De me retrouver parmi tous ces gens qui cheminent spirituellement fut particulièrement émouvant pour moi. Quelque chose de magique s'est produit et je pense que la majorité des gens présents l'on ressenti. Des quatre coins du Québec, mais aussi de France, Belgique, Hollande, des États-Unis et même des Émirats Arabes Unis, nous nous sommes tous donnés un rendez-vous afin de vivre ensemble avec l'appui si spécial de Kryeon, une réunion imprégnée des énergies du cœur.

J'aimerais partager avec vous en quelques lignes (avec l'accord de Lee Carroll) le cheminement qui nous a menés, ma sœur et moi, à nous retrouver devant cette magnifique assemblée pour vous présenter Lee Carroll et Kryeon.

Aux Éditions Ariane, notre but est de publier des livres qui offrent à la fois une vision du potentiel humain et des outils pour l'actualiser dans la vie de tous les jours; des livres nous guidant vers une meilleure compréhension des énergies spirituelles qui cherchent à s'exprimer à travers nous. On découvre depuis quelques années sur le marché d'excellents ouvrages à ce sujet. Discerner ceux que nous publierons revient toujours à une question de feeling. C'est ainsi qu'à la recherche d'œuvres spéciales, nous avons découvert les livres de Kryeon. Ma sœur Martine fut la première inspirée par cet enseignement. De mon côté, après avoir parcouru rapidement le premier livre, je le trouvai très intéressant de par cette énergie nouvelle qui s'y dégageait. Toutefois, des doutes subsistèrent en mon esprit quant à ce concept de "l'implant". L'expression "implant de lumière" m'était familière depuis quelques années. Le livre "Les messagers de l'aube" de Barbara Marciniak y consacre aussi un chapitre. Je demeurais cependant incertain de la pertinence pour notre cheminement spirituel de ce concept d'implant qu'introduisait Kryeon comme thème majeur de son premier livre. Aujourd'hui, m'étant un peu plus initié aux "énergies" de Kryeon, je sais leur pertinence. À l'époque, toutefois, ces concepts étaient nouveaux et m'amenèrent, en tant qu'éditeur, à un questionnement intérieur. Car c'est une chose de lire un livre pour soi en conservant les passages qui nous conviennent, mais c'en est une autre de le publier et le rendre ainsi disponible à un public qui en est venu à vous faire confiance dans vos choix d'édition. Cherchant au plus profond de mon être une "guidance", j'ai alors formulé une demande à l'univers, au divin, avec intensité, clarté d'intention et sincérité, afin d'être guidé dans mon choix. Et cela m'a amené à vivre une expérience formidable.

Quelques jours plus tard, au milieu de la nuit et suite à un rêve, je prends peu à peu conscience d'être face à une très vaste assemblée. Derrière moi se trouve Kryeon. Je ne le vois pas, mais je ressens très clairement sa présence. (Ici, je dois avouer que pour compenser certaines inquiétudes concernant des passages dans le Tome 1, j'avais l'intention d'ajouter quelques commentaires dans le livre). Cette vision où je me trouvais ainsi entre le public et Kryeon constituait semble-t-il un test. J'ai alors simplement tiré ma révérence, laissant au public l'accès direct à Kryeon. Cette décision devait certainement être la bonne, car immédiatement je me suis retrouvé en compagnie de Kryeon, à une certaine altitude dans un ciel d'azur. De là, je le voyais clairement. Il semblait mesurer environ 30 pieds de haut, il avait les cheveux longs et d'une blancheur toute spéciale. Cette blancheur n'indiquait aucunement la vieillesse car de son être émanait une vitalité peu commune. Son visage était de couleur "cuivre", un cuivre iridescent, plutôt doré qu'orangé.

Magnifique! (C'est ainsi que Kryeon s'est montré à moi. Ce n'est pas nécessairement l'apparence qu'il choisirait à une autre occasion). Il me dit alors : « Et maintenant, reçois de ta lumière. » Mon corps se mit alors à absorber, de façon exponentielle, une grande quantité de lumière, d'énergie. Je me voyais absorber toute cette lumière et m'émerveillais de la capacité du corps à en absorber autant. Je me rendis compte alors à quel point le corps est en fait programmé, créé avec cette capacité.

Ce processus n'était en aucun cas ardu; au contraire, les cellules de mon corps éprouvaient une jouissance profonde dans la réalisation de ce potentiel qu'elles savaient en elles depuis si longtemps. Ce fut une transformation puissante, mais tout à fait naturelle. Mon corps devint finalement un corps de lumière, ou plus exactement, un corps d'où se dégageait une lumière d'une grande beauté. Tout au long de ce processus, j'étais conscient et je ressentais les sensations de mon corps de "lumière". Cet état a duré quelques jours, s'amenuisant progressivement. Par la suite, les choses sont revenues à la normale. Cette expérience semblait avoir comme but un impact ponctuel, offrir la réponse de l'univers à une demande précise, et elle laisse certainement en moi un souvenir impérissable. Elle sera pour moi un repère dans cette quête de réalisation de soi. À ce moment, j'avais donc reçu ma réponse, ma guidance, et je pouvais ainsi vous présenter ces livres de Kryeon le cœur en paix, sachant qu'ils étaient de source divine.

Je partage avec vous cette expérience vécue car elle démontre une fois de plus à quel point l'univers est sensible à nos demandes, et également parce qu'elle illustre, à sa façon, l'aspect profondément spirituel de cet enseignement lié à l'implant. C'est aussi une occasion supplémentaire d'apporter quelques clarifications sur ce terme.

Il faut comprendre que les lois karmiques ont été mises en place par nous. C'est comme si, dans un passé lointain, considérant notre vécu dans le physique, nous nous étions réunis (dans nos périodes hors incarnation) et interrogés : par quels moyens pouvons-nous mieux ancrer et vivre la conscience de l'Esprit quand nous prenons une incarnation? Comment arriver à "spiritualiser" la matière? C'est ainsi que nous avons établi des lois karmiques ayant une certaine rigidité dans la relation de cause à effet. Nous savions qu'ainsi nous accéderions à une compréhension de notre responsabilité vis-à-vis nos actes, émotions et pensées, et vis-à-vis notre Terre.

Depuis quelques années, devant les progrès importants accomplis, nous avons permis (lors de conciles hors incarnation) à ceux ayant atteint un certain niveau de compassion et de compréhension des lois karmiques, de pouvoir transmuter le karma résiduel par la simple intention. (C'est le propos de Kryeon). Ceci alors nous laisse enfin libres de nous consacrer à notre œuvre véritable (en rapport avec la mission de la Terre). Kryeon n'a rien inventé ici, il nous informe simplement de cette nouvelle possibilité décrétée par nous-mêmes et mise en place lors de ces conciles hors incarnation. C'est ce qu'il appelle "faire la demande de l'implant". Ces mots sont importants pour lui. Certains utilisent en anglais le terme "libération", mais il faut bien comprendre que Kryeon a choisi le mot "implant" en toute connaissance de cause. Il était conscient de l'hésitation que ce mot allait provoquer chez plusieurs. Son but était de nous inciter à bien considérer notre décision d'en faire la demande. Il souhaitait que notre intention soit claire et bien réfléchie. L'expression "placer l'intention" est centrale à son enseignement. S'il avait dit par exemple : « Faire la demande d'une bulle de lumière christique », cela aurait court-circuité tout le but du processus, car qui alors aurait considéré adéquatement tout ce que l'implant implique?

Il faut comprendre aussi que, de tout temps, les êtres au cœur pur ont pu invoquer ce concept de l'implant, désigné sous différents vocables, dont celui de la "grâce divine". L'individu qui le choisit peu ainsi transcender les paramètres dimensionnels qui servent de leçons à la collectivité. Aujourd'hui, une partie grandissante de la collectivité adopte justement les valeurs du cœur et de la compassion et, de ce fait, accède à de nouveaux outils de transformation. C'est ce dont nous informe Kryeon : « Vous vous êtes donnés cet outil qu'est l'implant; utilisez-le maintenant. » J'aimerais placer ici un texte qui a paru dans le Kryon Quarterly #4. L'auteur, M. DelaCastro, nous apprend qu'historiquement, ce concept de l'implant "transmutateur de karma" a toujours été accessible à l'humain sur la voie spirituelle. Son explication, bien que plutôt technique, apporte des éclaircissements très intéressants sur ce concept de l'implant.

L'histoire spirituelle de l'implant

Note de l'auteur...

Mise à jour en 1997

Je pense que j'ai été aussi surpris que n'importe qui de découvrir que l'implant neutre ou "libérateur" était un don spirituel qui avait en fait été prédit par de nombreuses religions anciennes! Non seulement cela apporte-t-il de la crédibilité à son fonctionnement, mais ça nous aide à mettre en perspective ce nouveau don en apparence un peu étrange. Accepter le fait qu'il a été prédit vous apporte une plus grande compréhension de l'idée que l'implant fait effectivement partie de l'ordre spirituel des choses que représente le Nouvel âge. Kryeon ne s'est pas soudainement manifesté pour présenter quelque chose d'extravagant et de bizarre, ainsi que certains métaphysiciens de l'ancienne énergie auraient pu affirmer. L'implant neutre ou libérateur devait faire partie depuis le début du scénario des dons du Nouvel âge, dans l'éventualité où nous parviendrions au point où la conscience de la planète en aurait besoin. La bonne nouvelle est que nous y sommes parvenus! Et Kryeon est ici pour nous signaler que le don est prêt, tel que prédit, au moment prévu.

Greg DeLaCastro est un historien spirituel. Je ne savais même pas qu'une telle profession existait! Avant de poursuivre avec un article spirituel que Greg a écrit pour le magazine trimestriel sur Kryeon en 1996, j'aimerais vous le présenter. Son article suit immédiatement ceci.

Greg DeLaCastro, président de Scriptorium Ltd. Consulting and Research, est diplômé en histoire, anthropologie et langues (Phi Beta Kappa) de l'université de Denver en 1975. Il a également une maîtrise en histoire intellectuelle et culturelle du monde et en histoire de la science, obtenue à l'université de Denver en 1977. Il a aussi publié le livre *Cosmologie, histoire et théologie* chez D.U. et Plenum Press. Son intérêt profond pour l'astrologie sacrée et le Feng Shui, et son talent pour traduire directement d'anciens textes ont mené à la redécouverte de plus de 14 sites archéologiques - tel que raconté en détail dans son livre *The Forbidden Past*. Ses articles et traductions ont paru dans les publications suivantes : *New Pacific, Rocky Mountain Journal of Ancient Religions, and the Transactions of the Ancient Records Preservation Society*. Il est également l'auteur du *USL Manual* et de *Astrology Materia Medica*, et il collabore en ce moment à la traduction et à l'étude de *Moon Phase Nakshatras*. DeLaCastro est membre de la NCGR et possède de nombreux diplômes de hautes études en ésotérisme. Il offre des consultations en astrologie sacrée et en Feng Shui.

Greg DeLaCastro

Par l'entremise de Lee Carroll, Kryeon a présenté le concept de l'implant neutre dès le début dans le premier livre intitulé *La graduation des temps*. Depuis lors, ce fut un des sujets les plus controversés du travail de Kryeon. Les réactions à l'idée de l'implant neutre ont suscité toute la gamme des émotions, de la joie à l'illumination en passant par la peur et la confusion. Nous n'avions, pour la plupart, que peu ou pas d'information sur l'implant avant la parution des livres de Kryeon. De fait, Lee Carroll n'avait jamais entendu parler de l'implant avant qu'il n'en soit pour la première fois question dans un channeling. Certains ont même suggéré de l'appeler simplement "la libération" au lieu de "l'implant neutre". Peu importe comment on l'appelle, le fait est que cette idée existe depuis l'antiquité, que l'on désignait en partie du nom de « *Don de la cité de Dieu* ».

Une des caractéristiques consacrées par l'usage de toute l'information reçue par voie de channeling est qu'on peut la rechercher et l'extraire de trois façons différentes, soit : 1) Au pied de la lettre, 2) dans l'histoire, et 3) par encodage continu.

Le fait qu'un seul message doive se retrouver dans chacune de ces trois dimensions explique souvent les particularités structurelles ou les apparentes inconsistances dans le texte original. Le concept de l'implant neutre nous en offre un exemple typique.

D'un point de vue strictement linguistique, le terme "implant neutre" indique un *potentiel latent inutilisé qui réside en permanence dans la conscience.* Ce ne peut être quelque chose d'étranger ou d'extrinsèque qui est introduit dans la conscience par une force extérieure, puisqu'alors ce ne serait pas neutre. En d'autres termes, l'implant neutre *est quelque chose qui est et qui a été un élément latent de la conscience humaine depuis la création de l'homme.*

Kryeon a très souvent insisté sur le fait que l'implant neutre est un trait propre à l'humain dont l'existence remonte à bien avant sa mission actuelle. Il a ensuite décrit les caractéristiques de l'implant neutre afin que nous puissions de mémoire nous souvenir de l'utiliser à partir du royaume historique de notre dimension.

Kryeon dit que l'implant neutre nous ouvre une voie directe jusqu'à la source unique du pouvoir d'amour, ce qui n'est possible que dans l'état de la graduation. Vous aurez besoin de ce nouveau pouvoir afin d'accomplir le travail de transmutation pour la Terre.

En fait, l'implant neutre opère une complète purification du karma qui est annulé aussi sûrement que si vous étiez personnellement passé à travers chacune de ses leçons.

L'implant neutre est relié au plus grand ensemble d'implants qui sont en fait des "empreintes" parmi lesquelles on trouve le karma, les prédéterminations astrologiques, les leçons de vie (reliées au karma), les patterns de champs magnétiques (couleurs de vie aurique), le karma stellaire et bien d'autres choses...

Bien que cette empreinte ne puisse jamais être changée, elle peut être influencée ou neutralisée par un instrument spirituel tout aussi puissant... (l'implant neutre)... à contrôles variables sur votre empreinte. Les empreintes magnétiques astrologiques vous accompagnent pour la vie tout comme votre visage. Vous pouvez continuer à vous référer à la science pour des questions de timing, et néanmoins suivre ce qu'indiquent les empreintes magnétiques. Cependant, l'implant vous donne la possibilité d'annuler les attributs qui vous ont ralenti dans le passé.

Il est raisonnable de conclure à partir de cette description que l'implant neutre a quelque chose à voir avec le karma et l'astrologie. L'astrologie karmique est donc la science des systèmes permettant la découverte, à partir de la position des planètes et des étoiles, du karma individuel ainsi que de ses solutions. Comme telle, elle forme la principale composante de l'astrologie sacrée ou tantrique. Il est intéressant de noter que c'est dans les techniques de l'astrologie sacrée, que ce soit dans la tradition hindoue, bouddhiste, chinoise, judéo-chrétienne et islamique, ou même navajo, que nous rencontrons la présence historique uniforme de l'implant neutre.

Kryeon se sert du terme implant neutre pour décrire la dérivation astrologique du tableau de maîtrise du dharma (ou Couronnement de l'illumination) tiré du tableau Athla (ou tableau des actions). Ce faisant, Kryeon trace en réalité un plan d'enseignement. Dans ce processus, le segment de ligne de la seconde et douzième maison est enlevé et placé dans la première maison, formant ainsi un pont. Le terme neutre, dans le sens d'équilibre, est également significatif.

Au cours du Moyen-Âge, l'implant était connu sous le nom de "Pont des épées", puisqu'il coupait 75% de votre karma. Pour les Navajos, c'était le pont de l'arc-en-ciel offert par le soleil à ses enfants afin qu'ils puissent prendre conscience de leur nature divine. À Casper, dans l'État américain du Wyoming, Kryeon l'a comparé au fait de traverser une salle et d'aller jusqu'à l'autre bout sans être captivé par les choses s'y trouvant.

Par essence, l'implant neutre est simplement une séquence précise d'événements particuliers qui permet au Moi de s'accorder le pardon. Le truc consiste à vivre, du début à la fin, une séquence précise d'événements (en gros, le 1/12 de votre karma total). Il est ainsi possible d'éliminer de 60 à 92% de votre karma une fois la séquence terminée. Ce pourcentage augmente peu après jusqu'au point d'unité, lorsque ça se solidifie, pour ainsi dire.

Ceci nous amène au troisième aspect de l'implant neutre. Dans le langage de l'astrologie, cela se traduit ainsi : *La Force de Vie du Dieu du ciel guide la forme et le mode de travail au moyen de la Grâce, le don de la Cité de Dieu. Pour échapper en un clin d'œil à la calamité, élevez la forme du Bâton de fortune dans le lac de la Force de Vie. Amplifiez l'ouverture, utilisez votre perche.* Nous avons ici l'imagerie de la théologie d'avant la période néoclassique, combinée à une terminologie astrologique remontant à l'ancienne Égypte.

La Cité de Dieu, ou la Nouvelle Jérusalem, est le terme usuel pour l'horoscope carré sacré dans la Bible. Dans le Nouveau Testament (de Koine le Grec), c'est également la traduction juste du mot *ecclesia*, que l'on a traduit à tort par Église. Comme les maisons de l'horoscope carré sont triangulaires, elles se prêtent à être décrites en termes de métaphores s'inspirant de la sexualité féminine; tout comme le segment de ligne se prête aux métaphores inspirées de la sexualité masculine. C'est pourquoi les instructions recommandant « *d'élever la forme du Bâton de fortune dans le lac de la Force de Vie* » réfèrent également à l'élévation du segment de ligne de la seconde et douzième maison (le Bâton de fortune) jusqu'à la première maison (le lac de la Force de Vie) en tant que Force de Vie individuelle ou étincelle divine dans le tableau Athla.

Dans l'éventualité où cette occasion de prendre l'implant neutre serait ratée, la vérité est que ces événements peuvent être à nouveau rappelés grâce à la Déclaration ouverte d'intention, ou Grâce. C'est ce dont Kryeon parle lorsqu'il dit que nous pouvons exprimer notre intention de recevoir l'implant neutre. Toutefois, par double sens, nous avons aussi maintenant une image d'un exercice tantrique qui confirme que l'on a réussi à exercer cette option.

Quoi qu'il en soit, la chose importante à retenir est que nous disposons dorénavant d'un exemple montrant comment l'information reçue grâce à un authentique channeling honore la tri-dimensionnalité de notre continuum en étant conçue à dessein pour être obtenue sous trois formes différentes.

Une bonne partie de la confusion entourant l'implant neutre a été le résultat d'interprétations n'ayant pas tenu compte de la tri-dimensionnalité linguistique de l'astrologie sacrée ou tantrique. Ainsi, par exemple, Kryeon dit que « Les forces biologiques cycliques ne s'appliquent plus aux personnes qui ont pris l'implant neutre. »

Ce que cela veut dire, c'est que le cycle de polarité de l'ère Athla entre l'attitude psychologique des hommes et des femmes ne s'applique plus. Par exemple, l'attitude psychologique des hommes et des femmes du même âge est régie par des signes opposés. En termes pratiques, cela a toujours favorisé des relations où il y avait une différence d'âge variant de trois à neuf ans. (Celles-ci permettent des conjonctions naturelles qui sont unificatrices et étroitement liées.)

Il y a d'autres relations possibles avec des partenaires d'âges différents. Par exemple, une différence de deux ans entre les individus est un sextile naturel, ou un aspect créatif favorable.

Cependant, le point de tout ceci est : Ne serait-il pas agréable de ne pas avoir à passer par des périodes alternées d'engueulades et d'harmonie dans une relation? L'implant neutre vous invite à entendre la mélodie continue. Comme Kryeon le dit : « Pourquoi ne le voudriez-vous pas? »

Nous avons peut-être maintenant une perspective plus vaste de la profonde Grâce que l'Esprit et Kryeon nous ont offerte!

Greg DeLaCastro
10101 Highway 73, Conifer, CO 80433-4008, USA

J'aimerais conclure en disant que d'entendre Kryeon s'exprimer par la voix de Lee Carroll, lors de la conférence de Montréal, m'a permis de ressentir tout cet amour que Kryeon éprouve pour nous. La voix de Lee vibrait littéralement de cet amour. Je ressentais que Kryeon souhaitait nous faire transcender la simple compréhension de son amour ou du caractère noble de notre parcours sur Terre, il visait à ce que nous l'éprouvions au plus profond de notre être. C'est ainsi qu'il nous a présenté sept attributs ou qualités afin de nous aider à mieux intégrer dans le quotidien cet amour que chacun de nous a l'honneur d'incarner sur cette planète si particulière. Une sagesse belle et simple pour celui qui réalise tout ce qu'il peut être.

Le titre de la conférence de Montréal fait évidemment référence à la responsabilité que nous avons face à la vie. Il est requis de se prendre en main, au sein de la collectivité, en tant que membres de la collectivité et, par notre propre force intérieure, de recevoir l'inspiration de notre Je Suis et de l'actualiser au jour le jour.

Voici l'enseignement que Kryeon a choisi de partager avec nous lors de la conférence de Montréal.

En toute amitié,

Marc Vallée
Éditeur

Les sept qualités pour se réaliser par sa propre force intérieure

Séance de channeling
Montréal, Canada

La transcription de cette séance de channeling devant public a été modifiée par l'ajout de mots et de pensées afin d'en clarifier le sens et de permettre une meilleure compréhension de ce qui a été dit.

Salutations à vous, amis très chers! Je suis Kryeon du service magnétique. Alors cher partenaire, te voici pour la première fois de ta vie en présence de ceux qui ne parlent pas ta langue. Je t'assure que le message d'amour pour cette planète est universel et que la traduction ce soir en sera claire et juste, afin que tu puisses continuer en paix.

Certains mettent en doute le fait que ces paroles proviennent de l'Esprit lui-même. Libre à vous d'en douter. Nous sommes venus ici pour vous offrir notre amour malgré tout. En commençant cette série d'enseignements, nous allons imprégner ce lieu d'une énergie formidable car Kryeon s'accompagne d'un entourage : la *Famille*, celle qui vous connaît. Vous pensez ne pas les connaître, mais c'est tout simplement à cause du voile qui vous empêche de les reconnaître. La Famille sera assise à vos côtés, elle se déplacera dans les allées, entre les sièges. Et si parmi vous ce soir certains ressentent l'étreinte de Dieu, ce n'est pas métaphoriquement mais bien de façon réelle, car nous vous apportons ceux que nous appelons la Famille et l'entourage qui accompagne Kryeon. Dans cette salle, nous déposons une bulle d'amour. Que son contact vous apporte, avant de nous quitter ce soir, la certitude que vous avez été en présence de Dieu!

Nous aimerions maintenant vous faire part d'un enseignement que nous partageons à toutes nos assemblées. Portez bien attention à ce qui suit, si vous ne l'avez pas entendu auparavant, car c'est la raison même qui nous pousse à communiquer avec vous. Vous vous souvenez de l'être humain qui fut témoin du buisson ardent. Cette vision fit naître en lui une crainte révérencielle, et de la sainteté du buisson émana une petite voix paisible lui demandant de retirer ses chaussures. Ce que fit l'humain car déjà il sentait que le caractère sacré du moment demandait qu'il retire ses chaussures.

Cependant, ce que l'humain n'avait pas compris, c'est ce que je suis venu vous révéler : que le fait de retirer ses chaussures, parce que le sol était sacré, découlait de la présence de l'être humain et non du buisson ardent. Car, voyez-vous, c'est vous qui réalisez le travail! Il n'existe pas d'amour plus grand d'une entité dans cet univers que le vôtre, vous qui avez sacrifié le temps et enduré souffrances et inconvénients pour venir sur cette planète, voilés de votre véritable nature et limités par ce corps biologique, afin de faire les expériences et subir les épreuves de la vie. Croyez bien que nous en sommes conscients! Mon partenaire donne donc vie à l'entité nommée Kryeon. Et c'est ainsi que l'amour émane de cette scène vers les allées, le sol, pour toucher le cœur de chaque humain présent dans cette salle, même ceux qui croient n'être ici que pour s'occuper de la technique... ***Nous vous aimons!***

Alors, avant d'entamer cette série d'enseignements, nous vous répétons ceci : Imaginez-vous, si vous voulez bien, le plus grand amour que vous ayez jamais éprouvé pour un autre être humain, un amour qui vous fait frémir le cœur, cet amour pour l'autre qui vous fait sentir qu'il ne peut faire aucun mal, un sentiment inconditionnel, l'émotion à son paroxysme. Maintenez cette émotion. C'est ce qu'on appelle "être en amour". À ce sujet, mon partenaire me signale que je n'ai pas à expliquer cela à un public francophone! Nous souhaitons vous dire, très chers amis, que c'est ce sentiment que Dieu éprouve pour vous, inconditionnellement. C'est une association illimitée; quelles que soient vos actions, elles seront accueillies avec respect. Ce qui compte, c'est le chemin parcouru. ***Le parcours!*** Ainsi sont les choses. L'amour nous a conquis et nous sommes venus devant une assemblée telle que celle-ci. Mon partenaire ressent parfois ce que nous ressentons et se trouve de même subjugué, car nous sommes maintenant fusionnés à lui. Peu importe comment vous envisagez la présente situation, il vous faut savoir que vous entendez la voix de la vérité.

Nous faisons ici appel à votre mémoire, à ce que mon partenaire décrit comme étant l'expérience d'un souvenir. Chacun d'entre vous est appelé à se souvenir de moi! Je me suis auparavant trouvé devant vous... C'était alors dans le grand hall d'honneur pour baigner vos pieds et vous accueillir à nouveau. Car je sais qui vous êtes... Aucun d'entre vous n'en est à sa première expérience sur cette planète. Vous avez tous déjà été ici auparavant et c'est là une des raisons qui vous motivent à être ici maintenant. Vous cherchez à en savoir davantage sur la situation de la Terre. À vous qui êtes ici ce soir, est-ce qu'il vous a déjà été dit que vous habitez une région illuminée? Plusieurs parmi vous le savent déjà... Un avertissement a déjà été channelé il y a plusieurs années. Cet avertissement provenant de Kryeon est resté à ce jour incompris. Il conseillait aux gens de se rapprocher des climats plus froids. Vous, vous y êtes déjà. Cette affirmation est justifiée : de par le positionnement de la grille magnétique, recevoir la lumière de l'Esprit s'avère plus aisé vers les pôles. Le saviez-vous? C'est la première fois que nous vous transmettons cette information. S'il était possible que l'humanité entière puisse se manifester, à main levée, pour montrer à celles et ceux, parmi tous les humains, qui pressentent les transformations de la Terre, le défi vers l'illumination et l'appel lancé, on pourrait observer des millions de mains levées dans les régions au nord et au sud du globe, mais très peu vers les régions équatoriales.

L'avertissement suggérant de se déplacer vers les climats froids est scientifiquement fondé. Il se produit aux pôles quelque chose de très intéressant par rapport à l'illumination, mais c'est une bonne chose que vous ne puissiez y vivre car cela ne vous conviendrait pas. Certains toutefois en reconnaissent déjà la puissance et s'y rendent passer quelque temps. C'est la localisation sur le globe qui importe, et non que la température y soit chaude ou froide. Ce lieu où vous habitez déborde de possibilités; le voile se soulève légèrement. À mesure que la configuration magnétique se modifie, une possibilité se présentera à vous. Vous vous demandez : « Qu'est-ce que je fais ici? Pourrais-je y trouver la vérité? Que dois-je faire de ma vie? » Ah, mes amis si chers, ce sont là les questions les plus importantes à adresser à Dieu.

Nous sommes venus ici ce soir pour présenter une autre portion de la série des enseignements de Kryeon. Ces paroles devraient être transcrites et ajoutées en complément aux autres afin qu'elles soient lues par une multitude de gens en plus d'être présentées à cette magnifique assemblée. Nous aimerions vous enseigner ce soir les sept qualités qui permettent de se réaliser par soi-même. Sept qualités qui mènent à la réalisation de son potentiel. Heureux soit l'être humain doué de ces qualités, car il atteindra une vibration supérieure. C'est là l'être humain du Nouvel âge, le type d'être humain appelé à changer le visage de cette planète et, parmi ce groupe ce soir, il y en a plusieurs. J'aimerais pouvoir vous appeler chacun par vos noms mais vous ne les reconnaîtriez pas. Oh! nous savons clairement qui vous êtes!

* * *

La première qualité est celle-ci : *Honneur à l'être humain qui se réalise lui-même, car il comprend les attributs du "présent".* Nous vous avons déjà laissé entendre par channeling, que la structure temporelle où vous évoluez biologiquement est linéaire. Vous possédez un passé, un présent éphémère, ainsi qu'un avenir. Mais pour Dieu, rien de tel n'existe, car l'Esprit est toujours dans "l'instant présent". Bien que cet aspect de Dieu soit interdimensionnel, il vous est possible d'accéder à une certaine compréhension. Il n'existe ni passé ni futur; seules existent la substance et l'essence du présent. Celles et ceux d'entre vous en voie de se réaliser et dont la fréquence vibratoire est élevée entrevoient les attributs du présent dans une structure temporelle linéaire; d'autres en sont déconcertés. Ils se demandent : « Quelle décision prendre? Nous devrons affronter très bientôt un problème! Quelle décision prendre? ». Le problème se rapproche de plus en plus. Vous invoquez Dieu : « C'est imminent, que faire? » Et finalement, une décision est impérative et, à la toute dernière minute, la réponse surgit. Mais l'Esprit a toujours su qu'elle était là. Et l'être humain doué d'une vibration supérieure ayant compris la nature du présent, savait également qu'elle était là et ne se faisait point de souci.

Mais l'humain dont la pensée est assujettie à la linéarité est fort inquiet pour l'avenir dans cette perspective linéaire. Ah, mes très chers amis, si vous saisissiez la nature du présent, vous sauriez qu'il n'y a pas lieu de s'inquiéter de l'avenir. Certains humains l'ont compris depuis très longtemps déjà sans avoir d'intérêt "spirituel". Si vous demandiez à ceux dans votre civilisation qui participent aux compétitions : « Qu'est-ce qui fait de vous un champion? Comment arrivez-vous à être constamment vainqueur, débordant de confiance en vous? », ils vous répondraient : « Lors de notre entraînement avant la course, nous procédons à une visualisation: celle où l'on franchit le fil d'arrivée en première place ». Plusieurs semaines avant la course, ils gardent cette visualisation à l'esprit : franchir les premiers le fil d'arrivée. Et lorsque le pistolet de départ retentit, ils se visualisent déjà franchissant le fil d'arrivée. Et, amis très chers, il s'agit souvent d'une personne dont le potentiel se réalise, qui se voit dans l'avenir franchissant le fil d'arrivée le premier. Il n'appartient qu'à vous de pénétrer l'avenir, au moment présent, avant qu'il ne survienne. Le présent est un cercle qui englobe un amour très vaste et une visée d'envergure. Nous vous invitons à l'honorer et à cesser de vous faire du souci.

« Que pourrais-je demander, dites-vous, qui me sera de quelque secours? » Et nous vous transmettons à nouveau les questions magiques à formuler pendant vos méditations qui vous aideront à vivre au présent. Lorsque vous vous asseyez, prêts à rencontrer l'Esprit, demandez : « Mon Dieu, que me permettrez-vous de connaître? » Ne jugez pas la circonstance, ne posez pas les questions que vous considérez pertinentes à votre problème, ne demandez pas qu'on vous accorde quoi que ce soit. Demandez plutôt que tout ce qui vous soit accordé, soit opportun. Lorsque vous formulez la requête : « Que me permettez-vous de connaître? » demeurez silencieux. En formulant une telle question, vous vous demanderez peut-être comment les êtres humains sont censés recevoir une réponse. « Une voix jaillira-t-elle du ciel à mon intention? » Cette voix du ciel, nous affirmons amis très chers, qu'elle vit en votre cœur. Cette voix du ciel que vous appelez "Dieu Tout-Puissant" est en réalité l'étincelle de divinité qui imprègne votre être intérieur. C'est de là que la réponse jaillira, et vous vous étonnerez de ce qu'elle survienne apparemment toujours à la toute dernière minute. Mais Dieu ne connaît pas de dernière minute; tout est là à l'instant présent. Pour chacun d'entre vous assis ici sur ces sièges (ou qui lisez ces lignes), quel que soit le problème qui vous tourmente, il est révolu, terminé et solutionné. Pour tous. Honneur à l'être humain qui comprend les attributs de l'instant présent! C'était le premier point.

L'humain qui se réalise possède en second lieu la qualité ou l'attribut suivant : *Honneur à celui qui sait vraiment utiliser les dons accordés durant ce Nouvel âge*. Nous avons déjà transmis beaucoup d'informations à ce sujet; laissez-moi seulement ajouter que l'on vous accorde de merveilleux outils vous offrant la possibilité de vivre plus longtemps, mais le karma doit être éliminé. Car bien qu'il soit grandiose et précieux, le karma, dans sa façon actuelle de vous apporter des leçons, vous mènera tôt ou tard à la mort. L'ancien système exige que vous veniez au monde, puis que vous mourriez pour renaître à nouveau et ensuite mourir encore. Un système de votre cru, mis en place avec votre permission. Un système que vous avez conçu. Le présent système est à peine en place, chers amis; vous en êtes les précurseurs. Et, ce nouveau système vous permettra de demeurer ici, avec votre propre permission.

Des progrès scientifiques importants et des transformations énergétiques qui créeront la capacité de rester sur ce plan vous seront révélés dans les prochaines années. La surpopulation deviendra le problème social majeur parce que vous vivrez beaucoup plus longtemps. Ces dons doivent être utilisés, pas simplement appliqués sur la peau en se baladant dans l'espoir qu'ils donneront des résultats. Les dons du Nouvel âge, l'épée de la vérité, le bouclier de la connaissance, le manteau de la sagesse, toutes ces choses doivent être apprises. Et même ce que nous appelons "la libération" (l"implant), dont mon partenaire parle et qui semble engendrer tant de discussions, même la libération doit être revêtue comme on le ferait d'une veste — du manteau de Dieu — tout en prenant conscience que de s'habituer à cette nouvelle sensation exigera un effort car son poids est différent. Il faut travailler en coopération avec ce don; seul, il ne peut rien pour vous car c'est une entente entre partenaires. Certains d'entre vous, attendant un événement d'importance qui changera leur vie, pensent : « J'ai demandé la permission d'obtenir les dons ». Ce à quoi nous répondons : « Vous avez devant vous un instrument puissant et spirituel; il n'y a qu'à le charger maintenant. Prenez-le et faites-en usage! Utilisez-le! »

Certains humains tentant justement d'en faire autant, ont découvert que la charge s'était détériorée, que l'instrument semblait hors d'usage. Nous affirmons qu'il existe aussi un processus pour le recharger. Certains d'entre vous me comprendront. Comme vous vibrez dans différentes dimensions, on vous demande de *revenir* sur vos pas et de renouveler l'instrument. Ceci peut être accompli simplement; il suffit d'en formuler la demande ou l'intention, et de faire appel à la sagesse que vous possédez en tant qu'être humain qui se réalise.

Nous affirmons qu'il y a une tâche à accomplir et nous avons déjà channelé les attributs de cette tâche. Il s'agit ici d'un simple rappel à l'effet que rien ne se produira seul. Ce n'est pas un grand élixir de vie sur cette planète qui agira à votre place. Dieu ne vous accordera pas une chose semblable.

Nous sommes à l'ère de la responsabilité; le travail s'avère nécessaire. Le travail, mes chers amis, est précieux. Conférée avec amour, cette tâche est accomplie par plusieurs ici présents. « Quelle est cette tâche, Kryeon? » pensez-vous peut-être. Une tâche qui vous permet de vous éloigner de vos amis et de réévaluer tous les rapports sociaux dans votre vie. Vous vous étonnerez du changement chez les autres alors que ce changement se sera opéré en vous. Il faut s'y attendre! Dans plusieurs cas, c'est effectivement ce qui arrivera du fait que votre vibration s'élève. Pour chacune des activités de votre vie, il vous faudra évaluer, « Pourquoi sont-elles là? Que font-elles pour moi? » Voilà le type d'épreuve, la tâche, le sacrifice à accomplir. En vérité, une transformation importante vous attend. Et parce que vous accomplissez ce travail, vous êtes aimés profondément.

Le troisième attribut, ou qualité, est comme suit : *Honneur à l'être humain en voie de se réaliser qui comprend véritablement l'association mutuelle, ou partenariat, avec Dieu.* Nous avons récemment channelé cette information, nous l'exposerons donc brièvement comme suit: en cette ère, il n'est pas requis des humains qu'ils s'abandonnent à une force supérieure. Nous n'exigeons pas de renonciation, mais plutôt un engagement. Ce serait le mot juste. Engagement à une collaboration mutuelle, main dans la main avec l'Esprit Lui-même. Ne serait-il pas merveilleux d'avoir un associé qui saurait l'avenir en tout temps?

Un être vivant dans le présent qui vous tend la main, c'est là l'association. Certains d'entre vous ont jadis pensé : « Je renonce finalement à ma vie et je laisse Dieu s'en charger ». Mais nous déclarons que ce n'est pas ce que nous souhaitons. La seule chose à laquelle vous devez renoncer, c'est à votre incrédulité. Accueillez la main de votre associé, celle de l'Esprit lui-même.

Quelques-uns souhaiteraient n'être que des moutons et se laisser guider par le berger. Nous disons que le berger n'est nul autre que vous! Prenez le pouvoir, et tenez la main de Dieu. C'est une union, une association mutuelle qui appartient au Nouvel âge et infusera la puissance à votre vie. Lors de votre prochaine méditation, tendez la main, faites le geste et dites : « Oh, Dieu, j'accepte de m'associer à toi. Je prends ta main, j'accepte l'amour inconditionnel de l'Esprit. » Une collaboration, pas une renonciation : voilà le troisième attribut.

Le quatrième attribut est celui-ci : *Honneur à l'être humain nouveau qui comprend la valeur de la cérémonie et de la verbalisation.* Vous croyez que c'est important? Mais certainement, certainement! Nous avons channelé de l'information à ce sujet pour vous assister dans vos méditations et pour ceux qui pratiquent la guérison. Soyez attentifs! Avant de vous installer pour méditer, pour soigner ou faire quelque activité similaire, accomplissez une courte cérémonie. Elle peut ne durer que deux minutes, si vous le souhaitez. Au long de ce rituel, si vous êtes seul, exprimez à voix haute ce que vous êtes en train de faire. Verbalisez ce que vous faites. Faites vibrer l'air de votre voix : « Oh, cher Esprit, j'en suis à ce point de ma vie afin de ressentir l'amour qui m'est offert et d'établir une communication et une association avec Toi ». C'est ce que nous entendons par cérémonie. Mettez-la en pratique et voyez votre vie se transformer.

Pour celles et ceux qui pratiquent la guérison, nous vous avons déjà dit de demander à la personne allongée devant vous de faire de même. Le fait de verbaliser possède l'effet étonnant de catalyser la puissance. Le son émis dans l'air provoque un phénomène étrange; votre propre cerveau humain l'entend et y accorde foi. Vous vous interrogez : « Pourquoi est-ce important que j'entende et que j'aie foi lorsque je m'adresse à Dieu? » Parce que la conversation s'adresse en partie à l'ange siégeant sur le trône d'or en votre cœur. Et il est primordial que cet ange — que vous êtes — entende l'affirmation durant le rituel. Honneur à celui qui saisit le sens de ceci et le met en pratique car c'est là la clef qui permet d'accéder à une vibration supérieure. Honneur spécialement à celles et ceux d'entre vous, ici présents, qui dispensent de l'énergie et permettent la guérison d'autrui; nous vous transmettons ce secret que peu de gens connaissent. Faites-en l'essai la prochaine fois que quelqu'un se présentera à vous, et vous en constaterez les effets sur votre travail. Rituel, verbalisation et affirmation. Et à la fin de votre méditation ou de votre traitement, répétez le rituel. Faites-en quelque chose de sacré. Commencez-le avec dignité et en verbalisant, et terminez-le avec dignité et en verbalisant. Donnez un caractère spécial à l'événement, car il est en effet spécial.

Voici le cinquième attribut : *Honneur à l'être humain qui sait comment équilibrer l'ego.* Certains humains disent : « J'aimerais être sans ego, je voudrais bien qu'il disparaisse. Les maîtres de la planète étaient libres de tout ego; ils n'en avaient pas. Je veux être comme eux. » À cela, nous répondons que vous êtes dans l'erreur parce que l'ego est inhérent à la condition humaine. Il vous accompagne à jamais—aussi longtemps que vous posséderez une existence humaine sur cette planète, il fera partie de vous.

Ceci devrait vous aider à mieux juger les maîtres auxquels vous vous référiez précédemment. Il ne s'agissait pas d'une absence d'ego mais d'un ego équilibré. Même les grands Maîtres qui vécurent jadis eurent à s'affirmer. Ils savaient où marquer la limite, tenir tête à l'obscurité et révéler la lumière. Ils devaient pour ce faire utiliser un aspect de l'humanité que l'on nomme « ego ». Le but est d'équilibrer l'ego. « Comment puis-je y arriver, cher Kryeon? » me demandez-vous. Pratiquez le don de soi. Faites don de votre temps. Lorsque vous méditez, faites don d'énergie à ceux qui en ont besoin et ne le leur laissez jamais savoir. Faites don de vous-même sans jamais laisser savoir à l'autre ce que vous faites. C'est ce que nous entendons par "l'art du don". Cet art du don est apte à ramener l'ego là où il appartient. N'entretenez pas d'attentes dans la planification de vos activités. Par exemple, très souvent les gens vont quelque part ou font quelque chose dans l'attente d'un résultat. Ils *obtiennent* quelque chose de leur travail. Même si l'idée paraît étrange, tentez d'agir sans attentes. Attardez-vous à l'aspect présent de l'action. Ce n'est pas facile à expliquer, mais essayez d'*être* plutôt que de *faire*. Voilà le présent. Voilà ce qui équilibrera l'ego au fur et à mesure qu'il se dirigera vers la position qui est sienne. Mettez en pratique les attributs de l'amour. L'amour est serein, il n'a pas d'attentes, ne se gonfle pas d'orgueil en disant : « Regardez-moi, je suis important! » Il importe peu que les gens sachent ce que vous faites pour eux; faites-le de toute façon. Voyez en vous-même les effets. Pratiquez l'art du don. L'être humain doué d'une vibration supérieure possède cet ego équilibré. Cette sagesse, l'un des outils mentionnés sous le second attribut, vous apportera la sérénité et vous permettra d'équilibrer votre ego.

Le sixième attribut est primordial, chers amis, et nous nous attarderons quelque peu sur ce point. Mais nous souhaitons vous l'expliquer et l'illustrer d'un exemple, car c'est une chose qui préoccupe tout le monde. *Honneur à l'être humain qui comprend cet attribut qu'est le contrat.* Revoilà ce mot qui semble si ésotérique, si spirituel. « Qu'implique ce contrat, Kryeon? Quelle est cette chose qui nous échappe? Vous dites que nous l'avons planifié nous-même, mais je ne saisis pas clairement, où se trouve-t-il? » Laissez-moi vous raconter l'histoire de Jean. Jean était en voie de se réaliser spirituellement; il était doué d'une vibration supérieure et connaissait la vérité de Dieu. Il ressentait sa puissance intérieure. Il n'avait que peu d'ego et tous l'aimaient. C'était une personne capable de changer le visage de cette planète. Cependant, de son côté Jean avait un problème. Chaque soir, il se présentait devant l'Esprit, accomplissait une cérémonie avant de méditer et exprimait son intention de prendre son contrat en main. Il disait : « Oh! je vous prie de me laisser savoir ce dont j'ai besoin pour mon contrat. Placez-moi au bon endroit. Permettez à la synchronicité d'agir dans ma vie de façon à ce que je me trouve au bon endroit. Laissez-moi trouver l'endroit qui me sera propice ». Durant sa vie, il semblait que Jean passait d'un emploi à l'autre sans direction. Il travailla d'abord comme menuisier, un métier qu'il adorait. Il s'affaira à la construction de maisons pendant plusieurs années, et durant cette période il se sentait serein et joyeux. Mais chaque soir, il demandait à connaître son contrat. Quelques années plus tard, il fut transféré à l'extérieur de la ville et, avec pertinence et sérénité, il adopta une vocation complètement différente. Ce qui le laissa tout d'abord incrédule, car il se mit à étudier en vue de devenir un "planificateur d'abondance", un conseiller financier. Il excellait dans ce domaine et plusieurs firent appel à lui pour ses conseils. Il adorait prodiguer ses conseils et en était fort apprécié. Mais chaque soir, lors de sa méditation, il réfléchissait ainsi : « Je suis serein et heureux, mais il me semble qu'il doit y avoir quelque chose d'autre car j'ai entendu parler d'un contrat. Ce contrat, où est-il? J'étais menuisier et maintenant je suis conseiller financier, mais il doit bien y avoir autre chose. »

En effet, puisque cinq autres vocations suivirent. Même arrivé à un âge avancé, Jean en découvrit encore une : il devint l'assistant d'un médecin herboriste. Tous l'adoraient, même lorsqu'il fut un vieillard affaibli. Jean eut une vie fructueuse et son passage vers l'au-delà fut aisé. Il arriva dans l'antichambre du hall des célébrations décrit précédemment. Mes amis très chers, cet endroit, vous vous en souvenez tous à divers degrés; et le plus drôle ce soir, c'est que ce souvenir vous soit si bien dissimulé. Lorsque nous vous disions que vous avez tous été en ce lieu, cela signifie que chacun d'entre vous y est passé. C'est un hall de triomphe et de célébration où chaque jour je distribue les honneurs liés aux insignes nouvellement acquis et où je baigne les pieds d'êtres humains passés dans l'au-delà. Ces insignes sont majestueux et la joie que tous partagent triomphe lorsque chacun d'entre vous est reçu encore et encore.

C'est ainsi que Jean, accueilli en ce lieu, prit enfin conscience dans l'esprit de Dieu de son parcours et de la valeur de ses actes. Suite à cette expérience, il fit la rencontre d'un ange bleu, un ange bleu des pieds à la tête. Il le reconnut et le salua : « C'est bon de vous revoir! » L'ange s'agenouilla, retira les chaussures de Jean et lui baigna les pieds. Jean s'exclama : « Je ne comprends pas! » Et l'ange lui répondit : « J'aimerais vous montrer quelque chose, Jean. Je vais vous emmener dans un lieu majestueux. Une salle où vous ne pourrez parler à personne, mais où vous pourrez voir tout ce qui s'est passé parce que nous sommes ici dans le présent. Vous êtes maintenant une entité de cet univers et il vous est possible de percevoir le passé, l'avenir et le présent. Nous souhaitons vous faire voir quelque chose. » Ils emmenèrent Jean dans une salle où se trouvaient une multitude d'êtres humains. Comme dans une vision, Jean aperçût autour de lui une lignée qu'il commença à reconnaître. Il vit la fille du fils du menuisier avec lequel il travaillait. Il vit les livres qu'elle avait écrits sur la croissance personnelle, sur l'amour. Il y avait ceux qui les avaient lus et qui, par la suite avaient vu leur vie transformée. Il vit l'étincelle de vérité en elle qui provenait du fils du menuisier avec qui il avait travaillé. Cela faisait partie de son contrat.

Il avait vécu assez longtemps pour rencontrer l'homme qui devait engendrer l'homme devenu le père de la fille qui changerait le visage de la planète. Oh! mais ce n'était que le début, car plusieurs de ceux à qui il avait dispensé ses conseils financiers de façon apparemment terre à terre, engendrèrent des enfants qui contribuèrent à transformer cette planète — des dirigeants et des politiciens au potentiel extraordinaire. Jean avait partagé la lumière qu'il avait en lui tout en faisant son travail. Mais tout au long de sa vie, il demandait à savoir où était son contrat alors qu'il y était littéralement et verbalement engagé. Quelle joie de constater son influence sur tant de vies et les répercussions sur les lignées subséquentes, puisqu'il avait rempli son contrat alors même qu'il demandait à s'y engager.

C'était la raison de ses constants changements d'emploi parce que voyez-vous, amis très chers, Jean n'avait pas qu'un seul contrat à remplir, il en avait huit ou neuf. À mesure qu'il les accomplissait un à un, plusieurs personnes furent touchées, à son insu toutefois car il n'avait aucune vue d'ensemble de la situation. Nous vous disons, amis si chers, que vous ne pouvez savoir ce qui va se produire. La personne dont on pourrait douter qu'elle puisse jamais transformer la planète pourrait bien être celle qui la transformera. Rendez hommage à la synchronicité! Quelqu'un vous appelle et vous ne souhaitez pas répondre? Reconnaissez d'abord la synchronicité et rendez-lui hommage.

Vous devez parfois faire certaines choses et vous pensez : « Je n'en suis pas digne, j'en suis incapable, je ne saurai pas le faire ». Honorez la requête et allez-y de toute façon. Considérez tout avec attention, n'entretenez pas de préjugés à propos du contrat qui se présente à vous. C'est ainsi que ça fonctionne. Je peux assurer à certains d'entre vous ce soir, avec humour et amour, que vous remplissez déjà votre contrat tout en demandant chaque jour : « Où est-il? » Et nous vous aimons pour cela.

Voici le dernier, le septième attribut : *Honneur à l'humain dont le potentiel s'accomplit et qui reconnaît celui qui siège à la place d'honneur.* Mon partenaire en a déjà parlé aujourd'hui : il s'agit de l'estime de soi. Plusieurs d'entre vous sont passés de vie en vie, portant haillons et sandales, agenouillés devant Dieu et adhérant à cette croyance qui dicte que nous ne sommes rien devant un Dieu qui est tout. Mais finalement nous disons que la réalité est à l'opposé de ceci : c'est vous qui accomplissez le travail. Siégeant à la place d'honneur en votre être se trouve une créature aux ailes d'or, sublime et rayonnante. Et cette créature est à votre image, elle est éternelle, jeune et belle. C'est l'étincelle divine qui habite en chacun de vous. Il faut prendre conscience de la noblesse de votre visite sur cette planète en vue d'y prendre votre place. Et celui qui s'approche et demande où se trouve sa joie, elle est là, elle siège dans cette noblesse. Prenez conscience que vous méritez d'être heureux! Vous méritez davantage encore, vous méritez une vie merveilleuse, libre de toute souffrance. Toute guérison est possible dès maintenant. Nous la considérons déjà accomplie. Honneur à l'être humain qui sait qu'il réside en cet espace.

Ainsi, ce soir, nous vous avons offert ces sept qualités. Oh! mais nous vous avons offert encore davantage! Il y a eu un transfert d'énergie. Même vers ceux qui semble-t-il, se sont retrouvés ailleurs durant ce channeling, et ce, parce qu'ils en ont fait la demande. Plusieurs d'entre vous sont venus ici préparés à un changement et avaient besoin de cette énergie que nous avons partagée avec votre permission. Parce que vous l'aviez demandée. Oh! très chers amis, ne croyez pas que nous ignorons vos épreuves. Chacun de vos noms nous est familier. Peut-être direz-vous : « Kryeon, comment Dieu peut-il entendre toutes ensemble cette multitude de voix? » Nous vous répondons : « Si vous écoutiez l'orchestre symphonique le plus merveilleux, comptant des centaines de musiciens, vous serait-il difficile d'entendre la musique? » Aucunement, car ils jouent en harmonie. Et nous affirmons que vos voix sont pour nous comme la plus merveilleuse symphonie qui soit. Elles s'élèvent en harmonie formulant les mêmes questions, et nous entendons chacune d'entre elles. C'est ainsi que, ce soir, nous partageons avec vous les dons que vous avez demandés. Il n'y a aucune raison pour qu'une personne quitte cette salle sans les dons qu'elle est venue recevoir. Nous répétons que cette assemblée paraît ironique en ce sens que vous ne reconnaissez pas ceux qui sont assis près de vous. Vous vous connaissez plus que vous ne le croyez, même ceux qui ne parlent pas votre langue. Bien sûr, vos regards se rencontrent parfois dans les corridors et dans le foyer de cette salle. Mais vous ne reconnaissez pas celui ou celle qui a été votre fils ou votre fille, ou avec qui vous partagiez un karma important lors de vies antérieures. Parce que tout cela vous est voilé. Mais je suis venu vous dire que, peu importe la distance que vous avez parcourue, vous retrouverez ici une Famille. Ressentez l'amour qui vous est offert ce soir par cette Famille, par le Soi supérieur de la personne à vos côtés. Ressentez l'étreinte que Kryeon vous envoie, dans toute son intensité, l'étreinte de l'ange se tenant devant vous prêt à vous baigner les pieds. Il n'y a pas d'amour plus vaste que celui que vous éprouvez pour l'univers, puisque vous êtes ici en ce moment, et sachez que nous en sommes conscients!

Et il en est ainsi.

Kryeon

Demandez à Kryeon

Extrait d'une chronique du magazine
"Kryon Quarterly"

Question : *Quel est votre dicton favori à propos des humains?*

Réponse : Kryeon n'a pas de "dictons", mais il y a peut-être une pensée humoristique que certains d'entre nous de ce côté-ci du voile avons partagée auparavant... c'est ce qu'une entité comme moi peut faire qui se rapproche le plus d'une blague : « Les humains sont une bande d'obstinés, mais il suffit de leur montrer un buisson qui brûle et parle en même temps et ils vont accepter de faire à peu près n'importe quoi! »

Si vous désirez savoir quelles sont mes pensées-énergie favorites à l'égard des humains, je vais vous le dire : « En tant qu'humains, vous avez tellement aimé l'Univers et les êtres qui y vivent que vous vous êtes offerts en toute liberté pour venir sur cette planète et devenir des êtres de cette dimension inférieure pour que des entités comme moi puissent en bénéficier, et afin que l'Univers, dans son infinie sagesse, puisse connaître quelque chose qu'il n'aurait pu connaître sans votre sacrifice... Et ce faisant vous avez changé à tout jamais le cours des choses. » Et vous vous demandez pourquoi nous vous aimons tant!

Nouvelles de Kryeon

Forum électronique de Kryeon sur America On Line

Si vous êtes intéressé à participer à un forum électronique sur Kryeon, nous sommes représentés dans une section très active du serveur web America On Line (AOL) sur l'Internet. Si vous êtes abonné au serveur AOL, il est facile de nous trouver. Cherchez le dossier *"Clubs & Interests"* (se trouvant sur le menu principal), puis cliquez sur *"Religion & Ethics Forum"*, puis cliquez sur le dossier *"New Age"*, puis cliquez à nouveau sur *"New Age II"*, puis parcourez les dossiers jusqu'à ce que vous trouviez *"The Kryon"*.

Kryeon sur l'Internet

Kryeon possède maintenant un site sur l'Internet dont l'adresse est:
http://www.pic.net/kryon

Kryeon a parlé avec enthousiasme de l'Internet en affirmant que c'est « *le seul système de communication de masse dans toute l'histoire de l'humanité qui n'a pas été mis sur pied par un gouvernement.* » Il rajoute que « *lorsque tout le monde peut instantanément communiquer avec tout le monde, il ne peut plus y avoir aucun secret!* »

Aimeriez-vous être inscrit sur la liste d'adresses de Kryeon?

Cette liste est utilisée pour informer les personnes intéressées au sujet des séminaires Kryeon organisés dans leur région, des nouvelles parutions sur Kryeon et des nouvelles sur Kryeon en général. Nous ne vendons ni distribuons nos listes à personne.

Si vous souhaitez y être inscrit, envoyez-nous simplement une carte postale portant le mot "LIST", et inscrivez lisiblement, en lettres moulées, votre nom et votre adresse. Notre adresse est :

The Kryon Writings
1155 Camino Del Mar - #422
Del Mar, California 92014, USA

Lee Carroll

Ouvrez la télévision dans n'importe quel État américain, choisissez n'importe quelle chaîne, et en moins de trois heures vous êtes assuré d'entendre quelque chose ayant été produit au Studio West, fondé par Lee Carroll en 1971 et situé à San Diego en Californie.

Après avoir reçu son diplôme d'études commerciales et économiques de la California Western University en Californie, Lee a créé le premier studio d'enregistrement de San Diego et s'est rapidement attiré une clientèle nationale. Vingt-six ans plus tard, Lee se retrouve avec 39 nominations Clio (dont trois trophées) et de nombreuses autres distinctions dont une nomination Grammy, catégorie studio, et le respect de ses clients pour le travail accompli par son studio pour le Walt Disney World de Floride.

Où Kryeon trouve-t-il sa place dans tout cela? Comme Kryeon le dit, il a fallu que l'Esprit le frappe "entre les yeux" pour lui prouver que l'expérience de Kryeon était réelle. Mais il y eut un point tournant en 1989 lorsqu'un premier médium lui a parlé de Kryeon et qu'ensuite, trois ans plus tard, un second médium n'ayant aucun lien avec le premier lui dit la même chose (épelant même le nom de Kryeon en cours de séance)!

C'est avec une certaine timidité que les premiers écrits de Kryeon furent présentés à des métaphysiciens de Del Mar, et le reste est maintenant de l'histoire ancienne avec la parution du premier livre de Kryeon en 1992. Le deuxième livre de Kryeon suivit en 1994 et le troisième parut en 1995. Le livre illustré *Parabole de Kryeon* (anglais seulement) est paru en 1996 (chez Hay House) et le lancement de deux autres livres est prévu pour la fin de 1997.

Lee et son épouse Jan ont fondé les groupes de lumière de Kryeon à Del Mar en 1991, et ils ont rapidement dû passer d'un salon à une église à Del Mar (avec de la place pour plus de 300 personnes) pour tenir leurs réunions. À présent, ils animent des réunions partout dans le monde pour des auditoires de plus de 700 personnes. Kryeon a la plus grande section sur le Nouvel âge de toute l'histoire du serveur Web *America On Line*, avec un flot ininterrompu de visiteurs venant bavarder en ligne et s'aider mutuellement pour mieux comprendre les principes présentés dans les écrits de Kryeon. Puis on lança en 1995 le magazine national *Kryeon Quarterly*. Ce magnifique périodique couleur de 40 pages, sans la moindre publicité, rejoint maintenant plus de 3 500 abonnés dans plus de 12 pays différents.

On demanda à Lee en 1995 de présenter Kryeon aux Nations unies devant un groupe à charte de l'O.N.U. connu sous le nom de Société pour l'illumination et la transformation. Lee y reçut un accueil si favorable qu'on invita Kryeon pour une seconde visite en 1996. Lee poursuit son travail au service de Kryeon alors que vous lisez ceci.

Jan Tober

Une voix résonna au bout du fil un bon matin dans la vie de Jan : « Benny Good-man à l'appareil. Nous avons eu d'excellentes recommandations à votre sujet et je veux vous engager, mais je ne vous ai jamais entendu chanter. Pouvez-vous me fredonner quelque chose? »

Voilà de quoi sont faits les contes de fée — du moins pour une chanteuse de jazz! Mais cet appel ne fut qu'un parmi bien d'autres à marquer l'étonnante carrière de Jan. Alors qu'elle n'était encore qu'une adolescente, elle a remplacé Ann Richards comme chanteuse pour l'orchestre de Stan Kenton, pour ensuite être mise en vedette dans le kiosque à musique et dans l'émission télé régulière de Stan diffusée à partir de la salle de bal Rendez vous à l'île Balboa. Puis elle partit en tournée pendant deux ans avec l'orchestre Les Elgart, pour ensuite faire deux tournées avec Si Zentner & the Four Freshmen. Durant ce temps, elle donna aussi des spectacles avec Rowan & Martin, Jimmy Rogers, Corbett Monica... puis Fred Astaire fit appel à elle pour représenter son nouveau label!

Lorsqu'elle en eut assez des tournées, Jan s'installa à Del Mar en Californie et se mit à faire un show télévisé quotidien de 90 minutes, diffusé localement, pendant plus de deux ans. C'est à cette époque qu'elle fut contactée par l'agent de Goodman — et qu'elle refusa son offre! Lorsque Benny l'appela personnellement cependant, elle accepta et repartit en tournée. Cette fois, c'était avec le Roi du Swing.

Vous pourriez penser qu'ayant été la chanteuse sélectionnée en 1980 pour représenter les États-Unis au

Festival international de musique de Cannes en France, Jan n'aurait pas de temps pour autre chose que sa musique. En fait, elle est également une extraordinaire conceptrice artistique, avec des peintures, des vêtements et des bijoux en vente dans des galeries et des boutiques de plusieurs États américains.

Jan a été une métaphysicienne active durant toute sa vie et elle avait en fait prévu le travail de Kryeon bien avant son mari, Lee. Ce fut grâce à ses efforts que Lee a pu être guidé à la bonne place et au bon moment, et le résultat est le travail de Kryeon!

Jan a aussi créé deux cassettes : *The Crystal Singer* (1995) est une cassette de méditation channelée de 17 minutes. Cet enregistrement est très efficace pour apporter la paix et la guérison (nous avons reçu des lettres)! En 1997, elle a également fait paraître *Guided Méditations*. Cette cassette comporte deux excellentes méditations guidées d'une demi-heure avec un accompagnement de harpe celtique channelée, tel que déjà entendu lors de séminaires de Kryeon. Elle est toujours déterminée à se servir de sa voix et de ses autres talents pour transformer la planète. Nous pensons qu'elle a un excellent départ en ce sens!

Quelques exemples de livres d'éveil
publiés par **ARIANE** Éditions Inc.

La série

Conversations avec Dieu

Tome I et II

Les neuf visages du Christ

Messagers de l'Aube

*Enseignements nouveaux
à une humanité qui s'éveille*